LA LITTÉRATURE

ET

LE SPIRITUEL

ANDRÉ BLANCHET, S. J.

LA LITTÉRATURE
ET
LE SPIRITUEL

I
LA MÊLÉE LITTÉRAIRE

Préface d'HENRI de LUBAC, S. J.
de l'Institut

AUBIER, ÉDITIONS MONTAIGNE, PARIS

PRÉFACE

C'est une grande joie que la joie d'admirer. Critiquer est souvent un devoir, et ce devoir, même s'il n'est pas exercé méchamment, peut tourner au plaisir : l'acuité de l'esprit s'y satisfait. Mais du plaisir de la critique à la joie de l'admiration, quelle distance! ou plutôt, quel contraste! Tout plaisir tend à nous replier, pour notre malheur, sur notre propre centre. L'homme qui admire est comme ravi à lui-même. Analogue naturel de l'acte de charité, sans effort, sans engagement méritoire, l'admiration lui procure déjà, symboliquement, quelque chose de l'extase béatifiante.

Cette joie d'admirer, je le dis simplement, les études qui sont réunies en ce livre me l'ont fait souvent éprouver. Je voudrais la porter à son comble en invitant d'autres lecteurs à la partager.

Le Père Blanchet est un « amateur d'âmes ». Mais il l'est en un sens bien différent de Barrès, ou de Sainte-Beuve. Mieux vaudrait ne pas s'intéresser aux âmes, mieux vaudrait ne pas les apercevoir, que d'en repaître un goût de psychologue ou quelque curiosité sacrilège. Mieux vaudrait s'en tenir aux jeux variés de la littérature. Dans un certain goût des âmes il entre, à forte dose, de l'esthétisme. Or, pour le Père Blanchet, si sensible cependant aux valeurs esthétiques, si artiste lui-même en son style, l'esthétisme est une « pourriture ». S'il aime les âmes, s'il en poursuit la recherche — avec quelle finesse d'analyse — à travers l'expression littéraire, c'est toujours pour les voir enfin devant Dieu : seul moyen de pénétrer à la fois et de respecter leur secret. Chacune, d'ailleurs, est un univers, dont il détermine, pour ainsi dire, les lois essentielles et dont il décrit le climat. Cette faculté de compréhension variée, cette plasticité est un don du vrai critique. Elle est ici quelque chose de plus : le fruit de la sympathie.

Sympathie n'est pas complaisance. Le Père Blanchet a trop le respect des âmes et croit trop à la grandeur de leur destinée, pour se contenter d'épouser tour à tour chacune de leurs courbes. Pas plus que sa clairvoyance ne se laisse abuser, il ne laisse faiblir la haute exigence que lui dicte sa foi. Mais, à l'image de celle de Dieu même, cette exigence vient de l'amour. Elle aspire à susciter dans l'âme qu'il interroge une exigence pareille, à la montrer du moins inscrite, fût-ce en creux, dans l'œuvre qu'il analyse, à faire jaillir de cette œuvre un appel. Il sait juger et parler net : « Gide a falsifié l'Évangile... » Mais jamais ce n'est l'homme qu'il juge. Et sa sévérité n'est jamais sans espoir. Il ne renonce jamais à trouver en l'autre ce point de connivence à partir duquel pourrait s'établir un accord, en vue d'un élan commun.

Il en résulte une critique qui, pour ne sacrifier nullement à l'impressionnisme, n'est pas non plus, comme on dit, « dogmatique ». Rien n'y est jugé sur le dehors et d'après un canon tout fait. Une fois expliqué, par exemple, ce qui lui paraît manquer à Malraux, le Père Blanchet conclut : « Peut-être Malraux le sait-il mieux que nous. » Au fond de l'abîme de sécheresse qu'est la Défense de l'Enfer de Jouhandeau, il cherche — et il trouve — cette « goutte d'amour » capable peut-être d'en avoir raison. La grande aventure de la poésie moderne, jusque dans ses prétentions les plus folles ou ses aspects les plus blasphématoires, ne l'effraie point. Il ne partage pas le mépris, à la fois philistin et pharisien, dont elle fut et dont elle est encore souvent l'objet. Il ne cède point à la crainte de voir l'univers de rêve dont un Apollinaire, ou un Max Jacob avant sa conversion, étaient en quête, confondu avec la réalité surnaturelle, ou la mystique surréaliste avec la mystique chrétienne : « Le danger nous menace-t-il vraiment que les poètes dont il est ici question soient pris, ou se prennent quelque jour, pour

*des chrétiens authentiques? Ce qui m'étonne, c'est bien plu-
tôt l'indifférence des chrétiens pour des hommes anxieux de
retrouver la vérité totale et rassasiante, et qui cherchent « à
tâtons » ce que, paroissiens de vieille souche, nous avons
rencontré sans effort. » Une telle attitude, non pas fermée
comme d'un homme replié sur ses principes, mais ouverte
par l'Esprit qui habite le croyant, est vraiment chrétienne;
ne craignons pas de dire : seule vraiment chrétienne. Plus
qu'un simple rejet de « l'erreur » au nom de la vérité « possédée », elle suppose une foi haute et pure.*

*Que le lecteur nous pardonne, si une déformation profes-
sionnelle nous entraîne un peu loin de la critique littéraire
proprement dite. Mais qu'il ne s'y méprenne pas : cet
ouvrage est bien de critique littéraire. Il est aussi d'histoire
littéraire. Dans ce domaine également, le Père Blanchet fait
preuve de liberté, voire de hardiesse d'esprit. Il ne s'égare
point à défendre, sous couleur de culture ou de tradition, les
valeurs conventionnelles d'avant-hier, ni même d'hier. Très
attentif aux transformations de la chose littéraire et de ses
rapports avec l'opinion, il réussit à nous les faire saisir, grâce
à quelques exemples bien choisis : la carrière de Max Jacob,
les étapes de la N. R. F., la querelle de Sartre et de Camus...
Le Diable et le bon Dieu lui donne occasion de faire une
sorte de psychanalyse de l'athéisme contemporain. Ses portraits d'un Gide, d'un Malraux, d'un Camus sont autant
d'approches par lesquelles doit peu à peu s'établir, sans tri-
cherie, un diagnostic spirituel de notre temps.*

*Or, on le pressent dès ce premier volume, le diagnostic ne
sera pas tellement pessimiste, en fin de compte. Si le Père
Blanchet observe entre autres maux, et avec combien de raison, « la suffisance, cette forme spécifiquement moderne de
l'éternelle bêtise », il discerne aussi partout les signes d'une
noblesse impérissable ainsi que de merveilleuses résur-
gences. Beaucoup plus qu'à d'autres époques, il voit aujour-
d'hui dans la poésie, dans le roman, au théâtre, dans l'essai
politique, posés les plus hauts problèmes... Aussi est-ce à
bon escient que, sans se laisser intimider par la tribu lillipu-*

tienne qui s'est acharnée à le rapetisser, il termine son recueil en évoquant la conversion du grand Claudel. Ému par le chant du Magnificat qui ponctua de façon inattendue mais si symboliquement heureuse les funérailles du poète à Notre-Dame, et mettant en œuvre les ressources d'une érudition sûre et minutieuse, il médite sur les visites successives que reçut, d'un fils d'abord prodigue, la « vieille mère vénérable ». Voici la dernière visite. Paul Claudel, au soir de sa longue vie, repasse en son cœur ce qui lui advint là, sous ces voûtes, aux vêpres de Noël 1886, et ce qui sortit de l'événement : « Les ténèbres chassées, la solitude rompue, l'Univers agrandi et redevenu habitable aux chrétiens, des milliers d'âmes allumées à la sienne : comment ne chanterait-il pas son Magnificat? » Certes, le bilan spirituel du siècle, en notre pays, n'est pas aussi positif. Il est loin, pourtant, d'être tout négatif. Les coups de sonde jetés par le Père Blanchet nous permettent de le penser : si les croyants savent mieux résister aux deux tentations alternées qui, depuis quelque temps, les guettent : celle du complexe d'infériorité, celle du durcissement inhospitalier, qui pourraient être deux formes opposées mais parentes du même péché contre l'Esprit, s'ils réussissent à les surmonter l'une et l'autre en s'abreuvant aux sources spirituelles qui leur sont toujours offertes, la génération qui vient portera de beaux fruits.

HENRI DE LUBAC, S. J.
de l'Institut.

AVANT-PROPOS

Voici rassemblés — d'autres recueils suivront — quelques-uns de mes articles des *Études*. Il n'est pas mauvais qu'avant de paraître en volume, des essais de cette sorte aient été une première fois soumis au public. Certains résistent à l'épreuve, d'autres non. On peut aussi — ce que j'ai fait — mettre à profit plus d'une remarque des lecteurs.

Présenter un tableau complet de la littérature contemporaine n'a pas été mon but.

Ce que toujours, et comme à tâtons, je cherche à atteindre dans une œuvre, c'est l'homme et son « choix existentiel ». Cause toujours, mon bonhomme, dis-je au bavard *Animus*, cependant que, le cœur battant et parfois les larmes aux yeux, j'écoute, montant des profondeurs, le frêle chant d'*Anima*.

J'invite donc mon lecteur à quelques « plongées » (c'est un titre de Mauriac) dans telle puis telle âme d'aujourd'hui, dont l'option spirituelle m'a paru significative.

Pour un « amateur d'âmes », comme disait Barrès, il n'est pas de sujets futiles. La littérature? Une exploration de l'abîme : celui de l'auteur, le nôtre aussi. Tout poème est comme un lingot dont nous lestons notre esprit trop léger et qui nous précipite au centre de nous-même, là où la nuit est lumière inéluctable, là où Dieu, rencontré face à face, se propose à l'amour, s'expose à la haine, et ne cesse de nous faire entendre, comme dit Claudel, « cette voix crucifiante au fond de nous-même » que nul n'a le pouvoir de faire taire. Autant d'auteurs, autant de tragédies. La littérature? Un champ de bataille spirituel, où sont des morts et des blessés, des vainqueurs aussi...

Ceci dit, je n'ai plus à m'excuser de n'être pas resté neutre. Comment l'eussé-je été quand l'œuvre des écrivains dont je parle ne l'est pas? Quand, pour leurs lecteurs et d'abord pour eux-mêmes, il y va de tout? Tels d'entre eux me liront peut-être. Qu'ils le sachent : si j'ai pris parti contre leur œuvre, qui est achevée ou le sera bientôt, c'est en faveur de leur personne, qui ne l'est pas. Eussent-ils préféré ces ménagements polis et distants qui sont monnaie courante en critique, mais qui donnent surtout la mesure de l'indifférence? Dans certaines de mes vivacités un peu franches, puissent-ils voir seulement la preuve de l'intérêt poignant qu'ils m'ont inspiré.

A. B.

LA CONVERSION DE MAX JACOB

Oserai-je bien parler de lui, moi qui ne l'ai pas connu ? Sur un point du moins ses amis sont unanimes : si étonnants qu'ils fussent, ses écrits déconcertaient moins que sa personne. Pour le comprendre, nous assure-t-on, il fallait son regard, sa mimique, l'étincelle de sa présence. Et encore, si intensément qu'il se livrât, — j'allais dire si douloureusement, comme un acteur anxieux d'épuiser le sens de son rôle, — quelque chose de lui échappait toujours. « Une personnalité n'est qu'une erreur persistante » : ce mot fameux de son *Art poétique* semblait dire : « Non, non, mes amis, vous ne me tenez pas encore. Ne vous hâtez pas de me définir. Regardez plutôt ! » Et déjà le Max de tout à l'heure s'enfonçait dans le souvenir comme un masque rejeté dans un costumier de théâtre, et un personnage nouveau, que rien ne faisait prévoir, occupait la scène, fascinant, doué d'une puissance de crédibilité qu'un comédien de profession n'atteint guère. Un malaise s'insinuait : à qui avait-on affaire ? Max n'était-il qu'un mime de génie ? ou, si tous ces visages lui appartenaient, comment les concilier ?

Israélite, Max s'est converti au catholicisme. L'homme étant ce que nous dirons, l'événement fit quelque tapage et fut diversement jugé. Une telle conversion pose en effet de passionnants problèmes : Max fut-il, ou même *pouvait-il* être sincère ? Ses recherches artistiques, si révolutionnaires, l'inclinèrent-elles vers Dieu, ou dut-il les renier pour se faire chrétien ? Enfin, était-il au pouvoir d'une nature aussi changeante de se fixer — d'aucuns diraient se figer — dans l'attitude catholique? Protée était-il capable de persévérance?

Sa vie va nous répondre, toute sa vie. Ses amis nous aideront à ressusciter sa présence. Un Breton d'origine juive n'est pas nécessairement limpide! Ne quittons pas des yeux, un seul instant, ce visage ouvert par le rire et en apparence tout livré, mais aussi mystérieux en définitive que le sourire fermé de ces statues asiatiques qui, avec leurs dix bras, et leurs dix pieds, et au centre d'un tourbillon de gestes, nous proposent une énigme immobile. Aimons Max comme tout le monde l'a aimé. Interrogé avec l'indiscrétion de la sympathie, il faudra bien qu'il livre son secret [1].

I. — DES CAFÉS DE MONTMARTRE AU « SACRÉ-CŒUR ».

Dans les années 1900, ce qu'évoque Montmartre aux yeux du monde « artiste », ce n'est certes pas le « Sacré-Cœur », pesamment et vainement triomphal, aussi étranger à la vie de ces jeunes peintres et poètes que peut l'être une mosquée, c'est la rue Ravignan, montueuse et sale, où habitent Max Jacob et Pablo Picasso. Max Jacob, employé aux écritures, puis, son incapacité constatée, balayeur dans une maison de commerce, a découvert Picasso. Il l'a encouragé. Il l'a secouru comme un pauvre peut en secourir un autre. De son côté, à son ami qui lui lisait d'étonnants bouts de papier très étrangers à l'art d'Edmond Rostand, Picasso a déclaré un jour : « Tu es le seul poète de l'époque! » Voilà deux inséparables. Ils habitent la même rue, sont toujours l'un chez l'autre.

Sans jeu de mots, cette rue Ravignan est une manière

1. Impossible de nommer ici tous les amis de Max Jacob qui, avec une parfaite complaisance, m'ont communiqué leurs souvenirs. Je tiens toutefois à remercier spécialement M. André Salmon, l'un des plus anciens et des plus fidèles amis de Max, et M. André Billy, qui a bien voulu mettre ses notes à ma disposition.

de haut lieu. Elle vit naître, autour de ces deux hommes, non seulement le cubisme, mais ce mouvement beaucoup plus général qui devait orienter tout l'art de notre temps dans des voies étrangement nouvelles. Non, je n'essayerai pas, après tant d'autres qui furent des témoins et des acteurs, d'évoquer cette ambiance d'amitié, de ferveur et d'excentricités. Mon impression est toutefois qu'aux fins d'exploitation littéraire, on a parfois outré les couleurs de ce milieu pittoresque, et que ceux qui l'ont le plus tardivement connu, et par ses côtés les plus superficiels, sont aussi, par malheur, ceux qui en ont le plus parlé. Le pittoresque, c'est évidemment cette vie de cafés, le noctambulisme, les coups de revolver et les cris dans la rue (« Conspuez Laforgue! Vive Rimbaud! »). Le pittoresque, c'est aussi le fameux « Bateau-lavoir », tant de fois décrit, ce 13 de la rue Ravignan où Picasso a établi son atelier.

Mais c'est le 7 que nous visiterons. Le « roi de la rue Ravignan », comme on a appelé Max Jacob, y occupe un réduit misérable, chambre mal éclairée, construite sur une cour où les locataires jettent leurs ordures. Entrons. La lampe, allumée nuit et jour, ne dissipe pas un soupçon de mystère qu'accentuent encore la singularité du personnage gesticulant au centre de la pièce et les signes du zodiaque peints sur les murs à la craie verte et rose. On devine, assis dans la pénombre, Apollinaire, Marie Laurencin, André Salmon, Matisse, Derain, Braque, Van Dongen, auxquels se joignent Mac Orlan, Francis Carco, d'autres encore. Picasso est chaussé d'espadrilles, coiffé d'une vieille casquette, et vêtu à la manière d'un ouvrier zingueur. « On se serait cru parmi des conspirateurs, dit Fernande Olivier; ...n'y conspirait-on pas contre tout ce qui était établi en matière d'art? » Campé au milieu, Max parle. Il est l'éveilleur, moins par des théories que par l'exhibition — c'est le mot — d'une personnalité en état perpétuel d'explosion et de création. Demandons à ses amis leurs souvenirs sur le Max de ce temps-là. Le portrait si délicatement fouillé qu'a tracé André Billy est inoubliable :

> Pourquoi ne parlerais-je pas d'abord de ses yeux? Les photographies n'en donnent qu'une faible idée. Ils étaient beaux, d'une beauté langoureuse et orientale, ainsi qu'il convient à un enfant d'Israël, mais cela ne fait que les classer dans un genre. Or, il y avait en eux je ne sais quoi d'unique, qui tenait peut-être à leur matière. Leur large, grasse et blanche sclérotique avait l'éclat de la faïence... Il en jouait avec art et complaisance. Il avait surtout certains regards de biais où la combinaison du blanc et du noir, du brillant et de l'humide, était absolument fascinante. Tout cela n'exprime encore rien d'essentiel. Il resterait à définir l'univers que ces yeux projetaient sur nous avec un mélange de cynisme et de timidité, de pudeur et d'ardeur, qui, lui aussi, était d'une irrésistible séduction. Malice, ingénuité, convoitise, mélancolie, ironie, douceur, bonté, cruauté, salacité, tout ce que l'on voudra, sauf l'innocence, la simplicité, la légèreté, la vraie gaieté, la sévérité, l'incapacité de comprendre. Sauf la sainteté, serais-je tenté de dire si je m'en tenais à mes plus lointains souvenirs.
>
> . . . .
> ... Enfin, il était glabre, et ce n'était pas encore tout à fait à la mode. D'un homme glabre, on disait qu'il ressemblait à un acteur, à un prêtre, à un lord ou à un clown. Max ressemblait à un mauvais prêtre par son air de fausse onction et à un acteur par la vivacité de ses mines gourmandes et bouffonnes. Plus tard, il arbora un monocle, une redingote grise, un chapeau claque et des cravates de diverses couleurs qu'il variait cabalistiquement selon les jours de la semaine ou les signes du Zodiaque, mais on ne pensait plus à faire de comparaison : il ne ressemblait plus qu'à Max Jacob [2].

Dans les nombreux récits où revit la bohème de ce temps, sa silhouette se détache des autres, nette comme une ombre chinoise, agitée comme un pantin, avec ces mouvements un peu saccadés des tout premiers films : Max accueillant ses visiteurs en homme du monde avec, pour chacun, un mot flatteur ou ironique; Max lisant son dernier poème; Max racontant avec une verve et une vérité que l'on retrouvera dans *le Cabinet noir*, *Cinématoma* et *Filibuth*, des histoires bretonnes ou des dialogues de ménagères; Max parodiant une scène d'Horace; Max, toujours Max, pantalon relevé et poitrine ouverte sur des jambes et une poitrine velues, imitant une danseuse.

---

2. *Max Jacob*, éditions Pierre Seghers, p. 11.

Tout à coup, attention! Le voici qui devient sérieux, mais sait-on jamais avec lui? Il n'admet plus qu'on rie. Il a saisi les tarots, et tire les horoscopes. Il trace sur différents objets des arabesques bizarres : ce sont des fétiches. Si les amis restent parfois sceptiques, les bonnes femmes du quartier composent une clientèle pleine de foi. Les dons de Max sont si connus à Paris que *l'Intransigeant* lui demande un jour l'horoscope de Joseph Caillaux, devenu président du Conseil.

***

En septembre 1909, changement à vue. Le poète, peintre, mime, chiromancier et homme du monde, ajoute à tous les autres un titre inattendu : chrétien.

De Montmartre à Montparnasse, il n'est bruit que de cette conversion. Voici maintenant, dit-on, que ce Juif hante les églises catholiques, pleure bruyamment ses péchés, se jette sur ses amis pour les amener à sa foi. On raconte même que, supplié de remplacer un chanteur défaillant, dans un bar de la rue Lepic, le prosélyte délirant s'est mis à parler de la sainte Vierge, à l'ahurissement des filles et des voyous.

On accourt rue Ravignan, et, à première vue, le visiteur se rassure. Le rez-de-chaussée fameux reste délicieusement jacobien. C'est le même bric-à-brac, la malle aux poèmes, les gouaches qui sèchent, les fétiches, la boîte à sardines où Max fait cuire ses œufs et le bol qui lui sert d'urinal. Max est resté Max. Seulement, voisinant avec les signes du zodiaque, des inscriptions surchargent maintenant les murs : liste des péchés de la journée, citations saintes, intentions de prières, résolutions, en particulier : « Ne jamais aller à Montparnasse! » Et quand le visiteur demande les raisons d'une conversion si subite, Max lui montre, marqué à la craie bleue sur le mur, l'endroit précis où Dieu s'est montré.

L'ami se retire, perplexe. Car cette conviction émou-

vante et légèrement théâtrale, Max la professe en toute
circonstance; ajoutez que dans le cercle d'Apollinaire la
mystification est toujours à craindre. N'importe! Du
Lapin agile à la *Closerie des Lilas*, du restaurant *Azon* à
l'Ermitage, notre homme répand l'étonnante nouvelle :
« Max Jacob a maintenant des apparitions! » On croit
entendre la réponse : « Il ne manquait plus que cela! »

*
** *

Pauvre cher Max, qui donc eût pu le comprendre?
Nous le savons maintenant : tout en lui appelait le merveilleux et même le surnaturel. Derrière ce jeu tournant
et miroitant de facéties, combien peu — les intimes seulement — surent discerner la présence de l'angoisse! De
nos jours, le poète ne se présente que le front barré de
soucis métaphysiques. Le poète de ce temps-là faisait du
tapage dans les cafés, s'affublait de façon à provoquer
l'étonnement et le rire, parodiait dans ses vers les plus
beaux vers du monde, se chargeait en somme d'un emploi
tombé depuis longtemps en désuétude, celui du fou de
société. Les imbéciles s'y sont laissé prendre. Tant mieux!
Max Jacob ne leur a abandonné que ce qui n'était pas
lui-même, une collection de masques. Et le tourment de
sa vie n'a pas été galvaudé par la mode. Il l'a porté seul.
    Un jour, pourtant, son secret lui a échappé. Pourquoi
au début de *la Défense de Tartufe*, ces quelques lignes
précédant des chansons de cabaret montmartrois?

   Le poète cache sous l'expression de la joie le désespoir de n'en
avoir pas trouvé la réalité.
   Les querelles, l'accroissement de l'orgueil insatiable, toutes les
ivresses ne font pas taire l'idée obsédante du suicide.
   Adolescent, aux dalles des églises catholiques il confiait ses
aspirations douloureuses; sa pudeur et sa lassitude ne le feront
même plus au papier.

   S'il chante ainsi, c'est donc comme les enfants dans le
noir, parce que la nuit de ce monde l'épouvante; s'il

s'exhibe, c'est par pudeur; s'il fait le fol, c'est qu'il a faim de joie, et qu'il ne l'a jamais rencontrée. Homme à facettes, a-t-on dit, insaisissable. « Burlesque et mystique », s'est-il défini lui-même. Il n'a montré et on n'a montré de lui que des aspects, tous vrais, mais apparemment inconciliables. Qui était Max? Nous ne le saurons jamais, à moins de découvrir enfin son *unité*.

La cristallisation foudroyante qu'est la crise de la conversion ne va jamais sans un sourd travail où les éléments se mettent en place, si je puis dire, pour l'étincelle de la grâce. Ou plutôt la grâce est partout, et jusque dans ces préparations trop souvent inaperçues. Nous accusera-t-on de paradoxe si nous avançons que chez Max Jacob, sans qu'il s'en avisât peut-être, l'*excentricité* de la vie était déjà fuite d'un monde où il étouffait et recherche d'un *Centre* divin? Nous croira-t-on si nous voyons dans ses expériences poétiques une tâtonnante approche de la conversion? Oui, la vie de bohème, certains bizarres procédés d'écriture, le prix attaché au rêve éveillé et nocturne, toutes ces singularités de poète d'avant-garde qui furent vécues par d'autres d'une façon sans doute plus superficielle et toute profane, prennent dans le cas de Max une profondeur et une gravité uniques, et on ne peut plus en suivre le détail sans émotion quand on s'aperçoit qu'elles l'acheminaient vers un face à face avec Dieu.

*
* *

Quelle âme exigeante n'eût étouffé dans cette France des années 1900? Le bouchon du positivisme obture alors les vies, dont une machine, le monde moderne, soutire puissamment l'air respirable. Déjà ressentie du temps de Rimbaud, l'asphyxie est devenue parfaite, à la satisfaction incompréhensible des victimes. Le cri de vigie de Jean-Paul : *Dieu est mort! le ciel est vide!* a été répété en écho joyeux par Nietzsche : *Dieu est mort, il faut vivre!*

Mais Max Jacob en croit plutôt Gérard de Nerval : *Si Dieu est mort, tout est mort!* et, pas plus que le grand visionnaire, il ne s'y résigne. Le symbolisme a bien tenté naguère une sortie du « bagne matérialiste », mais ce fut pour déboucher dans le vide, d'abord, et bientôt dans l'insignifiance. Il a tourné à l'esthétisme! La prose solidifiée du naturalisme, c'était le consentement à la prison; l'évasion poétique est consentement à l'illusion. Cherchons ailleurs.

Ailleurs, c'est l'aventure. Les poètes de la rue Ravignan, — Apollinaire, Max Jacob, André Salmon, d'autres encore, appelés parfois « poètes cubistes », parce que leurs recherches fraternisaient avec celles de Picasso, — s'engagent, et introduisent avec eux l'art moderne, dans des voies de fortune qui paraissent nécessairement étranges, et à ceux qui ne cherchent rien, et à ceux qui dans la religion ont déjà trouvé un remède au malaise moderne.

L'idée de Max Jacob, c'est que la réalité dernière n'est pas ce monde compact et dur, inhabitable à une âme vivante, mais l'*esprit* (ou les esprits, ou l'Esprit : un poète, en tant que tel, n'a cure de précisions philosophiques). Sommes-nous des esclaves tournant la meule sous un ciel bouché? Non pas, mais des êtres divinement libres! Les chemins de l'invention s'ouvrent à nous, et nous ne sommes pas sans intelligences avec les génies du ciel et des astres. Il ne se peut que ce monde soit le vrai, non, mais une simple apparence, comme l'avait vu Platon. Dégageons-nous de la matière et de ses servitudes. Qui sait si la vie dite « normale » n'est pas une somnolence où l'esprit, avec une conviction stupide, tisse et retisse le réseau des concepts, dans un somnambulisme tout pareil à celui de l'araignée fascinée par sa proie, pour qui le monde « réel » se limite à son piège tendu et aux vibrations qui l'agitent? Qui sait si l'état de veille n'est pas un rêve auquel la machinerie de l'habitude confère une rassurante cohérence? Imparfaite, d'ailleurs : il y a des trous! De temps en temps le réel véritable nous souffle au visage. C'est l'amour, c'est la mort, c'est l'inspiration. Ou encore c'est un songe qui entrouvre pour nous, comme disait Nerval, « ces portes d'ivoire ou de corne qui nous séparent du monde invisible ». Le vent de l'illimité a crevé la toile, et les philosophes s'empressent de réparer le dommage. En vain. Nous ne les croyons plus. Nous savons maintenant que la Merveille n'est pas loin de nous, qu'elle nous assiège, nous sollicite, nous parle, mais dans sa langue, que nous avons désapprise. Nous sommes immergés dans le divin, un peu comme des aveugles au centre d'une féerie. Devenus sourds, nous ne percevons plus la symphonie céleste. Les « esprits » dépêchent vers nous messages sur messages, que nous ne savons plus déchiffrer.

Car voilà bien le malheur! Utilitaire et fonctionnarisé, le monde bourgeois a grotesquement limité nos aspirations [3]. C'est le péché de la société moderne. Il nous faut donc changer notre vie pour rénover notre vue. Notre ennemie, c'est cette personnalité que nous nous sommes faite : durcie dans l'artificiel, pétrifiée par l'intérêt, « chosifiée » au contact des choses. Tel est le caillou qu'il faut briser, le nœud d'habitudes qu'il faut trancher. Le *moi* n'est pas un donné métaphysique immuable, mais un accident. Transformons-le, et nous connaîtrons l'invasion poétique, nous respirerons dans le réel. Échapper aux habitudes mentales du « bourgeois », si platement attaché à la terre, telle sera donc la voie du salut. Prenons allégrement le contre-pied de tout ce qu'il aime et adore.

Et, pour commencer, le bourgeois est calculateur et prévoyant : nous vivrons au jour le jour. Détachés de tout

---

3. « Le bourgeois, d'ordinaire, n'aime pas qu'on l'appelle par son nom », remarquait malicieusement B. Groethuysen. Mais ce que nous allons dire ici ne peut offenser personne : il s'agit du bourgeois des poètes, du philistin des romantiques, avec, tout de même, quelque chose de plus. Le bourgeois de Max Jacob, c'est, d'une façon très générale, l'homme formé par la société moderne.

souci, peut-être connaîtrons-nous enfin la divine liberté.
Voilà l'explication de certaine bohème. Quand, sur le
conseil de Picasso, le sage employé qu'est alors Max
Jacob renonce à son gagne-pain et se met à « vivre en
poète », il n'est pas défendu de reconnaître, dans ce
renoncement à toute sécurité, au moins quelque analogie
avec l'ascétisme.

Le bourgeois se prend au sérieux. Tant de niaise solen-
nité n'est-elle pas comique, quand on sait ce qu'est
l'homme, et qu'il ignore tout de son destin? La dérision
nous conviendrait mieux. Notre vie à nous sera un tissu
de facéties. Folie pour la bourgeoisie, et pour nous plus
haute sagesse.

Le bourgeois s'identifie à sa fonction sociale. Il n'est
plus un homme, mais seulement un épicier ou un chef
d'État. Nous n'entrerons dans de tels rôles qu'avec une
conviction apparente et une ironie secrète, sachant, nous
du moins, que c'est une comédie; et, comme font les
acteurs, nous passerons le plus souvent possible d'un
rôle à un autre : trop longtemps porté, un masque unique
risquerait de nous coller au visage. Et Max Jacob devient
cet être aux mille et une apparences, parodiste de lui-
même, mime incomparable, sincère jusqu'aux vraies
larmes, et dont l'ironie, toujours présente, est si bien
cachée qu'on ne sait plus à qui on a affaire. Lequel de
tous ces Max Jacob était le vrai, demande-t-on souvent?
Aucun! Invisible, embusqué derrière tous ses personnages,
le vrai Max Jacob tirait amèrement les fils de la comédie
humaine.

Dernier trait du bourgeois, à peine différent des premiers : fixé dans ses sacro-saintes habitudes, satisfait de
lui-même, il ne change jamais. Or, notre espérance à nous
est vierge, et tout demeure possible. Notre personnalité
ne doit donc jamais se considérer comme achevée, ni se
clore sur elle-même, mais se rompre sans cesse, s'ouvrir à
l'imprévu, à la surprise, au « miracle ». Un homme digne
de ce nom échappe toute sa vie à la sclérose par la méta-

morphose. Ainsi espère-t-il sauver sa liberté, et avec elle l'amplitude totale de sa vocation humaine.

Mais ici le conflit avec le bourgeois devient tragi-comique. Si nous essayions de lui faire soupçonner que « je » peut être « un autre », comme dit Rimbaud, que mille vies nous sont dues? Il s'agit de le dépayser, au besoin par des moyens énergiques. Ce sera la mystification, utilisée comme porte d'accès au mystère. De cette épreuve, le bourgeois sortira, ou bien heureux et libéré, ou hérissé et furieux, et n'apercevant plus autour de lui que des farceurs. Laissons cet incurable. La poésie décolle. Si l'art devient ésotérique, la faute n'en sera pas aux artistes : ils auraient bien voulu embarquer tout le monde dans leur nacelle.

Quant au poète, maintenant qu'il s'est rendu docile comme une terre à modeler et disponible comme un enfant, le voici apte à enregistrer les messages du monde réel. Car c'est cela, la poésie : *écouter l'esprit, écrire sous sa dictée.*

Dans le rêve, par exemple, si pur de toute logique, qui sait si nous n'entendons pas des rappels et des prémonitions venant d'un au-delà de notre *moi* prudhommesque et borné? Les rêves de la nuit nous introduisent dans « le monde supplémentaire à celui-ci », comme disait Alfred Jarry, et mettent à nos pieds les sandales magiques qui nous permettent d'évoluer dans une quatrième dimension. En eux, suppose Max Jacob, se reflète le « ciel des images » de Platon. Comment ne pas prêter attention à ces météores fugitifs que le monde réel dépêche à notre rencontre pour nous attirer à lui, nous arracher à l'emprise décevante des choses, nous inspirer du moins un doute sur les prétentions de notre monde borné à être le monde total? Peut-être ceux du moins qui ont échappé aux ombres de la caverne, nous envoient-ils ces rais de lumière? Peut-être nous font-ils signe, *des signes*?

Certains poèmes de Max Jacob paraissent bien n'être que des rêves transcrits tels quels.

On a dit que je me servais de mes rêves de la nuit pour faire mes poèmes. Je ne le nie pas absolument, je prends mon bien où je le trouve, même s'il est au *Ciel des images* de Platon, dont nos rêves nocturnes ne sont que le reflet [4]...

« Je ne le nie pas absolument. » A peine ose-t-il avouer qu'un poème peut tout emprunter, matière et lumière, à un rêve. Nous avons, depuis, fait du chemin. Mais la « vague de rêves » — pour parler comme Aragon — lancée par Gérard de Nerval, et que nous avons vu déferler dans le surréalisme a été relayée par Max Jacob.

Une page blanche offerte aux visites d'un scribe mystérieux, voilà le rêve nocturne. Mais ne peut-on, éveillé, se tenir dans le même état de disponibilité, antennes au vent? On devient alors la proie d'images dont l'incohérence peut n'être pas moins sacrée.

... Je me suis appliqué à saisir en moi de toutes manières les données de l'inconscient : mots en liberté, associations hasardeuses des idées, rêves de la nuit et du jour, hallucinations, etc. [5].

Après cela, comment refuser à Max Jacob la paternité de l'« écriture automatique »? En vérité, les surréalistes n'ont eu que la peine de la baptiser. A preuve encore ces confidences, où Max se peint tout entier, avec le sérieux de sa recherche et la drôlerie de son caractère.

Autrefois, avant mon accident d'auto, quand je pouvais marcher facilement, je suivais le trottoir depuis la place de la Nation jusqu'à la cascade du bois de Boulogne. J'avais un carnet de blanchisseuse sur lequel j'écrivais le roman ou la nouvelle que j'étais en train de faire. Les idées que j'avais trouvées ainsi me semblaient sacrées et je n'y changeais pas une virgule. Je crois que la prose qui vient directement de la méditation est une prose qui a la forme du cerveau et à laquelle il est défendu de toucher.
A cette époque de ma vie, je me livrais à des gymnastiques intellectuelles fantastiques, et je doute que les jeunes d'aujourd'hui aient le courage de s'astreindre aux acrobaties qui m'étaient coutumières avant la guerre : je prenais par exemple sur mon chemin une enseigne de boutique, une affiche, une carte postale, et je me disais : « Avant que tu atteignes le réverbère il faudra

4. *Nouvelles littéraires*, 20 février 1932.
5. *Cornet à dés*, préface de 1943.

que tu aies trouvé une idée absolument neuve sur ce que tu viens de voir. » J'allais jusqu'au réverbère, et si je n'avais pas trouvé l'idée, je restais immobile jusqu'à ce que la pensée soit venue. J'ajoute que je n'étais pas alors troublé par les digestions : je ne mangeais guère ou même pas du tout. J'avais des attitudes si bizarres que les gens se retournaient, et je me souviens qu'avenue du Bois une jeune fille dit à sa mère en me voyant : « Regarde donc le pauvre homme, si on lui donnait quelque chose? » Et la mère répondit : « Non, ma fille, on ne sait jamais. »

Il m'arrivait, faute de papier, d'entrer dans les bureaux de poste et d'écrire sur des formules de dépêches. Je dis un jour à une dame qui regardait par-dessus mon épaule : « Madame, je vous dédie ce poème, et je vous l'offre. » La dame prit un air offensé et me tourna le dos [6].

Le hasard devient donc le collaborateur du poète; Max Jacob agite le « cornet à dés », le renverse, puis se penche. Que voit-il? Des mots qui s'appellent, se répondent, jouent au jeu des échos. Les sons qui s'entrechoquent dans un calembour résonnent d'autant mieux qu'ils déraisonnent davantage. Les vocables assemblés composent un chiffre, bref comme une formule magique, rigoureux comme le pentacle.

Car l'ambition de Max Jacob et de ses amis, c'est de déposer sur le papier (et les peintres sur leur toile) des formes structurées donnant « la sensation du fermé [7] », des objets doués d'autonomie, fragments du ciel, aérolithes nous apportant des nouvelles de l'au-delà, plus réels que ce qu'on tient pour réel, « surréels ». « Ce qui *est*, écrira Pierre Reverdy, ce n'est pas ce corps obscur, timide et méprisé, que vous heurtez distraitement sur le trottoir, — celui-là passera comme le reste, — mais ces poèmes en dehors de la forme du livre, ces cristaux déposés après l'effervescent contact de l'esprit avec la réalité [8]. » Il s'agit de retrouver l'essence des choses, de les reproduire telles qu'elles sont au « ciel des images [9] ».

6. *Nouvelles littéraires*, 20 février 1932.
7. *Cornet à dés*, préface de 1916.
8. Pierre Reverdy, *Le Gant de crin*, p. 15, cité par Marcel Raymond, *De Baudelaire au Surréalisme*, Corrêa, 1933, p. 318.
9. Dès lors, s'évanouit la distinction absurde entre les sujets dits poétiques et les autres. Max Jacob délaisse les princesses du symbo-

Comme l'a très heureusement fait remarquer M. Daniel-Henry Kahnweiler [10], les cubistes rejoignaient ici l'art schématique et symboliste du moyen âge, lequel ne s'intéressait au monde créé que dans la mesure où il faisait penser à Dieu, au ciel, à la hiérarchie lumineuse et nécessaire des universaux, à cet univers définitif dont le nôtre n'est qu'une réplique caduque et déficiente. On s'explique ainsi que Max Jacob, le plus moderne des hommes, et précisément parce qu'il était l'ami de Picasso, ait pu avoir, converti, la piété de la mère de Villon. Lui aussi passera bientôt le meilleur de son temps dans l'ombre d'un « moustier », et ses méditations ne feront plus flamber à ses yeux détachés des spectacles de la terre que deux tableaux très simples :

> Paradis *peint où sont harpes et luths*
> *Et un* enfer *où damnés sont boullus.*

Mais dès avant sa conversion, la terre étant un milieu trop mouvant, Max Jacob jetait l'ancre au ciel; ou plutôt, sans s'évader des réalités quotidiennes, il rêvait, comme il l'a dit, « de recréer la vie de la terre dans l'atmosphère du ciel [11] ».

---

lisme pour les concierges de la rue Ravignan. Le matériel distingué de Mallarmé (violes, cygnes, miroirs, éventails) fait place à des objets communs et à des clichés de feuilleton, mais agencés de façon à évoquer *autre chose*. Les « phrases toutes faites » d'Apollinaire et de Max Jacob jouent, en somme, le même rôle que les « papiers collés » dans les tableaux cubistes. Tout, le plus familier, le plus terre à terre, peut s'irradier de poésie. Le rapprochement des textes suivants paraît assez éclairant : « Le cubisme, par ses sujets, a fait « voir », aimer, des objets simples et modestes, qui échappaient au regard par leur existence effacée (ustensiles de cuisine et de ménage, instruments de musique, etc.). » (Daniel-Henry Kahnweiler, *Juan Gris, sa vie, son œuvre, ses écrits*, Gallimard, 1946, p. 235.) Et Max Jacob : « La poésie moderne ne consiste plus à évoquer des personnages qu'on croit poétiques à cause de leur costume, de leur nom, et de tels accessoires de leur personne. » (*Art poétique*, p. 23.) Ou encore : « Regardez ce qu'il y a autour de vous, vous regarderez le reste après si votre vie est assez longue. » (*Id.*, p. 10.)
    10. Daniel-Henry Kahnweiler, *loc. cit.*, p. 118.
    11. *Art poétique*, Émile-Paul, 1922, p. 73.

Une telle conception de la poésie ne se prête que trop aux pires malentendus. Parce que les jeux de mots y abondent, on n'y verra qu'amusement verbal. Et pourtant, combien plus vainement attaché aux mots eux-mêmes un certain idéal pseudo-classique, celui qui fait se récrier d'admiration le Français moyen devant un sonnet du Parnasse calé de puissants adjectifs et armé de rimes bien sonnantes! Non, pour Max Jacob et son école, la poésie n'est pas un jeu des facultés superficielles, mais un engagement de tout l'être, à âme et corps perdus, dans une aventure psychologique impatiente de se muer en aventure spirituelle, un moyen de connaissance, et même le seul puisque tous les autres ont failli, une introduction mystique au secret dernier, lequel conférera enfin un sens et une valeur à cette vie qui en est si parfaitement dépourvue. En termes chrétiens, on dirait que la poésie est, pour Max Jacob, une expédition de pionnier à la recherche du « paradis » perdu, la résolution de « mourir pour renaître », l'invocation d'une « grâce » encore innomée, la « conversion », c'est-à-dire le retournement de tout l'être vers des perspectives novatrices et « divines ».

Prudemment, j'ai multiplié les guillemets, car j'entends le lecteur : « Il n'y a ici qu'une analogie avec les valeurs chrétiennes. Le surréel n'est pas le surnaturel! Un abîme sépare ces expériences poétiques de la vie chrétienne la plus pauvrement possédée! Ne faisons pas d'Alfred Jarry un saint Jean de la Croix, et de sa pataphysique une mystique! » Ai-je avancé rien de pareil, et le danger nous menace-t-il vraiment que les poètes dont il est ici question soient pris, ou se prennent quelque jour, pour des chrétiens authentiques? Ce qui m'étonne, c'est bien plutôt l'indifférence des chrétiens pour des hommes anxieux de retrouver la vérité humaine totale et rassasiante, et qui cherchent « à tâtons » ce que, paroissiens de vieille souche, nous avons rencontré sans effort. Le drame de la poésie moderne est celui de la foi perdue. Quel poids de nostalgie, mais aussi quels dangers de folies

et d'errances dans ces quelques mots de Gérard de Nerval,
de ce Nerval qui apparaîtra de plus en plus comme l'introducteur aux mystères permis et défendus, le Virgile au
rameau d'or qui tenta de forcer à nouveau les portes de
l'enfer et du ciel :

> Mais pour nous, nés dans des jours de révolutions et d'orages,
> où toutes les croyances ont été brisées, — élevés tout au plus dans
> cette foi vague qui se contente de quelques pratiques extérieures
> et dont l'adhésion indifférente est plus coupable peut-être que
> l'impiété et l'hérésie, — il est bien difficile, dès que nous en sen-
> tons le besoin, de reconstruire l'édifice mystique dont les inno-
> cents et les simples admettent dans leurs cœurs la figure toute
> tracée [12].

Hélas, Nerval a-t-il retrouvé le rameau d'or, « recons-
truit l'édifice mystique »? Il ne suffit pas de s'aventurer
aux frontières de l'humain pour rencontrer le divin. Mais
l'audace était belle. Et comment rester sourd à cet appel
d'Apollinaire, écho poignant de celui de Nerval :

> *Nous qui quêtons partout l'aventure*
> *Nous ne sommes pas vos ennemis*
> *Nous voulons nous donner de vastes et d'étranges domaines*
> *Où le mystère en fleurs s'offre à qui veut le cueillir*
>
> . . . .
>
> *Pitié pour nous qui combattons toujours aux frontières*
> *De l'illimité et de l'avenir*
> *Pitié pour nos erreurs pitié pour nos péchés* [13].

En se révoltant contre l'idéal bourgeois, tel que nous
l'avons défini plus haut, Max Jacob et ses amis travail-
laient dans le même sens que l'Église, comme l'a remarqué Jean Cassou, de l'Église qui,

> tout en essayant, selon son usage constant, de s'adapter prudem-
> ment aux transformations du siècle, (a) retenu et retardé l'appa-
> rition du bourgeois. Ce n'a pas été sans surprise et sans regret
> qu'elle a pu assister au triomphe de cet être singulier qui n'a
> souci ni de la mort ni de ses fins dernières et se satisfait de trouver
> dans cette vie terrestre une matière suffisante à l'emploi de ses
> âpres facultés. En vain les curés le rappellent-ils à une vue plus

---

12. *Aurélia*, deuxième partie.
13. Apollinaire, *La Jolie Rousse*, dernier poème de *Calligrammes*.

relative des choses qui l'intéressent. Il s'installe dans l'histoire et
ferme son oreille à toute communication pouvant venir d'ailleurs [14].

C'est précisément à rétablir cette communication que
travaille Max Jacob. Et l'opposition du poète au bourgeois prend enfin son vrai sens : *elle est d'ordre religieux!*
Non pas une pauvre question de goût, comme le bourgeois
lui-même voudrait bien nous le faire croire, mais une
orientation vitale radicalement divergente. Le poète veut
« changer la vie », le bourgeois entend s'y installer. Insa-
tisfait de lui-même, le poète ne veut pas être, mais devenir; le bourgeois est au contraire ce pachyderme enroulé
dans les épaisseurs impénétrables de sa suffisance, à qui
sa confortable cuirasse interdit de devenir jamais autre
chose que ce qu'il est. Le poète escompte une aide extérieure, car l'inspiration est collaboration avec une puissance mystérieuse, avec X., ange ou démon; le bourgeois
entend bien se suffire, et se hérisse à la seule idée d'une
intervention supérieure dans ses petites affaires. Autre
façon de dire que, à la différence du bourgeois, le poète
est perméable à la grâce. La soumission aux « esprits »
peut devenir soumission au Saint-Esprit. Le bourgeois
demeure en-deçà de toute vie spirituelle, à la porte de ce
château dont parle Kafka après Kierkegaard, où des
anges et des démons vous attendent. L'artiste, lui, se
tient sur la corde raide entre ce monde et l'autre. Avec
le sourire tragique du clown, et sous les yeux amusés du
bourgeois qui n'en apprécie que mieux la solidité de son
fauteuil, il se livre à des acrobaties spirituelles assez ver-
tigineuses. Il ne redoute pas, il espère la chute... en plein
réel. Il se livre au vide où des bras l'attendent, vont sûrement le cueillir au vol. Où se retrouvera-t-il? Au ciel ou
en enfer? Avec Dieu ou avec Satan? A coup sûr dans le
sacré, le religieux, où l'option décisive s'imposera.

J'ajoute que, pour les incliner vers Dieu, les poètes de
la rue Ravignan avaient une certaine simplicité et un air

14. *Nouvelle Revue Française*, 1928, p. 460.

bon enfant qui les font différer très fort des pontifes si
nombreux dans les écoles littéraires. (Cela en dépit d'une
vanité très voyante et très bruyante de jeunes gens.)
Sans doute ignoraient-ils alors ce mot du Lautréamont
des *Poésies* (rééditées seulement en 1920) : « Je ne veux
pas être flétri de la qualification de poseur », mais ils
auraient pu le faire leur. Ils dénonçaient une attitude
dans le dégoût un peu trop universel et les blasphèmes
tout de même trop magistraux des poètes maudits. Max
Jacob ne sera pas un fabricant d'anathèmes savamment
liés et gonflés d'éloquence. Dans ses écrits, l'ironie est
partout, la déclamation nulle part. Son désespoir ne plas-
tronne pas.

C'est qu'il a garde de se mettre à part. L'absurdité
qu'il dénonce est d'abord la sienne. Serait-il une excep-
tion? Non pas, mais un pauvre homme aussi falot que
les camarades et qui exhibe bonnement sa bouffonnerie
congénitale. Il s'est, dit-on, payé la tête des autres. Non :
il se payait sa propre tête devant les autres. Façon à
lui, — en est-il de plus gentille? — d'inviter les autres à
soupçonner leur propre ridicule. Il n'y a pour l'homme,
semble dire Max, qu'un moyen d'entrer dans la vérité de
sa nature, c'est de se montrer burlesque des pieds à la
tête. « Saint Matorel, burlesque et mystique. » Mystique
parce que burlesque. Car l'humilité, c'est pour l'homme,
la vérité, et l'accès rendu possible à la Vérité. Ainsi Max
Jacob viendra-t-il à bout de la suffisance, cette forme
spécifiquement moderne de l'éternelle bêtise; ainsi
conquerra-t-il l'innocence essentielle, commune au moyen
âge, si moquée aujourd'hui, qui vous tient désarmé devant
Dieu. A Montmartre comme à Saint-Benoît-sur-Loire, et
malgré des dons qui éblouissaient, Max Jacob restera
toujours pour les importants l'innocent du village. Aux
yeux des arrivistes le type même du raté. D'où vient
qu'aujourd'hui chacun s'incline devant cette vie « somp-
tueuse », comme la définissait devant moi son ami Léon-
Paul Fargue? Je ne sais quel instinct nous avertit qu'après

tout la plus belle carrière humaine, c'est encore celle de l'humilité intégrale.

Mais n'anticipons pas : Max Jacob n'est pas encore chrétien. Et, sans la foi, cette interrogation de l'Inconnu qu'est pour lui le travail poétique relève de l'expérience métapsychique plutôt que de la prière. Il y a là quelque chose d'assez trouble. N'a-t-on pas raconté qu'il évoquait les esprits [15]? En un sens large, certainement. Mais quels esprits? Il s'en inquiétait peu. Jeu dangereux! Ses poèmes semblaient à Jean Cassou quelque peu « diaboliques [16] ». En somme, un sorcier breton opérant à Montmartre et fleurant le soufre, tel apparaissait Max à plusieurs.

Il ne voudra bientôt plus collaborer qu'avec les anges.

**

Oui, Max appelait les esprits. « Un jour, a-t-il dit, c'est Dieu qui est venu [17]. »

Le récit est là sous nos yeux, écrit, semble-t-il, sous la brûlure d'un toucher divin.

Je suis revenu de la Bibliothèque nationale; j'ai déposé ma serviette; j'ai cherché mes pantoufles, et quand j'ai relevé la tête, il y avait quelqu'un sur le mur; il y avait quelqu'un! Il y avait quelqu'un sur la tapisserie rouge. Ma chair est tombée par terre! J'ai été déshabillé par la foudre! Oh! impérissable seconde! Oh! vérité! vérité! larmes de la vérité! joie de la vérité! inoubliable vérité! Le Corps céleste est sur le mur de la pauvre chambre! Pourquoi, Seigneur? Oh! pardonnez-moi! Il est dans un paysage, un paysage que j'ai dessiné jadis, mais Lui! quelle beauté! élégance et douceur! Ses épaules, sa démarche! Il a une robe de soie jaune et des parements bleus. Il se retourne et je vois cette face paisible et rayonnante. Six moines alors emportent dans la chambre un cadavre. Une femme, qui a des serpents autour des bras et des cheveux, est près de moi.

L'ANGE. — Tu as vu Dieu, innocent! Tu ne comprends pas ton bonheur.

15. Max Jacob donnera d'abord de ses apparitions des explications un peu... spirites! « Je pense qu'ils ont, les esprits, beaucoup de peine à se matérialiser; il leur faut ou ma tenture rouge ou la lumière du cinéma. » (*La Défense de Tartufe, extases, remords, visions, prières, poèmes et méditations d'un Juif converti*, Paris, Société littéraire de France, 1919, p. 61.)

16. *Nouvelle Revue Française*, avril 1928.
17. *Nouvelle Revue Française*, juillet 1934.

Moi. — Pleurer! pleurer! Je suis une pauvre bête humaine.
L'ange. — Le démon est parti! Il reviendra.
Moi. — Le démon! oui!
L'ange. — Intelligence.
Moi. — Tu ne sais pas le bien que tu me fais.
L'ange. — Nous t'aimons, paysan. Consulte-toi!
Moi. — Ravissement! Seigneur! Je comprends, ah! je comprends [18].

18. *La Défense de Tartufe*, p. 31.

Sur les instances de M. l'abbé Foucher, Max Jacob a écrit, en 1939, un nouveau et long récit de sa conversion, publié en mars 1951 par la *Vie intellectuelle*, et dont j'extrais le passage suivant qui enrichit de quelques précieux détails inédits le récit qu'on vient de lire :

« Après une journée de paisible travail à la Bibliothèque nationale, rue Richelieu, à Paris, je rentrais chez moi, ma grosse serviette de maroquin pleine de notes et de manuscrits. J'étais habillé comme on l'était à cette époque, j'avais un chapeau haut de forme et une redingote. Comme il faisait très chaud, je me réjouissais à l'idée de me mettre à l'aise. Après avoir enlevé mon chapeau, je m'apprêtais, en bon bourgeois, à mettre mes pantoufles quand je poussai un cri. Il y avait sur mon mur un Hôte. Je tombai à genoux, mes yeux s'emplirent de larmes soudaines. Un ineffable bien-être descendit sur moi, je restai immobile sans comprendre. En une minute, je vivais un siècle. Il me semble que tout m'était révélé. J'eus instantanément la notion que je n'avais jamais été qu'un animal, que je devenais un homme. Un animal timide. Un homme libre. Instantanément aussi, dès que mes yeux eurent rencontré l'Être ineffable, je me sentis déshabillé de ma chair humaine, et deux mots seulement m'emplissaient : mourir, naître. Le Personnage de mon mur était un homme d'une élégance dont rien sur terre ne peut donner l'idée. Il était immobile dans une campagne; il était vêtu d'une longue robe de soie jaune clair, ornée de parements bleu clair. Je le vis d'abord de dos, sa belle chevelure tombait sur ses nobles épaules. Il tourna légèrement la tête, et je vis une partie de son front, la pointe de son sourcil et sa bouche. La campagne dans laquelle il se trouvait était un paysage très agrandi que j'avais dessiné quelques mois auparavant et qui représentait le bord d'un canal.

« A partir de cette sublime minute, et après la disparition de l'image sacrée, j'entendis à mes oreilles une foule de voix et de paroles très nettes, très claires, très sensées, et qui me tinrent éveillé toute la soirée et toute la nuit, sans que je sentisse d'autres besoins que celui de la solitude. Je ne sortis de ma chambre, qui était au rez-de-chaussée, que pour en fermer les volets, comme si j'avais craint que les coups d'œil des voisins me prissent le secret de mon bonheur. Je restai agenouillé devant la grande tenture rouge qui se trouvait au-dessus de mon lit, et sur laquelle s'était réalisée la Divine Image. Je me sentais transporté, je sentais sous mon front se dérouler une suite ininterrompue de formes, de couleurs, de scènes que je ne comprenais pas, et qui me furent plus tard révélées comme prophétiques. Cet afflux d'images dura de longues années et reparaît encore aujourd'hui dans certaines périodes d'état de grâces, bien que moins tumultueux. Je me souviens que ce soir-là je vis, entre autres, six moines dont chacun me ressemblait, et qui en portaient un septième visiblement mort. Je vis aussi une femme dont les bras et

Que devons-nous penser?

Écartons d'abord tout soupçon de supercherie. Page pascalienne, a-t-on dit souvent. Même impression d'expérience vécue que dans le *Mémorial*, même accent de certitude et de joie, d'une certitude qui passe les paroles, d'une joie qui va jusqu'aux larmes. Max présentera toujours cet événement comme la cause presque unique de sa conversion. Quand on y fera allusion devant lui, il sera saisi d'une sorte de pudeur sacrée; sa faconde disparaîtra; et quand il consentira à parler, ce ne sera qu'avec tremblement. Il jouera toute sa vie sur ces quelques instants. Trente-deux ans plus tard, en septembre 1941, il écrira dans sa méditation du matin :

Que ma foi se fortifie quotidiennement au souvenir du faîte de ma pauvre vie; que ce jour de septembre 1909 où votre ange a visité ma demeure pour me faire connaître votre miséricorde soit honoré comme un saint anniversaire... Je penserai à cette apparition tant que vous me conserverez une mémoire, je m'arrêterai à cet ange jaune et bleu. J'opposerai à toute argumentation, aux pichenettes des athées ou des discoureurs ou penseurs trompés, trompeurs, le texte de mes yeux, l'ivresse de ma poitrine, les larmes de ma joie [19].

Parler ici de mystification serait d'une sottise assez basse, presque de la goujaterie.

Mais si Max n'a pas voulu nous tromper, ne s'est-il pas trompé de bonne foi? Voilà un sujet que, sous cet angle précis, ses amis les plus chers, même chrétiens, n'abordent pas volontiers [20]. Cette gêne ne peut-elle être dissipée?

---

les jambes étaient entourés de serpents et qui portait un croissant dans les cheveux. Mais à quoi bon parler de ces images? Ne faudrait-il pas mentionner celles que j'accueille encore parfois en ces soixante années de mon âge? »

19. *Les Documents du Val-d'Or*, mars-avril 1947, p. 9.

20. D'aucuns l'ont fait avec une belle désinvolture. Écoutez Francis Carco : « Dans une semblable rue (rue Gabrielle), où ne roulaient pas trois voitures par jour et où les ménagères, pareilles à des béguines, longeaient les murs en s'effaçant, on pouvait assez bien admettre qu'une atmosphère spéciale favorisait les conversions... Lorsqu'un peu plus tard j'appris que Leprin (qui habitait, lui aussi, rue Gabrielle) subissait la

En ce domaine, nul ne parle avec autorité qui ne parle pas d'expérience. Ne peut-on du moins hasarder une explication, qui ne saurait d'ailleurs se prétendre adéquate, mais seulement approchante? Une comparaison avec ce qu'a vécu Paul Claudel le jour de Noël 1886, et qu'il a raconté dans *Ma Conversion*, éclairera notre sujet [21].

Il semble qu'on doive distinguer ici entre l'essentiel et l'accessoire.

L'essentiel, c'est le sentiment d'une sorte de déchirure de tout l'être devant l'invasion, à la fois foudroyante et infiniment douce, d'une Présence apportant avec elle rénovation et révélation. (« Il y avait quelqu'un... Oh! vérité! vérité! », etc. Et dans le récit de 1939 : « Il me semble que tout m'était révélé. J'eus instantanément la notion que je n'avais jamais été qu'un animal, que je devenais un homme. » Et Claudel : « J'avais eu tout à coup le sentiment déchirant de l'innocence, de l'éternelle enfance de Dieu, une révélation ineffable... Un être nouveau et formidable avec de terribles exigences pour le jeune homme et l'artiste que j'étais s'était révélé... ») Présence, rénovation et révélation, nécessairement distinctes dans le récit, composent en réalité une impression unique. Et tout ceci se passe au fond le plus intime et inaccessible de l'être, *en deçà des sens*. « Ineffable » : ce mot dit tout, qui refuse tous les mots, et maintient les curieux que nous sommes à la porte du « château » intérieur où Dieu s'est fait sentir, en dehors d'une expérience

même crise, je n'en fus guère surpris, car je connaissais le quartier. » (*Montmartre à vingt ans*, Albin Michel, 1938, p. 170.) Voilà de la fantaisie, mais assez médiocre. (D'autant plus qu'en 1909 Max Jacob n'habitait pas encore rue Gabrielle, mais rue Ravignan.) — Francis Carco écrit ailleurs : Max Jacob « se couchait, s'enivrait, voyait le Christ ». (*De Montmartre au Quartier latin*, Albin Michel, 1927, p. 24.) L'explication que nous allons proposer sera nécessairement un peu plus subtile. — Les propos et la conduite de Max expliquent, dira-t-on, la méprise de Carco. Ils l'expliquent sans l'excuser.

21. Paul Claudel, *Contacts et Circonstances*, Gallimard, 1940, p. 9 et suiv.

que nous ne comprendrons jamais, parce qu'elle est proprement incommunicable, et qu'elle nous fut refusée.

Voilà donc ce qui seul importe : la rencontre avec Dieu; voilà le point où « la foudre » est tombée, l'épicentre du tremblement de terre. Mais *toute la terre a tremblé*. Je veux dire que les ondes se sont propagées dans toutes les facultés, plus superficielles. L'homme est un. Le choc intime pouvait-il ne pas se répercuter dans la sensibilité, s'irradier dans l'imagination? Seulement, nous n'avons plus ici que l'accessoire. Les yeux du peintre qu'était Max ont objectivé cette Présence qu'il sentait en lui, l'ont habillée, si j'ose dire, des teintes aimées, celles qu'on retrouve dans ses gouaches et ses aquarelles : « robe de soie jaune », « parements bleus », l'ont située sur un fond familier : « un paysage que j'ai dessiné jadis ». Tout autre eût vu tout autre chose, ou n'eût rien vu du tout. Tel fut précisément le cas de Paul Claudel, à qui Dieu n'était certes pas moins présent (« Dieu existe, *il est là*. C'est quelqu'un, c'est un être aussi personnel que moi »). Mais chez Claudel la déflagration de la grâce n'a pas fait flamber au regard une composition picturale; elle a déchaîné une houle de rythmes et d'images dont le début de la troisième des *Grandes Odes* paraît bien être la transcription en quelque sorte sismographique.

On objectera peut-être que Max semble avoir vu l'apparition *avant* de se sentir bouleversé. Mais il nous faut ici encore accuser la traîtrise du langage, lequel distingue et juxtapose dans le temps ce qui fut simultané. (« Instantanément », répète Max Jacob, « en une minute », « impérissable seconde »; et Claudel : « un seul éclair ».)

Mais il va de soi que plus on s'éloigne de l'instant extraordinaire, plus les constructions imaginatives risquent de ne plus avoir aucun lien avec lui. Le converti a quitté le centre pour la surface. Nous n'entendons plus un écho authentique, nous assistons à une « fabulation », où la part de l'homme grandit à mesure que s'affaiblit celle de Dieu. Déjà, dans le récit de Max, les six moines au cadavre, la femme aux serpents, le dialogue avec l'ange paraissent marginaux par rapport à la vision centrale, et dépourvus de ce halo qui faisait dire tout à l'heure à Max que le Corps céleste était « ineffable », et que « rien sur terre » n'en pouvait « donner l'idée ». Quant à « la foule de voix et de paroles », à la « suite ininterrompue de formes, de couleurs, de scènes », à cet « afflux d'images » dont il est ensuite question dans le récit de 1939, et qui ne cesseront qu'avec la vie de Max, n'y voyons qu'une manière à lui de vivre la vie de la grâce, et qui s'explique assez par les dispositions propres de son tempérament, encore développées par ses expériences poétiques, et par le crédit qu'après Gérard de Nerval il accordait aux données du rêve nocturne et éveillé. Tout cela demeure suspect.

Disons, pour résumer, que l'imagerie visuelle et sonore n'est pas ici l'œuvre immédiate de la grâce, mais le retentissement dans l'organisme nerveux d'une touche divine très profonde. Dans la mesure donc où Max projetait « sur le mur de la pauvre chambre » une évidence tout intérieure, on peut dire que son « apparition » comportait une part, une écorce trop visible d'illusion. Mais l'essentiel demeure, l'expérience sans prix, le noyau vivant quoique inaccessible, d'où surgira, pour s'épanouir en pleine lumière, une vie chrétienne dont l'authenticité, longtemps contestée, s'imposera peu à peu. La preuve que Max ne s'est pas trompé, il nous faudra la chercher dans toute sa vie; et le dernier mot de toute cette affaire, c'est sa mort qui nous le dira.

*_**

Cependant Max se croit déjà chrétien. A la différence de Claudel qui éprouve alors « un sentiment d'épouvante et presque d'horreur », et l'impression d'être « arraché de sa peau », « planté dans un corps étranger au milieu d'un monde inconnu », Max se trouve tout à fait chez lui dans l'Église. La liturgie avec son ruissellement d'images plus fraîches et inattendues qu'un poème d'Apollinaire, les symboles aux sens mystérieux dont scintillent les vitraux, tout le ravit. Il ne voit guère de différence entre les mythes égyptiens, la kabbale et l'Évangile. Et on croit l'entendre expliquer bientôt aux amis, avec sa fougue et son brio habituels :

> Tous les personnages de la Bible réalisent un type planétaire : Joseph, interprète des images, c'est l'Uranien type; Samson, c'est l'homme solaire; Abraham, c'est le prêtre, le Jupitérien... Qui dit qu'Adam n'est pas le premier *Ecce Homo*, c'est-à-dire le premier homme semblable au Christ [22]!...

Tel est l'homme bien disposé et confiant qui, dès le lendemain de l'apparition, — Claudel attendit quatre ans, — courut à l'église la plus proche, Saint-Jean-l'Évangéliste (Notre-Dame-des-Briques, comme on disait rue Ravignan), pour solliciter le baptême. Il ne doutait pas qu'on ne le lui accordât sur l'heure.

Sa déception fut grande. Le jeune vicaire trouvé dans la sacristie assis à califourchon sur une chaise, fumant la pipe et riant aux larmes devant un visiteur en larmes qui lui demande le baptême : voilà un tableau trop joliment jacobien pour que tel ou tel détail n'en soit pas inventé. Il fallait bien amuser les amis [23]! Toujours est-il que, comme Claudel, qui revint « humilié et courroucé » de son premier contact avec un prêtre, l'échec fut complet.

---

22. Les citations dont la référence n'est pas indiquée sont empruntées soit à *Saint Matorel*, soit à la *Défense de Tartufe*.

23. L'anecdote, donnée par Robert Guiette comme venant de Max Jacob lui-même (*Nouvelle Revue Française*, 1934, p. 255), a été reproduite par Hubert Fabureau (*Max Jacob*, éditions de la *Nouvelle Revue Critique*, 1935, p. 39) et par André Billy (*Max Jacob*, éditions Pierre Seghers, p. 23). Le récit de 1939 est infiniment plus sobre : « ... Je demandai un prêtre, je lui contai ce qui m'était arrivé, lui disant que j'avais vu le bon Dieu. Il me regarda avec un sourire sceptique, me promit de parler de ma visite à son curé et de m'écrire. Depuis ce temps-là, j'ai rencontré ce prêtre, je lui ai parlé de cette visite à la sacristie en septembre 1909. Il m'a répondu qu'il m'avait pris pour un de ces journalistes mystificateurs dont la sainte Église avait alors beaucoup à souffrir. »

Rentré rue Ravignan, Max griffonne le poème intitulé :
A un prêtre qui me refuse le baptême.

> « *Non! va, ne jette pas aux prêtres l'anathème*
> *Parce qu'ils te refusent leurs bénédictions;*
> *Je t'aime et je saurai bien donner le baptême*
> *A celui qui me plaît quand il redit mon nom.* »
> *Le manteau de l'opprobre a sa douceur aussi;*
> *Il s'en faudrait de peu qu'on vous dise : merci.*
> *Ceux qui plaisent à Dieu ne sauraient pas vous plaire*
> *Toujours, Messieurs! Adieu! Je ne puis que me taire*
> *A ce nouvel affront que je devais subir.*
> *Ma bouche en vous parlant y gagne le sourire.*

« Le sourire d'un homme tout de même vexé », remarque
André Billy.

Une épreuve s'imposait. Max était trop sûr de lui. Si
l'Église l'avait accueilli aussitôt, qu'eût été sa conversion? Sans doute un de ces passages météoriques à travers
l'Église (il faut tout connaître, tout éprouver, n'est-ce
pas? et sincèrement, bien entendu!), une de ces métamor-
phoses aussi brillantes qu'éphémères, qui étaient bien
dans la ligne de cette génération littéraire, et que nous
vîmes fleurir et défleurir dans les années suivantes : je
pense à Jean Cocteau, à Maurice Sachs... Printemps trop
précoce, jardin sans fruits!

⁎
⁎

Mais Max était-il de ces hommes qui consentent à
mûrir?

Pendant cinq ans au moins on pourra en douter. Max
est alors sans guide; à la fois, lui semble-t-il, appelé et
repoussé par Dieu; la cervelle hantée par une étrange
cacophonie de voix célestes et diaboliques, en proie à
une végétation de rêves blancs et noirs; épave qui dérive,
selon les courants, des cafés de Montparnasse au Sacré-
Cœur de Montmartre. C'est l'heure où il s'adonne à
l'éther, pour retrouver, a-t-il dit, « les pures émotions
qu'il devait à Dieu », et qui ne revenaient pas sur com-

mande. *Saint Matorel*, écrit quelques mois après l'apparition [24], est bien le grimoire le plus déconcertant qui ait jamais vu le jour.

Certain Frère Victor Matorel, mort en odeur de sainteté en 1909, est censé raconter sa propre vie. Le récit ne devait pas manquer de sel pour les visiteurs de la rue Ravignan auxquels Max distribuait des exemplaires. Saint Matorel? Mais c'était Max lui-même! Le moine commence par une confession de ses erreurs passées, du ton le plus classique :

Moi, Matorel, j'ai connu l'amour avec une douce horreur. Dois-je avouer que j'ai été sodomite, sans joie, il est vrai, mais avec ardeur?

Le saint moine, jadis poète et amuseur public, semble assez mal détaché du siècle, puisqu'il prend soin de recopier dans sa cellule bon nombre de chansons de cabaret, ses grands « succès » d'autrefois. Quitte à noter bien vite :

Le poète demande pardon à l'Éternel des plaisanteries contenues dans ce recueil. Noé *(sic)* a dansé devant l'arche, pourquoi les poètes, ses petits-neveux, ne danseraient-ils pas devant la sagesse?

Puis vient le récit de la conversion.

La folie mystique fait des progrès! Il faut avouer que le terrain était merveilleusement préparé chez l'auteur de pareilles loufoqueries.

Cela ne pouvait manquer : au cours d'une grippe, Matorel a des visions. La grippe passée, « il se crut guéri des hallucinations ». Mais pas du tout! Le converti tient bon. Il a même (comme Max lui-même) la rage de convertir son milieu. C'est ainsi qu'il s'attaque à son ami Émile Cordier. Matorel dit, ma foi, ce qu'il sait (puisqu'on ne

---

24. En avril 1910, d'après les archives de M. Daniel-Henry Kahnweiler, et non en 1909 comme l'indique Max Jacob au début du livre. Cette dernière date était d'ailleurs invraisemblable.

veut pas l'instruire!), et c'est une apologétique un peu
inattendue, où les Nombres et les Vertus planétaires
prouvent la Trinité. Mais l'ami Cordier l'a vu venir :
« Il est pouffant, ce type-là, dit-il... On ne sait jamais s'il
blague ou non. »

Tout cela est criant de vérité. A n'en pas douter, Max
a ressuscité là son attitude et celle de ses amis entre 1909
et 1914. Et le lecteur est aujourd'hui peiné, comme
devaient être gênés les habitués eux-mêmes du *Lapin
agile* qui avaient provoqué ces confidences déguisées et
parodiques. Puisqu'il ne pouvait plus se distraire du
christianisme, il en parlait à tout venant, mais sur le ton
d'Arlequin. Il jouait la comédie de sa propre conviction,
tenant avec brio le rôle, qu'on attendait de lui, de l'homme
terrassé par la grâce. Dans ce milieu régnait en effet un
parti pris drolatique d'anoblissement : le peintre Rousseau, simple employé d'octroi, devenait le Douanier; un
frère de Max habitait le Soudan : c'était l'Africain; Max
lui-même, converti, ne pouvait être que le Mystique de
la bande. Incarnation de haut goût quand le rôle était
tenu par un pécheur qu'on faisait boire, et qui se dro-
guait. Tartufe à la Butte! Par gentillesse, par vanité
d'homme à la mode prisonnier de sa légende, Max se
prêtait à tout. Un Tartufe qui se respecte joint les mains,
se pâme en regardant le ciel, pleure à gros bouillons. On
applaudissait. Le virtuose savourait son succès acheté
avec le sang de son cœur, mais il en avait honte. Et à
l'aube, quand les noctambules regagnaient leur lit, Max
montait au Sacré-Cœur et demandait pardon. Marcel
Jouhandeau a rapporté de Max ce propos étonnant :

Si j'ai péché la veille terriblement, le lendemain, bien avant
l'aube, tu me verrais sur les genoux ramper tout le long du calvaire, je suffoque, je sanglote, je pleure, je me frappe au visage, à
la poitrine, aux membres, aux mains; je saigne, je me saigne, je
me signe avec mon sang, avec mes larmes. A la fin Dieu est dupe [25].

25. Hubert Fabureau, *Max Jacob*, éditions de la *Nouvelle Revue
Critique*, p. 40.

« Un mot littéraire », dira-t-il plus tard quand on lui rappellera le propos. Non, il ne s'agissait pas de duper Dieu par des grimaces, mais de cacher sous un trait d'esprit un tourment que son entourage ne pouvait partager. Une pirouette, et ce funambule échappait aux curieux, gardait son secret.

Cependant, la hantise de Dieu ne le quitte pas. Ce Christ, qui a touché son cœur, a-t-il abandonné pour toujours le pauvre Max? Du plus creux de sa misère, de son fumier, le malheureux l'appelle, et déjà l'accueille. Et c'est tout à coup quelque beau dialogue, étincelant comme l'or sur ce fond de pauvretés.

— Qui frappe ce matin à ma fenêtre?...
— Ouvrez la porte!...
— Attendez, je vous prie, il faut que je m'habille.
— Ne vous habillez pas, ouvrez la porte. Regarde ma face de sang, regarde ma figure de larmes, libertin!
— ... Mais comment ferez-vous entrer la croix?...
— Elle entrera par cette fenêtre.
— Oh! Seigneur, que vous avez froid aux mains! Et pourtant vous êtes en sueur... Approchez-vous du feu...

Au plus honteux d'une orgie nocturne, si l'on frappe soudain à la porte, c'est Dieu, pour Max, ce ne peut être que Dieu qui veut entrer.

L'orgie est au sud. L'orgie est à Montparnasse! Dans un atelier est l'orgie de Montparnasse. « Qui est là, ouvrez! » C'est le prêtre! C'est la croix! C'est la bannière et c'est la procession. Ils ont traversé l'atelier, ils se sont rangés au fond. « Qui est là? — Ouvrez! C'est le bon Dieu! » Tout le monde est plein d'effroi! « Entrez, mon Seigneur. »
Or, ce n'était que le commissaire de police, un vilain moustachu avec sa ceinture.

Titre du morceau : *Dieu nous a abandonnés*. Dieu ne viendra pas. Des appels, pas de réponse.

**

Si ce ne fut pas dans une orgie, ce fut du moins dans un café que Dieu lui répondit. Et son messager ne fut

pas un de ces beaux anges coloriés comme par des mains
d'enfants, dont Max rêvait, mais un petit homme bossu
et boiteux. Un jour qu'attablé à *la Rotonde* Max expri-
mait son désir du baptême, un inconnu lui indiqua Notre-
Dame-de-Sion (68, rue Notre-Dame-des-Champs), fondée
précisément pour la conversion des Juifs. Déjà Max cou-
rait à l'adresse indiquée.

Le Père Schafner trouva au parloir un homme gesticulant et pleurant, jouant du blanc des yeux, bref, sentant, quoi qu'il fît, son farceur d'une lieue. Le miracle
est qu'il l'écouta.

> J'ai dit ma vie en pleurant sur mes fautes. Il (le Père) a cru que
> j'avais plus de repentir que de foi; il se trompe. Ce doit être un
> homme d'une volonté terrible... Il paraît que je n'ai qu'une sen-
> sibilité encline à croire, mais que ma raison n'adhère pas!

Bravo, Père Schafner! Max Jacob a trouvé son maître
en psychologie.

Max est dans la joie. Max se voit déjà baptisé. Il
écrit à Guillaume Apollinaire :

> Je l'ai tant recherché (le baptême) que j'ai fini par en obtenir
> la promesse. Pablo (Picasso) sera le 20 janvier mon parrain et
> Sylvette Filassier, du Théâtre des Variétés, ma marraine, s'il plaît
> à Dieu. Je fréquente les Pères d'un couvent de la rue N.-D.-des-
> Champs. (Que de majuscules suivies de points dans la religion
> catholique!) Pablo veut m'appeler « Fiacre ». J'en suis désolé.

Comme on le voit, la drôlerie ne l'abandonne pas. Et
voici le portrait de ses catéchistes :

> Le supérieur est un grand homme chevelu, robuste et fin, qui a
> fréquenté Huysmans et Coppée : il en parle aimablement. Une
> espèce d'étudiant en soutane, genre cheval, assez gai et mondain,
> a commencé mon instruction; un tronc d'arbre ridé et basané par
> un séjour en Orient la continue [26].

Et cette note de son *Journal* :

26. Lettre du 7 janvier 1915 à Guillaume Apollinaire, publiée dans
Max Jacob, éditions Pierre Seghers, p. 73.

Oserai-je demander au Père F [27]... en quel mois il est né, pour faire son horoscope; j'imagine la scène... On verra.

Toutefois, ce n'est plus l'heure de plaisanter, mais de montrer ce que vaut sa conversion. La voie terriblement étroite est devant lui : va-t-il s'y engager? Pour commencer, régime sévère.

Je ne vais plus à Montparnasse où je pèche d'une manière ignoble, et je ne veux plus voir Poiret pour le même motif. Le confesseur trouve cela des petits sacrifices; Dieu saura seul ce qu'il m'en coûte [28].

Complications! Ne lui fait-on pas remarquer certain jour au couvent de Sion que c'est quatre-temps? Or, n'ayant pas le sou, il n'a rien mangé la veille, mais s'est largement rattrapé ce jour-là (sans doute à la table d'un ami). Résolution : « Demain, je ne ferai qu'un repas, et aussi maigre que possible. » Et il se plonge dans la lecture de Cassien; il habite avec ce pieux auteur les déserts de Thébaïde où des ascètes se défendent contre des nuées de diables par des jeûnes effarants. Hélas! le désert aussi connaît ses tentations!

Il y a des moments que je m'enverrais bien au diable.

Ce n'est pas une métaphore. Le diable n'est pas loin. On l'entend ricaner dans *la Messe du Démoniaque*, où le poète est la proie d'images incongrues. Oui, le diable tient avec lui la plume, et Max écrit tout. Écriture automatique! Mais il frémit en se relisant.

Placare..., Christe... servulis... serviculis... beatam me dicent orifice
[astral.
Il est vraiment trop joli pour un chancre,
Il est vraiment trop laid pour être un chantre.
(Je ne permettrai pas que vous écriviez une chose pareille.
Vous serez damné pour avoir osé chose pareille.)
. . . .

27. Il s'agit du Père Ferrand que le Père Schafner lui avait donné comme catéchiste.
28. Lettre à Guillaume Apollinaire, non datée, publiée dans *Max Jacob*, éditions Pierre Seghers, p. 77.

On a allumé la girandole pour la messe noire...
La dernière statue de Marie — celle de gauche —
S'attache, se détache, — ô pardonnez-moi, pardon, est-ce un rêve?
— S'attache un groin...
. . . .
Mais Dieu terriblement se venge,
Dieu délicieusement se mange,
Et les sacrilèges vont en enfer.

Beaux combats spirituels! Mais les grands exemples des ascètes du passé s'avèrent impuissants. Car enfin Paris n'est pas le désert, et pourquoi faut-il que le couvent de Sion se trouve dans le quartier de Montparnasse! Cris de joie des amis en voyant reparaître le catéchumène.

Jeudi, après minuit. Le Père F... me parle des vertus chrétiennes et je l'écoute les larmes aux yeux; le soir, je retombe dans les grandes horreurs, parce que je ne sais pas vivre sans certains de mes amis et qu'ils ne savent pas vivre sans horreurs... Il me paraît simple de ne plus les voir quand je suis loin, et difficile ou impossible autrement.

Un jour, « chez W... », soirée mondaine. Max a grand succès. Mais, rentré chez lui, il note, penaud :

J'ai encore été très bien; c'est-à-dire que je me suis fait centre, comme dit le Père F... Animé d'un démon, j'ai chanté, dansé, parlé, raillé, et fini par une parole dure et méchante. Voilà l'apprenti chrétien!

Il commence à comprendre que la conversion n'est pas une transformation à vue, qui vous établirait dans le bien une fois pour toutes. « Il faut chasser le démon minute par minute. Il n'y a pas de milieu; c'est à prendre ou à laisser. »

***

C'est au plus fort de ces luttes, le 17 décembre 1914, que le Christ lui apparut au cinéma [29].

29. Cette date du moins semble certaine. Mais quand Max s'est-il rendu pour la première fois à Notre-Dame-de-Sion et a-t-il commencé son instruction religieuse? Certainement pas le jour même de l'appari-

Que ne puis-je laisser Max lui-même nous conter tout au long cette journée mémorable. Elle avait commencé par une bonne action : la concierge étant brouillée avec son fils, Max les avait réconciliés. Reconnaissante, la bonne femme lui avait avancé trois sous. A midi, déjeuner chez une dame : Max fait l'horoscope de tout le monde. Puis se pose le problème du dîner. C'est quatre-temps. « J'ai mangé dans la rue des pommes frites et deux petits poissons, et je ne sais pourquoi je suis allé au cinéma. » Il s'installe aux places à 95 centimes. Mais voici que par-dessus le film, *Bande des Habits noirs*, de Paul Féval, et comme en surimpression, apparaît le Christ, abritant dans son manteau les enfants de la concierge.

Mais pourquoi à moi! à moi et pas à d'autres! Ce n'est pas possible et c'est vrai! Au cinématographe, tout à l'heure! j'en suis sûr, c'était lui en robe blanche, les cheveux longs et noirs ondulés un peu serrés à la nuque... L'Écriture ne ment pas! Oh! mon Dieu! que je vous aime! Que je t'aime, mon cher Dieu, mon Dieu joli! Que tu es bon pour moi!... Je ne comprends rien à tout cela, je suis trop bête!... J'ai beaucoup pleuré, même dans les entractes, on me regardait : j'ai fumé; je me suis intéressé à la pièce et je suis parti pour écouter mes voix qui me parlaient et pour pleurer dans la rue. Oh! mon Dieu! je pardonne à tout, à tous! Je suis trop heureux, je n'ai pas mérité un pareil honneur.

> *Ah! pourquoi? Pourquoi cette faveur*
> *Si tu connais ma vie et toute sa noirceur?*
> *Si tu connais mes fautes et toutes mes faiblesses?*
> *Qu'y a-t-il donc en moi, mon Dieu, qui t'intéresse?*

Max ne permet pas qu'on doute de cette seconde apparition. Seulement, comment faire partager sa conviction? « On me prendra encore pour un malade. » Échaudé, il

---

tion au cinéma (17 décembre 1914), comme l'indiquent Hubert Fabureau *Max Jacob*, p. 45), et André Billy (*Max Jacob*, p. 25), l'un et l'autre s'appuyant, je suppose, sur le récit fait par Max lui-même à Robert Guiette (*Nouvelle Revue française*, 1934 p. 256). Le *Journal* inséré dans *La Défense de Tartufe*, quoique très vaguement daté, oblige à remonter pour le moins au 30 novembre. Au surplus, le Père Ferrand, qui fut mobilisé le 14 décembre, se rappelle avoir catéchisé Max pendant deux mois. La première visite aux Pères de Sion doit donc remonter au milieu d'octobre.

se demande : « Faut-il que je parle de cette apparition ou que je n'en parle pas? » Hélas! il en parle. Cette fois, on le croit fou, ou pire : c'est une farce, mais qui se prolonge un peu trop. On estimait, nous dit André Billy, que, « dans la singerie de la bigoterie », « il allait un peu fort, le converti! »

Mais alors Max s'emporte :

> *On me traite de fou! Oui! j'entends le lecteur,*
> *Ou bien de sacrilège, et l'on fait le docteur :*
> *Fou vous-même, si la vérité vous fait rire.*
> *Le Seigneur est partout et dans des endroits pires...*
> *Ma folie est ailleurs puisque fou l'on me croit.*
> *Sachez que je l'ai vu! que je l'ai vu deux fois :*
> *C'était rue Ravignan, chez moi, le sept octobre;*
> *— Non! je n'étais pas gris, je suis un homme sobre.*

Rires de l'assistance, évidemment! Alors, solennel :

> *Le sept octobre de l'année dix-neuf cent neuf [30];*
> *Je te prends à témoin, Seigneur, qui mis à neuf*
> *Mon âme de pécheur emplie de turpitudes,*
> *Tu sais de quels péchés j'avais pris l'habitude,*
> *Dans quel gâchis je vivais; tu sais dans quel enfer,*
> *Quelles résolutions ta visite a fait naître*
> *Dans le chrétien que, grâce à toi et aux bons prêtres,*
> *Me voici devenu plein de sens et raison...*

Nouveaux rires. Et maintenant, second volet du diptyque, voici une tête ébahie de prêtre :

> *Donc, la première fois, tu vins dans ma maison*
> *Et la seconde fois au cinématographe.*
> *« Vous allez donc alors au cinématographe?*
> *Me dit un confesseur, la mine confondue.*
> *— Eh! mon Père! le Seigneur n'y est-il pas venu? »*

Pauvre Max! Rires incrédules d'un côté, sourire réservé de l'autre : partout incompris! On dirait que tout le monde

30. A quelle date eut lieu la première apparition, celle de la rue Ravignan? André Billy donne le 7 octobre 1909 (*Max Jacob*, p. 18), Hubert Fabureau le 22 septembre. (*Max Jacob*, p. 39.) André Billy peut se réclamer du présent texte, ainsi que de la lettre à Maurice Raynal du 23 septembre 1914. Mais partout ailleurs, et jusqu'à sa mort, à ma connaissance du moins, Max parle du 22 septembre. (*La Défense de Tartufe*, p. 56, 102, 107; le récit de 1939, etc.) Cette dernière date semble devoir être préférée.

s'est mis d'accord contre lui. Du côté de l'Église, aucun empressement.

Les messieurs de S... (Sion) retardent mon baptême tous les jours. Ils doivent avoir sur moi des renseignements déplorables. J'ai écrit au Père S.. (Schafner) une lettre suppliante : il me répond que mon instructeur est en voyage. Je suis allé au couvent; on m'a dit qu'il n'y avait personne pour me recevoir. J'ai écrit au Père S... une lettre polie et ferme. Il m'a donné un autre instructeur; celui-ci m'a déclaré qu'il partait pour la conscription. Il paraît décidément que l'Église ne veut pas de moi.

Et il conclut par ce mot qui peut étonner chez cet homme recherché par les mondains comme par les artistes : « Personne n'a jamais voulu de moi. »

Voici pourtant venir l'heure affreuse, la tentation aux cent visages, la lutte de Jacob avec l'ange dans la nuit, parce que le baptême approche. Voici de tous côtés l'assaut suprême.

Attaque des Juifs. « Allez trouver un rabbin », lui conseille-t-on. Mais lui : « Si Dieu m'appelle, j'accours. Pourquoi repartir en arrière? — Les gens de la Bible ne connaissent pas Jésus... et moi, je l'ai. »

Attaque des occultistes. Le mage Lagnel lui propose une explication purement théosophique du *Pater*. Après tout, ce n'est « pas plus absurde que ce qu'on lit dans Origène ». Conclusion : « Il faudra éviter de fréquenter les mages et la lecture d'Origène. »

Et son art? Les prêtres, lui souffle-t-on, vont te domestiquer. Et Max en écho : « Obéir, moi! quand j'ai passé ma vie à désobéir à tous et à tout! Me laissera-t-on faire l'art que je veux? »

Et sa famille? « Tu as écrit que tu es chrétien, dans un livre, note Max. Ta mère est furieuse... »

Et ses amis? Plus d'amis véritables. « Mes amis prennent ma conversion pour une farce un peu plus corsée que les autres. »

C'est cela : les siens risquent de le renier, et les chrétiens ne l'accueillent pas. Le voilà entre une porte qu'on a claquée sur lui et une autre qui refuse de s'ouvrir. Sera-ce l'isolement complet?

Tel est l'homme qui gravit désormais le soir les pentes du Sacré-Cœur, papillon de nuit attiré par les lumières de l'adoration nocturne.

> *Le bon Dieu est dans son château;*
> *Le soir on en voit les vitraux.*
> *J'ai vu de loin sa maison dans la nuit,*
> *Haute et découpée comme un biscuit.*
> *C'est ici ta maison et ta capitale;*
> *Comment les vitraux n'éclatent-ils pas?*
> *Il est ici la nuit, le jour;*
> *Devant lui, une mitrailleuse d'amour.*

Osera-t-il, lui, le petit Juif non baptisé, se mêler aux privilégiés qui semblent parler à Dieu, et à qui Dieu semble répondre? Il s'approche, ébloui, confus, jaloux.

> *Une barre d'adorateurs passe ici des heures,*
> *Ils ont la confiance dans les yeux, l'amour dans le cœur.*
> *C'est une agrafe de diamants, un concert de louanges*
> *Que le saint Sacrement écoute, soutenu par les anges.*
> *C'est une rampe électrique devant l'ostensoir*
> *Qu'on n'éteint pas le matin et qu'on rallume le soir...*

Il s'approche. Le voici tout près. Osera-t-il parler? Son sacrifice lui en donne le droit : derrière lui ce Paris qui l'attend pour lui faire fête, qui peut-être va le chasser dès qu'il le saura chrétien.

> Qu'ils me chassent! N'y a-t-il pas longtemps que je suis parti? Le Dieu des chrétiens m'appelait quand j'étais enfant, il m'appelait quand j'étais adolescent, il m'a appelé à haute voix en septembre 1909. Me voici, me voici, Seigneur, et pour la vie.

Mais le poète si sensible, et si sensuel, et si gourmand de paroles et de mots, ne perçoit aucune réponse. Alors, plus humble :

> *Dans les plaies de ton cœur*
> *Je loge mes douleurs.*

Dans les plaies de tes mains
Je loge mes chagrins.
Dans les plaies de tes pieds
Mes péchés.

Silence. Les heures passent. Une chaise craque. Un vieux monsieur tousse. C'est le silence des adorations, accablant pour qui ne sait pas encore méditer, pour qui réclame une réponse audible. Max s'agite. Il pense : « Personne n'a jamais voulu de moi. »

II. — DE MONTPARNASSE A SAINT-BENOIT-SUR-LOIRE.

Le 18 février 1915, dans la chapelle des Sœurs de Notre-Dame-de-Sion, 61, rue Notre-Dame-des-Champs, Max Jacob recevait enfin le baptême. Pablo Picasso était son parrain.

Le cubisme au baptistère! Dans la petite bande de la rue Ravignan, Dieu, à son habitude, se réservait une prise, gardait un otage. Picasso, le maître du cubisme, présentant au baptême l'un des initiateurs du cubisme, est-ce assez symbolique?

Mais cette heureuse rencontre de l'Église et d'un mouvement artistique avancé, Max Jacob va la payer tout seul, avec sa souffrance, une souffrance d'autant plus pure qu'elle demeurera insoupçonnée. Loin de lui amener de nouveaux amis, son entrée dans l'Église ne réussira qu'à le rendre d'abord quelque peu suspect à ceux qu'il avait jusqu'alors. En vain s'est-il ouvert aussi largement qu'il a pu, à tout, à tous, son destin de solitude intérieure a fini par triompher, et cet homme affamé d'affection et d'échange pourra dire un jour en toute vérité que personne ne l'a jamais compris.

N'allons pas croire en effet que les fidèles aient bruyamment fêté leur nouveau frère, ni que la nouvelle de sa conversion ait été propagée aux quatre vents par l'humble

trompette des bulletins paroissiaux. En dehors de cercles
assez restreints, on ignorait alors jusqu'au nom de Max
Jacob, et les personnes « cultivées » ne trouvaient dans
le cubisme que matière à innocentes railleries. Mais si
l'Église n'a pas tué le veau gras, ce n'est pas seulement
parce qu'elle ignorait l'importance de la prise, c'est surtout parce que le sérieux du néophyte, et surtout sa
persévérance, soulevaient encore bien des doutes. Que
pouvait penser le Père Schafner voyant le nouveau baptisé se diriger tout droit, au sortir de la chapelle, vers
ces cafés de Montparnasse où il avait tant de fois juré
de ne jamais reparaître? Mais nul moyen d'éviter cela.
Max n'avait pas de relation parmi les catholiques. Accueilli
plus tard, autour de 1925, dans le milieu fervent de
Jacques et Raïssa Maritain, il se montrera flatté, mais ne
s'y trouvera jamais, semble-t-il, tout à fait à son aise.

Non, ses goûts ainsi qu'une vieille camaraderie le rame-
naient vers ses anciens amis.

Une scène à peindre : Max arrivant à *la Coupole* le
18 février 1915, au sortir de la chapelle des Sœurs. Comment ses amis ne seraient-ils pas déconcertés? Encore
ruisselant des eaux du baptême, et sans doute au bord
des larmes, il s'exhibe avec candeur dans des atours de
premier communiant : habit noir, souliers décolletés,
chaussettes de dentelles. A la main, une *Imitation*, cadeau
du parrain. Pourquoi pas un brassard blanc, pendant
qu'il y est ? Après tout, l'ensemble est bien dans le style
de saint Matorel. Est-ce la farce qui continue? Car enfin,
dans le regard, même malice; dans les propos, même sala-
cité; dans la conduite... mêmes faiblesses!

Malentendu inévitable dont, je le sais bien, Max est le
premier responsable, mais que maintenant il déplore. Oui,
Max est toujours Max, mais *Max veut devenir un autre*.
Ne le comprendra-t-on jamais? Voilà ce que deux mois
avant le baptême il s'efforçait déjà d'expliquer à Maurice
Raynal dans une lettre curieusement implorante qu'il
nous faut lire tout entière :

Non, cher ami, je ne peux, je ne dois rien te cacher : je tremble devant ce que je vais dire; ma vie quitte le ton de la plaisanterie, ma plume l'imite. Mon cher ami, je vais l'avouer parce que je t'aime et parce que je voudrais le crier. Je sais la gravité de l'acte que je vais commettre et celle des paroles que je vais écrire. Quand on écrit, c'est déjà comme un engagement : Qu'ai-je dit là? Que vais-je faire? Écris-moi tout de suite là-dessus. Au fait! Je connais mieux qu'aucun prêtre catholique le sens des mystères chrétiens et je ne les aborde qu'en connaissance de cause. Oui, mon ami, je vais me convertir au catholicisme. Voilà cinq ans que j'hésite; j'ai réfléchi et ruminé cet acte énorme depuis cinq ans, depuis l'apparition surnaturelle qui a bouleversé mon esprit et ma vie en octobre 1909. Les Juifs attendent le Messie! Je ne l'attends plus puisque je l'ai vu! Je n'ai pas la force de changer ma vie ter-restre qui me fait horreur sans une aide, et qui me donnera de l'aide sinon les prêtres catholiques? Les Juifs sont les hommes de l'esprit; j'ai besoin des hommes du cœur. Si je me trompe en voulant être un homme digne du ciel par ce chemin, Dieu me pardonnera pour la hauteur de mon intention et la pureté du moyen que j'emploie. Mon Dieu, cher ami! quel trouble me prend devant tout cela! Il me vient parfois tant de larmes et je me sens si catholique déjà que le mauvais style m'arrive avec elles. Si c'est un crime de vouloir être chrétien en se sentant si vicieux, pardonne-le-moi puisque c'est un moyen de cesser de l'être, et aime-moi un peu, moi qui t'aime beaucoup. Je vais me convertir [31].

Que de précautions! Quelle pudeur! Et comme Max prévient les étonnements amusés ou scandalisés!

En tout Français éloigné du christianisme, un jansé-niste survit, qui exige du converti un retournement com-plet. Aucune trace ne doit subsister de l'ancienne vie. Le « vieil homme » est mort. Un être tout surnaturel lui suc-cède, qui n'a rien à voir avec le premier, marionnette manœuvrée par la grâce comme l'autre l'était par le vice. Transformation merveilleusement spectaculaire. Tout ou rien. Ou « l'usage délicieux et criminel du monde », ou le guichet de Port-Royal. Ces vues de l'esprit, communes dans notre monde littéraire, mais plus romantiques que chrétiennes, et dont Sainte-Beuve plus que Pascal porte la responsabilité, ne sont exemptes ni de simplisme ni même de naïveté. En vain l'expérience, la biographie d'innombrables convertis, une élémentaire psychologie

---

31. Lettre du 23 septembre 1914, publiée dans *Gavroche*, 20 décembre 1945.

nous avertissent que l'homme touché par la grâce n'en
reste pas moins lui-même, avec sa pente au mal, ses
paquets d'habitudes mauvaises à liquider, et tout un
petit enfer d'idées trop longtemps caressées pour qu'elles
n'aient pas imprégné toutes les cellules mentales. Rien
n'y fait : on veut se représenter le converti comme un
miraculé que le feu divin aurait purifié du mal jusqu'à
l'asepsie et garanti contre toute rechute. C'est faire bon
marché de la théologie et de l'histoire, s'embarquer dans
un conte de fées. Parlons net : c'est enfantin.

La vérité, moins flatteuse et moins facile, c'est qu'une
lumière a visité le converti, évidente comme une présence, un Orient nouveau qui l'invite à réorienter toute
sa vie, l'étoile des mages, si proche qu'il croit la toucher,
si lointaine et exigeante que le pèlerinage de toute l'existence ne lui permettra pas de la joindre. Prends ton bâton,
Max Jacob, marche à l'étoile, avance-toi vers toi-même.
Les fondrières t'attendent, les appels du passé, les retom-
bées dans la boue familière et accueillante comme un lit,
le désespoir d'être seul sur une route interminable et dont
le but se dérobe. Chaque matin, la force te sera donnée
pour fournir l'étape, mais la grâce ne marchera pas pour
toi. Et la liberté te sera toujours laissée de retourner en
arrière.

Voilà des vues simples et belles, familières aux catholiques, mais dans lesquelles les admirateurs de Max n'en-
traient pas volontiers. Et si nous consultions les revues
d'entre les deux guerres, nous y trouverions sur la conversion de Max Jacob un éventail merveilleusement varié
d'appréciations, allant de la franche raillerie à une
compréhension le plus souvent indulgente, parfois sympathique, jamais totale sinon à la fin de la vie de Max et
après sa mort.

On rencontre l'insinuation basse : Max s'est lassé de
sa vie d'ascète littéraire et de bohème chasseur d'étoiles,
pêcheur de lune. Il a « trouvé son immédiat assuré par
une conversion opportune ». On voit déjà à sa suite « une

floraison d'imitateurs cherchant comme lui la tranquillité matérielle, et la préférant aux meilleures effervescences de l'esprit [32] ». Venimeux et aveugle. Passons. On hésitait toutefois entre l'ingénuité et l'ingéniosité. Max Jacob « s'est cru touché par la grâce [33] ». Dans *la Défense de Tartufe*, où il raconte sa conversion, on verra du cabotinage. « Le cabotinage, qui parfois confine à l'exhibitionnisme pur et simple, dit M. Émile Henriot, est de se vanter, autant que de ses péchés, de sa foi. Sur cet article, je serais d'humeur janséniste, et il me semble que, si j'étais touché par la grâce, ce ne serait pas pour en faire matière à littérature [34]... » Je croyais que depuis Baudelaire, Verlaine et Rimbaud, on avait dépassé cette conception de la littérature. Pourquoi interdire à l'écrivain de s'exprimer tout entier dans son œuvre? La sincérité intégrale deviendrait-elle une faute de goût?

Certain article d'Henri Hertz dissimule à peine un émoi consterné.

J'ai une grande crainte en voyant la curiosité et le succès dont le dernier livre de Max Jacob est l'objet : *la Défense de Tartufe*. Pourvu, mon Dieu, qu'on ne le confonde pas avec quelque factum de catéchumène vulgaire, appelé à être proposé en exemple par les *Croix* et les *Semaines religieuses!* Pourvu que l'on ne cherche pas à attribuer à l'éclat d'une révolution intime, publiquement expliquée, une attention, un crédit, qui ne viennent que du talent!

Ce qu'il faut que l'on sache, à propos de Max Jacob, ce qu'il faut que ceux qui le connaissent disent et répètent, c'est que la venue au jour et à la renommée, de son œuvre, ne saurait avoir pour cause le ragoût d'un roman confessionnel. Ce n'est qu'une coïncidence. Si des critiques essaient de tirer de ce côté le jugement et l'attrait des lecteurs, ils se trompent et ils sont injustes.

Il semble qu'on veuille limiter les dégâts. Une bombe a éclaté, c'est vrai, semble-t-on dire. Mais d'abord tout ce fracas demeure étranger à la vraie gloire de Max Jacob. Et puis, c'est beaucoup de bruit pour peu de chose : le

---

32. Pauline Verdun, *L'Archer*, février 1935.
33. *Idem.*
34. *Le Monde*, 18 avril 1946.

changement n'est qu'apparent, et les intimes de Max
savent assez qu'un homme de son espèce ne se convertit
jamais qu'à lui-même.

En outre, la conversion de Max Jacob ne représente nullement
un accident, une rupture, ni dans sa vie ni dans son œuvre. Il a,
si l'on peut dire, passé d'un dieu à un autre, d'un seul mouvement,
par le simple poids de douleur de son existence; il s'est donné,
dans une pratique plus assidue au dieu des chrétiens, tel qu'il
était, avec une dévotion plus nonchalante vis-à-vis du dieu des
Juifs. Il a changé de dieu, mais il n'a pas changé: l'impression que
l'on emporte, dès qu'on l'entend parler, c'est plutôt que les dieux
se sont réconciliés en lui.

Laborieuse, oui, mais l'explication ne manque pas de
finesse. Que les « dieux », comme se plaît à orthographier
Henri Hertz, — celui de l'Ancien Testament et celui du
Nouveau — se soient « réconciliés » en Max Jacob, voilà
le fait de tout Juif converti, et il faut tout ignorer du
christianisme pour s'en étonner. Mais la « réconciliation »
prend en effet un relief très spécial chez Max Jacob,
demeuré curieusement fidèle à certaines traditions juives,
et fervent de la kabbale presque autant que de la Bible.
La suite du morceau est plus tendancieuse et risquée :

Mais cela n'a point modifié le tour de ses méditations ni le ton
de ses propos... Il y avait autant de piété et de foi chrétiennes
dans ses ouvrages (d'autrefois) qu'il peut subsister de libertinage
dans ceux d'à présent [35].

De ce que le christianisme n'a point figé comme par
enchantement l'allure extérieure du plus original des
hommes, ni contraint la jaillissante liberté de son langage, peut-on conclure qu'il « n'a point modifié le tour
de ses méditations »? Voilà ce que, loyalement, certains
accents du *Tartufe* ne permettaient plus d'avancer.

Enfin et surtout, on attendait la suite de l'aventure.
Sincère ou non, réelle ou apparente, la conversion ne
tiendrait pas. Plus elle prétendrait l'enchaîner dans les

35. Henri Hertz, *Action*, mars 1920.

mille liens de ses rites et pratiques, plus l'Église verrait
Protée se métamorphoser sous ses yeux. Le lutin n'était
pas au bout de ses tours. L'éternel acteur allait changer
de rôle. Ce visage nouveau, il allait, dans un grand éclat
de rire, le jeter au nez des badauds, comme un masque.
Un de plus. Patience, disait-on, le gnôme amusant va
retomber sur ses pieds, à l'ahurissement des dévots, et
pour la joie de ceux qui mettent au-dessus de tout la
liberté et la disponibilité de l'esprit [36].

Il faut l'avouer : ces craintes — ou ces espoirs — d'une
palinodie se fondaient sur le passé de Max, sur ses difficultés morales connues de tous, et sur cette obligation,
essentielle à sa poétique, d'une métamorphose sans fin
ni trêve.

D'ailleurs, le baptême l'avait déçu. Avide d'émotions
et de signes du ciel, il s'était attendu à une révolution
intérieure. Or, il n'avait rien senti, et se retrouvait le
même que devant.

J'ai eu aujourd'hui, 18 février, jour de mon baptême, quelque
déception... La révolution du baptême n'est pas comparable à
celle que m'a donnée mon apparition du 22 septembre 1909 ni
celle du 17 décembre 1914, qui confirmait la première, au moment
que j'avais pris la résolution d'être baptisé... Cependant, ma foi
n'est pas ébranlée; la révolution viendra bientôt. J'étais soucieux
de ma toilette, préoccupé des menus gestes de l'étiquette ecclésiastique, des chants, de la chapelle de S... immense et toute
neuve, je n'ai pu me laisser aller à l'émotion. J'ai déjà eu, avant
d'être baptisé, chez moi et ailleurs, des émotions religieuses bien
plus fortes.

Quelques jours plus tard, l'aveu est plus net encore :

J'ai espéré dans le baptême, moins l'espérance de mon salut que
celle d'une révolution morale qui me fût agréable : j'ai été déçu

36. « Une conversion ne devait point y peser davantage (dans sa
destinée) que telle des difficultés ou tel des allégements que, coup sur
coup, Max Jacob a trouvés, perdus, retrouvés à l'improviste, reper-
dus sans prévoyance et sans répit. » (Henri Hertz, *Action*, mars 1920.)
« Et ses poésies sont une arlequinade, dont l'orthodoxie serait à mesu-
rer... En guise de prière, une pitrerie... C'est peut-être louable, à condition de n'y point persévérer. » (Pauline Verdun, *L'Archer*, février 1935.)

et me le suis avoué. J'ai espéré dans la Communion le même effet
et, l'ayant ressenti, j'ai voulu tenter Dieu et le ressentir encore...

On retrouve ici l'homme qui, après sa première apparition, « a cherché en vain dans l'effet des stupéfiants
les pures émotions qu'il devait à Dieu ». L'éther, les « paradis artificiels » sont à portée de sa main. Et les gambades
vers de nouvelles aventures. Quelle tentation!

Décidément, ne nous montrons pas trop sévères pour
ceux qui ne virent d'abord en Max qu'un chrétien fort
précaire.

<center> *</center>

Le fait est là pourtant : en 1921, six ans après son baptême, Max Jacob se retirera à Saint-Benoît-sur-Loire pour
y vivre plus près de Dieu. Comment ce premier amuseur
de Paris, ainsi qu'on l'a appelé, a-t-il pu en venir à une
décision qui, apparemment, lui ressemblait si peu? Quel
imprévisible itinéraire a-t-il suivi? Disons mieux : quel
fonds inconnu de son être a fini par se révéler? Il est pas-
sionnant de suivre Max Jacob au cours des six années
qui comptent parmi les plus décisives de sa vie.

C'est l'époque du grand succès, et d'une notoriété à
la fois artistique et mondaine.

Après la mort d'Apollinaire, et avant que les surréalistes, encore mal dégagés de *Dada*, aient envahi la place
et requis l'attention avec la brutale décision que l'on sait,
disons entre 1918 et 1923, la littérature avancée n'a plus,
ou n'a pas encore de maîtres. Max Jacob fait un peu figure
de chef d'école. Oh! un chef d'école qui ne dogmatise pas
du haut de l'Olympe, et dont la férule couverte de signes
cabalistiques rappelle plutôt, pensent certains, la marotte
de Triboulet, ou encore la baguette du sorcier. Ou du
sorcier, car *le Cornet à dés*, s'il résume les recherches des
poètes cubistes, est surtout rempli de ces germes qui vont
lever dans les deux décades suivantes. Max a enfin trouvé
des éditeurs. Il publie coup sur coup *le Phanérogame*,

Cinématoma, le Laboratoire central. Je ne cite que le plus important. Et, ma foi, puisque chacun mendie nos conseils, pourquoi ne pas y aller, nous aussi, de notre *Art poétique?*

Ce n'est pas tout : Max est peintre. Marchands et collectionneurs commencent à rechercher ses gouaches et ses aquarelles. En 1920, une grande exposition de ses œuvres est organisée chez Bernheim.

Enfin, après l'écrivain et le peintre, l'homme lui-même devient à la mode. Les maîtresses de maison se disputent un convive d'une si pétillante originalité et d'une verve parfois (pour peu qu'on l'y poussel) si mordante. Ses mots deviennent célèbres. Disciples et admirateurs assiègent sa nouvelle chambre, rue Gabrielle; et c'est au point qu'il doit bientôt les recevoir dans les salons de *la Savoyarde*, rue du Chevalier-de-la-Barre, où l'on rencontre Antonin Artaud, Georges Gabory, Raymond Radiguet, André Billy, André Malraux.

Tout cela arrive-t-il à griser vraiment Max Jacob?

Il a suffisamment d'instinct pour comprendre que l'avenir appartient à ces jeunes gens résolus. S'ils témoignent quelque révérence au prestigieux diable vieillissant qui, dit-on, tourne au moine, c'est pour tirer de lui quelque précieuse étincelle. Mais où sont les amis d'antan? Ceux de la rue Ravignan, ou bien sont morts, comme Apollinaire, ou se sont dispersés, comme Picasso et André Salmon. Déjà dans des revues d'inspiration cubiste, comme *Sic* (1916) et *Nord-Sud* (1917-1918), — celle-ci dirigée par Pierre Reverdy, ami de Max, et comme lui converti au catholicisme, — on a pu voir, à côté des signatures de Max Jacob et d'André Salmon, celles de Breton et d'Aragon. Laissons passer deux ans, et déjà, au groupe et à la revue *Littérature*, Max Jacob ne sera plus qu'un invité, assez fin pour discerner ce qu'il y a de « politesse à l'ancêtre » dans le geste qu'on fait vers lui. Bien que je n'aie vu l'idée exprimée nulle part, je me hasarde à penser que, dépaysé parmi ces jeunes doctrinaires déjà armés pour

les chambardements, les anathèmes et les tueries de sérail,
Max Jacob se sent dépassé et, en dépit de tant d'hom-
mages, secrètement dédaigné. Pour ces jeunes gens si
prodigieusement sérieux, l'auteur de *Saint Matorel* n'est
qu'un « fumiste de génie », insuffisamment subversif.
Pour s'imposer, il devrait se battre, et il n'a pas assez
d'ambition véritable pour s'engager dans une lutte pour
laquelle il ne se sent d'ailleurs aucun goût.

Systématiquement ignoré des surréalistes, que gênent
à la fois sa profession chrétienne et ce qu'il y a en lui
d'insaisissable, d'irréductiblement rebelle aux embriga-
dements, Max Jacob vivra bientôt en marge de toute
école, et sa renommée solidement établie ne devra rien à
l'éclat d'un groupe.

Si Max a finalement pris le large, c'est surtout pour les
raisons que nous verrons bientôt; mais qui sait si le changement du climat littéraire dans les années 20 n'a pas
facilité sa décision? On n'avait plus besoin de lui. S'il
n'est pas resté, c'est qu'il ne se sentait pas retenu. Lui
qui n'étincelait qu'au centre d'un cercle admirateur, ne
trouvait plus à Paris, travaillé par des courants nouveaux, l'exact stimulant qui lui convenait. Au simple
point de vue littéraire, s'il voulait rester lui-même, il lui
était bon de fuir Paris. C'est ainsi que des événements
tout profanes ont pu, pour leur part, — une part aussi
faible que l'on voudra, — conseiller à Max Jacob la solitude.

Mais la raison décisive de son départ est évidemment
ailleurs.

Max a été blessé par le christianisme à une profondeur
qu'on ne soupçonne pas autour de lui. « Pécheur comme
avant, le converti! », voilà ce qui se dit, parce que c'est
tout ce qui se voit. La médisance, oui; l'éther, peut-être;
mais aussi certaines faiblesses que, sur le mode impudent,
Maurice Sachs a complaisamment racontées. Ce qui
échappe à presque tous, c'est la sincérité du repentir. Le
péché commis, Max se prend en horreur. Dieu est offensé!

L'enfer béant! Et le voilà qui se précipite sans transition
de la faute au désespoir, ou plutôt à la confession. Frénésie double, aux phases si rapprochées que des témoins
superficiels ont pu croire à la duplicité. Mais Sachs : « Loin
d'être hypocrite, il était simplement vertueux et pécheur
tour à tour, mais avec une telle rapidité que le spectateur n'en pouvait croire ses yeux ni ses oreilles, et le
prenait pour un tartufe alors qu'il était sincère à en être
gênant [37]. »

> *Pécher, pécher, se repécher.*
> *Max est pécheur, Max est un homme,*

gémit-il. Et ce ne sont pas les milieux « artistes » qui
peuvent l'aider à remonter sa pente. Nous connaissons
déjà sa résolution farouche : « Ne plus aller à Montparnasse! » Elle ne tenait pas deux jours, *ne pouvait pas*
tenir. Il nous l'a déjà dit : « ...je ne sais pas vivre sans
certains de mes amis et ils ne savent pas vivre sans horreurs. » Là est le drame de Max Jacob à Paris. Écoutons-le se lamenter dans ces vers si humbles, si vrais, si
drôles :

> *Quoi qu'on dise dans l'Évangile,*
> *Être chrétien n'est pas facile;*
> *Prenez garde à vos relations;*
> *N'aimez pas trop vos compagnons;*
> *Quand autour de la table mise*
> *Vous entendez quelque sottise,*
> *Il faut vous en bien indigner*
> *Et non pas les encourager.*
> *La cuisine de Lapérouse,*
> *Les entremets et la langouste*
> *Ne sont pas faits pour un chrétien,*
> *Qu'il vous en souvienne demain.*

Voici maintenant un Villon converti et en quête de
meilleures relations :

> *Que les gens de vertu insigne*
> *Ne me jugent pas tant indigne*

37. Maurice Sachs, *Alias*, Gallimard, 1935, p. 195.

> *Qu'on me fasse le moindre accueil!*
> *L'homme ne doit pas vivre seul;*
> *Or, il n'est que l'art ou le vice*
> *Qui veuillent agréer mes services.*
> *Et puis j'ai mes obligations*
> *Juste où gisent les tentations.*
> *Que l'esprit ne soit pas moqueur!*
> *De la tête garde ton cœur.*
> *Pas trop d'éclat! pense! silence!*
> *Un grand péché, la médisance!*

Des voix mystérieuses lui reprochent sa conduite. Le soir du baptême, après le crochet du côté de Montparnasse, « en prenant le métro, une voix m'a dit très haut : « Vous qui venez vers moi, pourquoi me chasser de vous? » Ce reproche, il l'entend partout. « Mystique et pécheur », comme il se définit, il vit, — mais est-ce une vie, et qui puisse durer? — « entre le remords et la débauche ».

> *Et tout en souriant devant les feux du vin,*
> *Je savais que mon Dieu m'attendait le matin.*
> *Des meilleurs vins j'avais plus que goûté les crus*
> *Sans cesser de savourer le nom de Jésus.*
> *J'avais dans mes propos des histoires grivoises,*
> *Sans cesser d'honorer l'office à ma paroisse;*
> *J'avais d'un mien ami vu la maîtresse nue*
> *Sans cesser de sentir mon Seigneur dans la rue.*

Arrêtons-le! Quelle rage de confession publique!

Pour compléter son tourment, il faut que sa conscience l'accuse de fautes imaginaires : car enfin quel péché, même véniel, y a-t-il à faire la sieste un jour de communion? Courses éreintantes toute la matinée, ce jour-là.

> *Et je gardais toujours votre Saint Viatique*
> *Sans manquer du respect qu'on doit au Sacrement.*
> *Et puis j'ai déjeuné dans l'arrière-boutique*
> *Où l'on me cuit deux œufs parmi de pauvres gens.*
> *J'ai dormi, Seigneur! J'ignorai votre présence,*
> *Ou que, cinq heures même après la communion,*
> *S'endormir devant vous, ce vous fût une offense.*
> *Je suis si neuf aux lois de votre religion,*
> *A sortir de l'indocilité je commence,*
> *Je suis un apprenti, un dévot qui commence.*
> *Vous m'avez éveillé par des mots de courroux :*
> *« Les païens ont pour moi plus de respect que vous! »*
> *Je pleure...*

Il pleure d'autant plus qu'il commence à sentir toutes les exigences du christianisme. Des examens quotidiens jettent une lumière crue sur des grouillements de défauts jusqu'alors insoupçonnés : susceptible, joyeux à l'excès, triste sans raison, avide sinon avare, égotiste sinon égoïste, bavard, fourbe, simulateur, que sais-je encore? Voilà Max en proie aux scrupules. S'il mourait ainsi! Et de courir au confessionnal [38].

* *
*

Le 27 janvier 1920, le pauvre Max pensa mourir sans confession.

Ce soir-là, en habit et monocle à l'œil, il descendait vers l'Opéra « pour applaudir les talents d'un ami ».

J'avais descendu la rue des Martyrs qui, du Sacré-Cœur, mène un pécheur au siècle et le ramène vers Lui, et j'atteignais la place Pigalle, rond-point de tous les vices de la terre, quand je fus environné de voitures plus rapides qu'un train... On releva, dit un témoin, un cadavre en habit noir sur la chaussée de la place Pigalle. La tête dépassait la roue. Épouvante! J'y gagne de connaître les dessous d'une auto.

Toujours la plaisanterie! Et même la mystification : la légende veut en effet qu'après avoir dégagé la responsabilité du chauffeur, il se soit mis à crier : « Ma fille! Avertissez ma fille! » L'incorrigible plaisantin! diront certains lecteurs. C'est qu'ils ne connaissent pas encore Max Jacob. Au même instant il médite sur la mort.

38. On colportait à ce sujet de bonnes histoires. Celle-ci m'a été donnée par Léon-Paul Fargue comme faisant partie de la légende. A peine Max, devenu la terreur des confesseurs à cause de ses accusations interminables, était-il entré à Saint-Roch, tous les prêtres s'évadaient de leur confessionnal, affichaient prestement la pancarte : « M. l'abbé Un Tel ne confesse pas », et tournaient derrière les piliers en même temps que le pénitent dans l'église... Le pauvre Max sortait sans comprendre. Histoire inventée de toutes pièces? Peut-être, mais l'histoire de Max ne va pas sans sa légende, et la légende jacobienne est toujours si jolie! Et puis, ment-elle jamais tout à fait?

Ainsi voilà la mort! c'est la mort dans la rue, sans prêtre, sans parents, au milieu d'anonymes. O mort imprévisible!... c'est donc ainsi que tu nous prends... Qu'eussé-je fait devant Dieu, alourdi de mes péchés?

La peur de mourir sans prêtre, — hélas! c'est pourtant ainsi qu'il mourra! — ne le quittera plus, et cet accident banal va donner à sa pensée une orientation décisive. Quand le plus gai et, très vite, le plus populaire de tous les malades qu'ait jamais vu passer l'hôpital de Lariboisière peut enfin en sortir, il n'est plus le même : un rescapé de la mort, détaché de la vie. Il quitte presque à regret « la marquise de La Riboisière » qui lui a tant appris, ainsi que les pauvres, ses amis.

La scène des adieux : de lit en lit, un monsieur habillé; mes amis les malades sont gênés. On était des égaux et me voilà un monsieur. Pour le chauffeur, je suis un client futur, pour le garçon de café, l'homme au pourboire. Mes talons de bottines me gênent sur ces dalles faites pour les pantoufles : pour les infirmiers, je ne suis plus le 33, je suis M. Jacob. Quant à l'interne... mais je me suis promis de ne médire de personne...

Et le voilà dans la rue. Il s'est assis sur un banc, face à l'hôpital. Il a tiré un crayon, des feuillets.

CE N'EST ENCORE QUE L'AUBE
Écrit dans les rues de Paris

Passé et repassé devant cet Arc de triomphe, le porche de la souffrance. Adieu!
Hôpital, mausolée des vivants, tu es entre deux gares, gare toi-même pour les départs d'où l'on ne revient pas. Je m'agenouille en pensée devant ton seuil; je remercie Dieu qui m'a laissé parmi les hommes de la terre.

Et tout à coup, voici l'émotion qui noue la gorge, voici l'adjuration inoubliable, une page superbe. La ronde des passants sur le boulevard n'est plus qu'une danse de morts en sursis, leur affairement une course au charnier.

Ohé! les gens pressés des autos, vous mourrez! vous mourrez! vous mourrez! Ohé! les chiens de sexe, les jeunes et les vieux, vous mourrez! les femmes popotes et celles de la grande vie, les bas-bleus, vous mourrez, mes amis! les gens des autos, écoutez! écoutez donc mon glas, je dis que vous mourrez! Je viens de l'apprendre à l'hôpital et je vous le crie boulevard Magenta. Vous mourrez, nous mourrons. O mot effroyablement vrai, ô mot de vérité, de seule vérité, mot qu'on ne peut remuer et qu'il faut remuer avec le doigt de la pensée, vous mourrez! Mais écoutez-moi donc au lieu de filer : nous allons mourir tout à l'heure...

Je n'ai rien dit, il y a sur ce banc un petit homme lâche, c'est moi, moi qui ne suis pas mort dans la salle Grisolle (lit 33, salle Grisolle, hôpital Lariboisière). Le petit homme lâche est pâle : il n'a rien dit. Eh bien, merci, on a trop peur du ridicule, et puis on vous prend tout de suite pour un fou à Paris. Fous nous tous! Devant la chair qui pourrit dans un lit froid, dans ce lit tiède hier, vous n'avez donc pas arrêté votre esprit, non!...

Mon Dieu qui m'éclairez, éclairez ces passants. En novembre, ils iront un dimanche au cimetière, faites-les frémir devant ces débris qu'ils seront eux-mêmes. Frémir! On ne sait rien des morts sinon qu'on leur ressemblera. Morts! nous serons tous morts : cette femme qui passe et moi, ce gros homme qui perd son chapeau sera mort, et ce livreur de Dufayel sera mort, et ce camelot et sa compagne poussiéreuse et moi!... Oh! pour moi, pénitent, je sais..., mais eux, coureurs sans frein, fouettés par les diables, déjà... jusqu'où?... O mort pour eux tous, les Sans Abris! pour moi! le pêcheur, ô mort que tu m'effraies!

De ce promontoire qu'est le palais de la mort, Max Jacob domine l'océan parisien, il le juge, il l'apostrophe magnifiquement. Le Paris des lumières et des plaisirs a perdu son éclat faux, ses parfums fabriqués. Il n'est plus que « ce Paris du Jugement dernier qu'a peint et dessiné Daumier ».

Ah! tu caches tes égouts, on les pressent. Il se peut cependant que, grisé par les liqueurs d'un bar auquel Paris donne des noms étranges pour s'oublier, tu prennes un jour pour la beauté des femmes tes propres désirs, pour le luxe des Parisiens celui d'un snob brésilien, pour la fantaisie les stupides inventions de la mode, une voiture revernie pour une voiture neuve, le front d'un vieux spécialiste pour celui d'un sage, les diseurs d'anecdotes pour des hommes d'esprit et les rires des filles pour de la gaieté...

Hôpital, Paris ne pense pas à la mort [39].

Max Jacob n'a-t-il pas déjà quitté Paris?

*
* *

Un hôte étrange au presbytère. A la table de M. le Curé, qui est donc ce monsieur volubile et gesticulant qui se

---

39. *Le Roi de Béotie, passim.*

confond en politesses exagérées, se plie en humilités
excessives, se risque en saillies qui font long feu? Lisez
cette lettre, vous n'hésiterez plus.

En somme, mon entrée au presbytère fut une entrée de clown!...
Ma mine est plutôt celle d'une exhumation de la Terre parnas-
sienne ou montparnassienne... Donc, dans cette chaumière de
Trianon le presbytère, imaginez mon arrivée, l'arrivée de mes
brusques activités inattendues! Imaginez dans ce Paradis de la
discrétion mes excès de langue, mes méchancetés involontaires ou
non, mes inerties amères... Jusqu'ici, personne n'a eu l'air de se
formaliser de la barbarie de mon culte, l'orage de mes larmes,
l'épanouissement de mes remords et repentirs avec gestes en
excédent... Il n'y a que les enfants de chœur pour s'en moquer,
mais je vous promets qu'ils ne s'en privent pas [40].

Max Jacob a fui Paris. Conseillé par un de ses amis,
M. l'abbé Weill, il a demandé asile au presbytère de
Saint-Benoît-sur-Loire, près de cette église abbatiale des
XIe et XIIe siècles qui sert de châsse énorme et délicate
au corps de saint Benoît, père de tous les moines.

Devons-nous prendre ici congé de Max, comme on
s'arrête au seuil d'un couvent où un ami vient de s'enfermer pour toujours? Après tant de luttes, dira-t-on,
voici l'heure du confort spirituel. Du confort et du conformisme. Que peut-il encore lui « arriver »? La pratique
chrétienne n'immobilise-t-elle pas dans un vertueux ennui
les vies qui se confient à elle? Et puis, me dira-t-on, ce
drame de la conversion que vous aviez entrepris de raconter, n'a-t-il pas trouvé sa conclusion en ce 24 juin 1921
où la vieille basilique a englouti dans son ombre fraîche
ce voyageur fourbu d'une si longue route?

Faut-il redire que la conversion ne se circonscrit pas
ainsi dans le temps? Max est *un* converti, mais pas plus
qu'aucun de nous il ne sera jamais complètement converti.
Chaque matin, à chaque instant, la lutte est à reprendre.
Il peut arriver qu'on fléchisse, qu'on se demande :
« Qu'est-ce que je suis venu faire dans ce trou [41]? », qu'on

40. *Filibuth*, p. 219 et suiv.
41. *Filibuth*, p. 225.

lorgne du côté de Paris... et qu'on y retourne. Un jour, témoin des difficultés de Max, l'abbé Weill lui-même lui conseillera le départ, et, de 1928 à 1936, Paris le reverra plus déconcertant que jamais. « L'époque la plus coupable de ma vie », dira-t-il. Quand il revient à Saint-Benoît, c'est pour toujours. « Je ne veux plus retourner à Paris, c'est ma perdition. »

Saint-Benoît : toute proche de nous, surveillée par ces observateurs dépourvus de fantaisie que sont les paysans, cette partie de la vie de Max échappe enfin à la légende. Max n'est plus cet insaisissable farfadet des rues de Paris dont on devait *imaginer* la vie d'après quelques exhibitions inoubliables, mais brèves. Au village, derrière les volets clos, tous les mots de la rue sont avidement recueillis, tous les gestes enregistrés, tous les pas comptés. Max Jacob n'est-il qu'un original impayable, un gentil lutin, un « esprit » délesté de sérieux, dont toute l'utilité en ce monde est, comme Polichinelle, de dérider les honnêtes gens? C'est bien un peu l'image que nous ont laissée les mémorialistes de Montmartre et de Montparnasse. Mais surtout est-il cet astucieux bonhomme qui, entre cent autres comédies, nous a joué celle de la conversion? A Saint-Benoît, nous en aurons le cœur net.

A première vue, Max n'a pas tellement changé. Il a amené le diable avec lui dans sa valise. C'est le diable qui lui dicte ces médisances acérées, ces éreintements de confrères, ces portraits féroces où il trouve un si sincère plaisir, suivi d'un remords non moins sincère. Ravis, les auditeurs le poussent perfidement sur sa pente :

— On a été jusqu'à dire...
— Quoi donc, Max, qu'est-ce qu'on a dit?
— Ah! s'il n'y avait pas l'enfer!

soupire-t-il. Homme à contrastes, il ne l'a jamais été autant qu'à Saint-Benoît. Le pénitent ne fait plus qu'un repas par jour, mais, que des amis viennent le voir, il les entraîne au restaurant où, à la faveur d'étincelants pro-

pos, et comme par inadvertance, il vide plats et bou-
teilles. Le repentir suit de près. Par exemple, après les
effusions d'un 1ᵉʳ janvier, en pleine guerre :

> Moi-même, gros égoïste, je pleure près d'un excellent feu de
> bois, en digérant, gémissant sur l'emprisonnement de mon frère
> et trois deuils dans ma famille. J'ai embrassé la cordonnière, l'au-
> bergiste, l'épicière, le coiffeur, etc., et reçu des remerciements
> émus en dégustant d'excellents alcools, et j'ai mêlé à tout cela les
> malheurs de la France. Quelle pétaudière que mon âme, et comme
> je mérite peu les grâces patientes du bon Dieu [42]!

Quelle pétaudière, en effet, et comment le diable et le
bon ange pourraient-ils s'y retrouver? Cet homme si
détaché de ses livres qu'il n'en possède plus un seul
exemplaire, laisse percer, à l'occasion, quelque vivace
susceptibilité d'auteur.

N'empêche : on l'aime dans le village, où il interpelle
chacun par son prénom. Tout le monde l'aime. Et Paris,
qu'il a quitté, vient à lui. Beaucoup de jeunes écrivains.
Mais le visiteur qui s'annonce reçoit d'abord une des-
cription du personnage qu'il va rencontrer. Quelle vérité
impitoyable jusqu'à la cruauté dans ces crayons hâtifs!
Cet homme qu'on accusait autrefois de simulation cons-
ciente ou inconsciente ne désire rien tant que de se voir
enfin avec les yeux mêmes de Dieu, et de livrer de lui des
portraits sans retouches. Il en est de délectables. Jamais
Max Jacob n'a été si joliment dépeint que par lui-même.

> Je n'ai pas hâte que vous me voyiez, étant assez honteux de
> mon personnage... Je bavarde, gaffe et dis des lieux communs.
> L'un des nains de la montagne en l'absence de Blanche-Neige.
> Je te préviens que je suis un pauvre petit vieux, avec une grosse
> tête ovale dans tous les sens, rose, d'âne, chauve. Court encore
> plus que petit, mal ridé à tort et à travers, avec de gros pieds mal
> chaussés et des mains d'araignée aux ongles rongés... Les airs
> dévots ne me durent pas longtemps, les airs fous leur succèdent
> avec le rire caractéristique de Bicêtre, le rire gâteux. Brochant
> là-dessus, des airs pédagogiques, durs et grincheux. Je suis gro-
> tesque encore plus que ridicule, bête encore plus que méchant [43]..
> Je suis petit, chauve, rasé, blanc, cinquante ans, à peine voûté;

42. Lettre à Henri Dion, citée dans *Les Documents du Val-d'Or*,
mars 1945, p. 35.

43. Jean Rousselot, *Max Jacob*, Laffont, 1946, p. 26.

j'ai un gros front bête ridé, un grand pardessus noir, un col rabattu et une petite cravate d'instituteur. Sabots! Voici pour l'élégance. En voyage, j'ai un air d'évêque ou d'Américain; ici, l'air d'un vieux cabotin en casquette, avec, vaguement, une ressemblance avec Baudelaire ou Marcel Schwob. En réalité, je suis indéfinissable : une bonne personne bavarde, méchante en paroles vengeresses, commère. Quand je suis seul, je suis avec Dieu, de sorte que mes yeux, qui furent beaux jadis mais n'ont plus de cils, s'illuminent parfois [44].

Max accueille au car son visiteur. La tenue varie. Casquette ou béret de roulier, culotte de velours, veste de boucher. Parfois, de plus en plus rarement, il sort le monocle, fragment du passé, et fait des frais pour ressembler au pitre décrit par Francis Carco et Hubert Fabureau. Il plaisante : « Où est-elle, la « splendeur »?... talons hauts et chaussettes rouges!... J'avais une robe de chambre, si tu avais vu ça!... et des chemises de flanelle : on aurait pu les passer dans une bague sans les froisser [45]! » Visite rituelle à la basilique. Puis à la Loire toute proche. Chemin faisant, conseils du vieux au jeune écrivain. Bientôt viennent des descriptions imagées de péchés capitaux, des mises en garde contre le diable.

A propos, es-tu chrétien? Poète? Ni chrétien ni poète? Alors, qu'est-ce que tu peux bien être?
Il faut me dire « tu », je suis maintenant ton copain.

Le visiteur parti, au travail! Car Max est un travailleur étonnant.

Mon volume est fini au bout d'un mois. Je passe les autres mois de l'année à le refaire. Chaque jour je reprends chaque page pour entendre comment elle sonne [46].
· Ah! mon cher, la peinture, quel tracas! Je n'en dors plus. Je me lève la nuit pour changer ce gris, ajouter ce rouge, allonger cette ligne. C'est à devenir fou [47].

44. Yvon Belaval, *La Rencontre avec Max Jacob*, Charlot, 1946, p. 16.
45. Marcel Béalu, *Le Dernier Visage de Max Jacob*, Fanlac, 1946, p. 14.
46. *Les Documents du Val-d'Or*, mars 1945, p. 42.
47. Marcel Béalu, *op. cit.*, p. 10.

Certain tableau lui donne tant de mal qu'il en pleure « comme un collégien qui ne sait pas faire son thème grec ». Il voit bien, parbleu, ce qu'il faudrait faire; quant à le réaliser! « Supplice de Tantale », gémit-il, « accouchement au fer »! « Voilà ma vie! Avec Dieu c'est la même chose [48] »

Avec Dieu, c'est la même chose : même désespérant intervalle entre la vie qu'on mène et la perfection entrevue. Car si les visites, le travail, la correspondance (toujours très abondante) font à Max des journées très chargées, c'est à sa vie spirituelle qu'il consacre le plus de temps, et c'est elle qui va maintenant nous retenir.

5 h. 30. La fenêtre de Max est déjà éclairée. Enveloppé dans sa cape de berger, il prie la plume à la main. Combien de temps va durer sa méditation? Dans l'*Introduction à la Vie dévote* [49], saint François de Sales a dit : une heure. Max tiendra une heure. C'est long! Il a ouvert son *Introduction*. Il lit la recommandation du début : « Mettez-vous devant Dieu, suppliez-le qu'il vous inspire. » Max écrit :

Je vous offre ce lever tôt, cette espèce de méditation matinale. Je pourrais rester dans mon lit au chaud, et je suis sans feu pour penser à vous. Je vous prie de prendre en considération les efforts d'un malheureux stupide qui vous les offre avec l'espoir de racheter ses fautes, ses étourderies légères, ses vanités, ses irritations, ses colères et ses sensualités [50].

Les minutes s'écoulent lentement. « Encore une demiheure », note-t-il en marge; « encore dix minutes ». Nous reviendrons bientôt sur ces méditations.

48. *Les Documents du Val-d'Or*, mars-avril 1947, p. 10.
49. Avec la Bible, ce fut, semble-t-il, son maître livre spirituel, peut-être le seul, « livre qu'il faut relire et savoir par cœur », disait-il. La jeune fille qu'il avait vue peu après son apparition lui en avait donné un exemplaire. « J'ai gardé aussi longtemps que j'ai pu cet exemplaire, dit Max dans le récit de sa conversion. Je l'ai usé, je puis le dire, jusqu'à ce que ses pages s'effacent, se déchirent, s'envolent. J'ai bien souvent racheté ce livre. »
50. Marcel Béalu, *loc. cit.*, p. 74.

Puis Max court à l'église. Il y passera au cours de la journée trois bonnes heures. D'abord la messe. Ici, laissons parler M. l'abbé L. Hatton, alors vicaire à Saint-Benoît, qui a si bien filmé les attitudes de Max.

6 h. 15. L'Angélus sonne. Sous les voûtes du narthex, par tous les temps, par le gel et la neige, passe la silhouette encapuchonnée de Max Jacob. Quand j'arrive à la sacristie, Max est déjà à sa place dans la chapelle, il a préparé les burettes et allumé les cierges. Il pose son gros missel sur la corne de l'autel, prépare ses pages, court à la sacristie pour demander le nom du saint du jour, s'il a quelque doute. S'il n'a pas le texte, il se rattrapera tout à l'heure en approchant sa tête près du missel pour lire avec le prêtre oraisons, épître et évangile.

La messe commence. Max s'émeut s'il ne trouve pas la sonnette liturgique, court aussitôt à sa recherche... Il l'a trouvée enfin; il l'agite énergiquement. Le voici debout à côté du prêtre pendant les premières prières auxquelles il répond à haute voix. Au *Confiteor*, cependant, il s'incline profondément, se frappe la poitrine aux trois *mea culpa*... Au moment de l'élévation, il est tellement prostré que son front touche la dalle du sanctuaire, ou bien il se tient à genoux, le corps droit, la tête légèrement penchée, le regard fixé sur l'Hostie, les deux bras pendants, les mains légèrement écartées et ouvertes.

Après la messe, Max rentre chez lui. Mais dans l'après-midi, le voici de nouveau à la basilique pour le chemin de croix. Il est seul le plus souvent. Les touristes ne le distraient pas. Parfois, quelque ami de passage observe discrètement Max en prière et sort de là bouleversé. Écoutons encore M. l'abbé Hatton :

Au début (1936), je l'ai vu à genoux *in plano* sur le carreau. Mais depuis qu'il avance en âge il se tient debout, il s'appuie même un peu sur l'extrémité d'un banc, sur le dossier d'une chaise, ou, mieux, il s'adosse à la colonne opposée. Bien des fois, il tourne le dos au tableau sur lequel il médite, peu importe, il le connaît par cœur, ce tableau! Et puis il trouve aussi son inspiration dans les dessins naturels que forment les vieilles pierres et dont il découvre tout le symbolisme. Parfois on l'entend prier à haute voix. Il se frappe la poitrine. *Pardonnez-moi, Seigneur, je suis le bon larron...* Il pleure, il sanglote...

Au moment de la prière du soir, Max Jacob a repris son exercice favori. Il le poursuit encore parfois durant les premières dizaines du chapelet. Mais voici qu'on entend sa démarche, alourdie par un accident. Il rejoint sa stalle au transept nord où les fidèles sont réunis. Sa voix forte répond par saccades, quelquefois un peu trop rapidement, la seconde partie de l'*Ave*. Il chante d'une

voix ferme le *Tantum ergo*. Sa réponse au *Tantum ergo* ressemble
à une explosion. Si l'enfant de chœur est absent, il se précipite
au moment de la bénédiction près de l'autel; il est tout à fait chez
lui dans le sanctuaire, très familier et très prostré à la fois.

A la sortie de l'église, tandis qu'il m'accompagne depuis le
porche jusqu'à l'entrée du presbytère, il me rappelle ses intentions de prières, des conversions qu'il a « en train », ses amis dans
la maladie, ses prisonniers dans la détresse. Sur tous ces malheurs
et ces malheureux il verse des larmes.

Ce dernier entretien sera toujours très bref car Max n'aime pas
veiller; sa méditation, sa messe et sa communion quotidienne
l'astreignent à un lever matinal. A qui veut l'entendre il déclare
que sans sa communion du matin il est mal à l'aise toute la journée, qu'il ne peut plus travailler, que rien ne va plus pour lui [51].

Tentons maintenant de pénétrer à l'intérieur de sa
prière. Nous ne risquons pas d'être indiscrets : n'expé-
diait-il pas lui-même à ses correspondants, à peine était-
elle écrite, sa méditation du matin? Son seul moyen,
disait-il, de faire quelque bien.

Dans ces feuillets aujourd'hui dispersés aux quatre
vents [52], aucun souci de la forme. Et le lecteur est averti :
« Si mes méditations sont considérées comme de belles
pages littéraires, elles ratent leur but », écrit Max à Marcel
Béalu. Et à Pierre Lagarde : « La grande affaire, c'est que
tu ne les juges pas littérairement. C'est la plus grande
injure à leur faire. » On retrouve bien de temps en temps
le poète du *Cornet à dés*, et Marcel Béalu a cité telle
méditation tout étoilée de trouvailles, d'allitérations et
de surprises, pareille à un poème en prose. Mais enfin
existe-t-il un seul écrivain tellement en possession de son
métier, qui se soit exercé à un tel dépouillement dans la
prière... et y soit parvenu?

Les idées elles-mêmes sont peu nombreuses. On peut

51. *Les Documents du Val-d'Or*, mars 1945, p. 31.
52. Un premier recueil a été publié sous le titre : *Méditations religieuses* (éditions de la Table Ronde et Gallimard). On trouvera d'autres
méditations dans ces fervents témoignages sur les dernières années
de Max Jacob que sont les livres de Pierre Lagarde (*Max Jacob, mystique
et martyr*, Baudinière, 1944); Yvon Belaval (*La Rencontre avec Max
Jacob*, Charlot, 1946); Jean Rousselot (*Max Jacob, l'homme qui faisait
penser à Dieu*, Laffont, 1946); et Marcel Béalu (*Dernier Visage de Max
Jacob*, Fanlac, 1946).

dire que Max n'est jamais sorti de l'*Introduction à la Vie dévote*. Bien mieux, il s'en est tenu à la première partie, destinée aux commençants, et dans cette première partie aux dix méditations réservées à ceux qui ne sont pas encore franchement convertis à la « vie dévote ». Ce n'est là que la Première Semaine des *Exercices* de saint Ignace. Il n'y est question que de la création, du péché, de la mort, du jugement et du choix qu'il nous faut faire entre l'enfer et le paradis. Max avait lu dans l'*Introduction :* « Que si votre esprit trouve assez de goût, de lumière et de fruit sur l'une des considérations, vous vous y arrêterez sans passer outre, faisant comme les abeilles qui ne quittent point la fleur tant qu'elles y trouvent du miel à recueillir. » Le miel ne manquait jamais. Selon son expression, Max perçait, creusait, vrillait, forait la même idée, la faisait « descendre dans le ventre ».

Veut-on un exemple? Max médite sur l'enfer. Il s'oblige à faire passer dans ses fibres sensibles des vérités qui, abstraites, demeureraient sans efficace. L'enfer, c'est « une opération chirurgicale sans chloroforme et qui ne finira jamais, quelque chose comme une rage de dents dans tout le corps ». Pas un incident de la vie qui ne fournisse matière à la méditation :

Hier, à table, pendant cette panne d'électricité et l'immense nnui qui me saisit, j'ai songé à l'enfer qui sera cet ennui pendant l'éternité : obscurité et vide complet de l'esprit. Encore ai-je pu sortir de là, aller à tâtons chercher des bouts de bougie. A l'enfer, il n'y aura pas de bouts de bougie et la panne durera toujours. Mon beau-frère dans un camp de Juifs déclara que c'était l'enfer. Sans doute il s'agissait de coups et d'injures, de manque de nour-riture, d'excréments, de maladies non soignées. Ah! que l'effroi s'empare de moi, que la terreur règne dans mes côtes! Que j'évite l'enfer par tous les moyens possibles!

Le paradis, c'est au contraire la société de Dieu et des âmes pures. « On respirera Dieu. » C'est là que Max reverra cet ange qui lui apparut en septembre 1909. « Mon cœur est un charbon ardent, où brûlera-t-il mieux qu'au milieu des cœurs ardents? »

On peut se demander pourquoi Max n'est jamais sorti de ce thème des fins dernières.

Qui sait si son origine bretonne n'a pas parlé après tant d'années? Quand on lit ces méditations violemment imagées sur l'enfer et le ciel, sortes d'enluminures pour regards naïfs, comment ne pas penser à ces toiles peintes que le P. Maunoir promena jadis dans toute la Bretagne pour illustrer ses sermons? On raconte que, tout enfant, la bonne de Max le conduisait aux offices catholiques. Peut-être quelque prédication l'a-t-elle imprégné pour toujours. C'est dans les *Derniers Poèmes* qu'il écrit :

> ... *Il était de Bretagne,*
> *Pays qui tient du prêtre et du tzigane!*

Et encore :

> *L'enfance demeure la dernière au fond de l'homme qui s'éteint.*
> *Le poète-enfant demeure un renaissant matin* [53].

53. Au dossier des influences catholiques sur son enfance et sa jeunesse, il faudrait verser les confidences et récits suivants.

A Yvon Belaval (*loc. cit.*, p. 32), Max disait un jour : « Lorsque j'étais enfant, je partais tous les jeudis à vélo de Quimper (pour visiter les églises des environs). Mon père se demandait ce que je pouvais bien faire devant ces églises. Et, tu vois, ces contemplations m'ont été très utiles : elles sont au fond de ma conversion. » De son côté, Maurice Parturier (*Le Divan*, 10 décembre 1944) a rapporté les curieuses réactions de Max au lycée devant « le rationalisme idiot de l'inspecteur ». Enfin, le récit de 1939, après avoir insisté sur l'éducation très laïque reçue dans la famille, nous révèle le goût de Max enfant pour tout ce qui lui était accessible du culte catholique (sonneries des cloches, processions de la Fête-Dieu), car défense lui était faite de pénétrer dans une église.

Mais il ne faudrait sans doute pas exagérer l'importance de ces émotions d'enfance. « Je ne crois pas, dit Max dans le récit de 1939, qu'elles aient eu la moindre influence sur ma conversion. Tout au plus puis-je dire que, catholique appliqué aujourd'hui, j'aime par le souvenir rattacher mon présent à mon passé... Je le répète, rien ne me préparait au coup de foudre qui brûla d'un coup mon passé en septembre 1909 et fit naître en moi un homme nouveau. »

Mais je dois encore rapporter un bruit très curieux : tout enfant, Max aurait été baptisé secrètement par sa bonne!

Mme Joseph Chancerelle, née Gabrielle de Montifault, me fait savoir (lettre du 17 mars 1948) que, chez son grand-père le baron Richard, ancien préfet du Finistère, qui habitait le second étage de l'immeuble dont le magasin des Jacob occupait le rez-de-chaussée, chacun savait

Mais si Max ne se lassa jamais de méditer sur les fins dernières, c'est aussi, c'est surtout parce que sa vie spirituelle ne connut aucune sécurité, et que son tempérament, les habitudes contractées, mettaient à tout instant son salut en péril. Tout lui était danger mortel. Le démon hantait sa chambre. (« Le démon veille, *aussi présent que Dieu*... Il est matois. ») « Il s'agit de passer du démon à Dieu », répétait-il. Il en était toujours là. Du moins, dans son humilité, il le croyait.

Passer à Dieu. Quand on lui avait indiqué Saint-Benoît-sur-Loire, il y avait plus d'un an que Max s'était détaché de Paris; il y avait beau temps qu'il avait dépassé l'étape terre quand la mort vint le prendre.

<center> *</center>*

1940-1944. Les Allemands installés en France, le Juif Max Jacob ne pouvait plus vivre qu'en état d'alerte. Alerte! « Vous avez un cicerone juif », remarquent-ils un jour en visitant l'église : Max doit renoncer à faire visiter sa basilique. — Alerte! La Gestapo (la « J'ai ta peau ») est chez Max. Interrogatoire. Les policiers se retirent. Allons, ce n'est pas pour cette fois! — Alerte! « Les gendarmes viennent vérifier si vous portez l'étoile jaune. » Max est

---

que la bonne, une certaine Aline, baptisait résolument tous les petits Jacob (pensant bien faire, assurément, mais agissant en fait au mépris du droit canon qui interdit de baptiser, en dehors du danger de mort ou sans le consentement des parents, les enfants des non-catholiques). Comment, dira-t-on, Max n'en a-t-il rien su? Mais la bonne pouvait-elle sans imprudence s'ouvrir à la famille Jacob d'initiatives qui ne figuraient certes pas dans son rôlet? Aline étant morte depuis longtemps, l'histoire est évidemment incontrôlable. Mais elle n'a rien d'invraisemblable. Max aurait alors tout au long de sa vie d'homme et d'artiste, à travers mille difficultés, avatars et méandres, répondu à l'Esprit qui parlait en lui, et l'appelait à une prise de conscience de plus en plus nette, à une prise en charge de plus en plus généreuse d'une grâce infuse, patiemment agissante. Et l'on s'expliquerait mieux son mot de *La Défense de Tartufe*, déjà cité, écrit peu après sa conversion, et qui suggère une unité et une progression dans sa vie intérieure : « Le Dieu des chrétiens m'appelait quand j'étais enfant, il m'appelait quand j'étais adolescent, il m'a appelé à haute voix en septembre 1909. »

à la basilique. Une ruse de M. le Curé lui permet de ne se présenter que parfaitement en règle. Mais il ne sortira plus désormais qu'avec l' « étiquette » dont s'amusent les enfants.

L'horizon se charge de plus en plus : réquisitions, déportations, massacres, arrestations dans sa famille. Max prie, sollicite partout des prières, multiplie les démarches, parfois naïves. Il encaisse durement tous ces coups. Il se voûte, traîne la jambe. Aux amis qui viennent le voir : « Qu'est-ce qu'on prend, mon vieux, comme bouteille! »

Il a maintenant l'obsession du martyre. Pour la mort en général, il est fin prêt. Il l'a assez regardée en face! Mais cette mort-là, tout de même, si Dieu la lui accordait!

Ici, je me persuade doucement qu'on en arrivera bientôt à la fusillade de tous les Juifs en masse... La mort en martyr ne me déplaît pas. Si je ne l'ai pas comme Juif, je l'aurai (après) comme catholique. C'est plus beau que le gâtisme qui me menace ou la mort bête sur un lit de fer à l'hôpital de Saint-Benoît. En somme, tout va bien, comme disait cet homme précipité d'un toit avant d'atteindre le pavé [54].

Ah! que je puisse une seule journée vivre dans l'esprit de sainteté, m'imaginer que je suis l'une de ces saintes filles qui ont souffert le martyre plutôt que de renier Dieu!...

La meilleure mort qui puisse nous advenir est de mourir au service de nos frères, de notre prochain [55].

J'attends mon tour comme on attend le martyre, *avec un sourire de connivence à Dieu* [56].

Il est déjà de l'autre côté. Ce vieux devin mystique sait que Dieu l'a marqué sur sa liste. Il a répondu oui.

On dit à une dame : « C'est le portrait de Max Jacob! — Tiens! je croyais qu'il était mort. » Mort en effet plus qu'elle ne croit.

Le 24 février 1944, une voiture de la Gestapo s'arrêtait devant la porte de Max et l'emmenait sans explications. Le 28, de la gare d'Austerlitz, il écrivait au chanoine Fleureau (sa dernière lettre, semble-t-il) :

54. Jean Rousselot, *op. cit.*, p. 13.
55. Marcel Béalu, *op. cit.*, p. 101.
56. Pierre Lagarde, *op. cit.*, p. 40.

28 février 1944.

Cher Monsieur le Curé,

Excusez cette lettre de naufragé écrite par la complaisance des gendarmes. Je tiens à vous dire que je serai au Drancy tout à l'heure.

J'ai des conversions en train.

J'ai confiance en Dieu et dans mes amis. Je le remercie du martyre qui commence.

Respectueusement et amicalement.

                        MAX JACOB.

Je n'oublie personne dans mes prières continuelles.

Jusqu'au 13 mars, plus de nouvelles. Ce jour-là, la mairie de Saint-Benoît est avisée officiellement de la mort à Drancy de Max Jacob, le 5 mars, et de son inhumation au cimetière d'Ivry.

Ainsi donc il est mort seul, lui qui avait toujours éprouvé le besoin fiévreux d'un entourage ami; et sans prêtre, lui à qui cette éventualité avait toujours paru, de toutes, la plus redoutable.

Mais c'est au fond de cette déréliction, et quand il dut lâcher ces derniers biens auxquels il s'agrippait encore, c'est dans ce dépouillement semblable à celui du Calvaire, que l'éternel inquiet trouva enfin cette paix vers laquelle il avait haleté toute sa vie et que — on peut bien le dire — il n'avait jamais connue. Le précieux témoignage d'un médecin juif interné comme lui à Drancy nous permet de le suivre jusqu'à ses derniers instants.

Rien, il ne fit rien! ... D'après l'évolution de la maladie, il semble certain qu'il avait cette broncho-pneumonie avant d'arriver à Drancy. En voyage, peut-être? Son arrestation avait été un choc propre à l'affaiblir. Et il était peu couvert, il n'avait presque rien sur lui...

Il voulait mourir. C'était son heure. Il disait : « Je suis avec Dieu. » Il ne parlait presque pas. Il ne demandait rien. Il ne souffrait pas. Il était si loin de nous qu'il n'avait rien à dire. Il priait.

Il ne m'exprima, à moi en particulier, qu'un seul désir : il voulait mourir catholiquement. Avec quel tact, quelle discrétion il formula cette demande, pour ne pas nous froisser, nous, Juifs! Il murmurait : « Vous comprenez, *j'ai donné ma vie à cette Passion.* » Nous lui promîmes tout. Nous arrivâmes à tenir cette promesse.

Cela ne dura guère plus de vingt-quatre heures. Littéralement, *il s'éteignait*, avec une soumission, une modestie extraordinaires. Il n'eut pas une révolte, pas un reproche, pas d'agonie. Il avait déjà dépassé toute lutte. Il paraissait heureux. Je crois, oui, je crois qu'il était heureux.

Nous essayions de l'encourager à vivre. Nous lui racontions qu'il allait être libre, que ses amis s'occupaient de lui, que Tristan Bernard par exemple avait été relâché. Il répondait doucement : « Je suis avec Dieu. »

... A quelle heure il mourut? Le matin, vraiment comme les lampes. C'était beaucoup plus que de la résignation, c'était une adhésion absolue à un départ, et avec une simplicité, une grandeur inouïes [57]...

Dans sa poche on trouva un chapelet. Ces Juifs inconnus qui l'entouraient n'hésitèrent pas un instant : ils le lui mirent entre les doigts. Comment auraient-ils douté de sa conversion? Eux seuls peut-être ont vu son vrai visage.

*

Le vrai visage de Max Jacob, longtemps connu de Dieu seul, c'était celui d'un homme grave.

D'aucuns l'avaient soupçonné. « Combien de fois ai-je vu Max faire le bouffon avec les yeux hagards d'un désespéré », a écrit Henri Hertz [58]. Désespéré? Laissons ce mot, un peu littéraire. Max se définit bien mieux lui-même, en poète : « Ma vie est un pétillement d'escarbilles sur fond gris noir [59]. » Combien n'ont su voir que les escarbilles! Après tout, les farces, la blague, le naturel gardé jusque dans les choses saintes, pourquoi pas? Le christianisme ne peut-il se vivre sans les mines sombres des Messieurs de Port-Royal? Max était un chrétien du moyen âge, « tout à fait chez lui » à l'église, nous dit l'abbé Hatton, « très familier et très prostré à la fois ». Au ciel même, nous ne l'imaginons pas autrement; lui-même ne s'y voyait pas pontifiant :

57. Témoignage rapporté par Yanette Delétang-Tardif, *Poésie 44*, n° 20.

58. Hubert Fabureau, *op. cit.*, p. 71.

59. Marcel Béalu, *op. cit.*, p. 53.

Qui peut prétendre à l'auréole?
Pas toi! Te vois-tu en étole
Disant la messe dans l'azur?

Non, certes, mais bien plutôt déridant les élus, s'il en était besoin. Aux sots que scandalisaient les façons peu guindées de son ami, André Salmon répliquait : « Vous n'y entendez rien. Je vois très bien Max Jacob faisant à Dieu une imitation de Monseigneur. Pourquoi pas? Tout le mal du monde vient peut-être de ce que la fausse sagesse et la fausse gravité des gens très bien, tout ce qu'il y a de bien, ont empêché Dieu d'oser rire. Si Dieu rit enfin, fût-ce d'une imitation de Monseigneur, le monde peut être sauvé [60]. » Ou du moins rapproché d'une religion dépouillée des oripeaux jansénistes, amie du rire et du sourire.

Mais sous ce « manque de sérieux » du converti, sous les escarbilles, combien n'ont pas vu la gravité de fond! Que Max ait souffert d'être à ce point méconnu, cette exclamation l'atteste qui lui échappa un jour : « On a toujours dit de moi que je ne suis pas sérieux; or, pas un seul n'est capable de couper les ponts comme j'ai fait trois fois, et d'accepter le martyre et la misère comme j'ai fait, *comme je fais!* Ils sont sérieux, eux, mais ce n'est pas la même chose [61]... » Ou encore : « Ce dont je souffre le plus, c'est qu'on ne m'a jamais pris pour un homme grave, je suis avant tout un homme grave [62]. » Quelle tristesse pour lui, je suppose, de voir un critique aussi pénétrant que Marcel Raymond [63] se méprendre comme les autres sur son compte, ne pas sentir dans le kaléidoscope de son existence la recherche angoissée de l'unité, douter qu'il pût jamais « cristalliser » dans une forme de vie! Cette petite bande de la rue Ravignan, dont Marcel

60. *Le Disque vert*, novembre 1923, p. 12.
61. Marcel Béalu, *Aguedal*, Rabat, 1944, p. 28.
62. *Ibid.*, *Max Jacob*, p. 9.
63. Marcel Raymond, *De Baudelaire au Surréalisme*, Corrêa, 1933, p. 295.

Raymond se demandait si elle pourrait échapper à la
« métamorphose indéfinie [64] », était bel et bien sur la voie
de l'être et de sa possession. Seulement, les camarades
ont erré (ils ne m'en voudront pas de le penser et de le
dire), Max a seul abouti.

*
* *

Il a abouti, sans doute, dira-t-on, mais à quoi? Il a unifié
sa vie, mais sous quel signe? Chacun sait que l'anxiété
et le pessimisme ont assombri jusqu'au bout son existence.
Peut-on parler dans son cas de réussite humaine, et même
d'orthodoxie chrétienne?

La méditation acharnée, exclusive, des fins dernières
prouve que chez lui la crainte de Dieu dominait l'amour?
Ne parlons pas si légèrement! Dominait ses nerfs, oui,
non pas son cœur. Il faut aimer Dieu beaucoup pour
redouter à ce point de le perdre. Ou disons que la crainte
était le travesti dont son humilité revêtait son amour.
A peine osait-il penser qu'il possédait Dieu, tant il s'en
jugeait indigne. Comme Kierkegaard, il préférait « la
crainte et le tremblement » à une sécurité présomptueuse,
et comme lui il aspirait toujours à « devenir chrétien ».
Non pas Jean de la Croix, non pas même Madeleine, la
pénitente mystique, mais le bon larron, ce bon larron
qu'on entend dialoguer un peu partout dans son œuvre
avec une insistance si poignante :

— Jésus, Notre-Seigneur, est-il là?
— Notre-Seigneur n'est pas là! Tous les saints sont là si vous
voulez.
— C'est au Seigneur que j'ai affaire.
— Tous les saints ne sont-ils pas l'amour qui est tout?
— C'est au Seigneur que je veux parler.
— Vous repasserez une autre fois.
— Je n'ai pas d'autre foi.
— Le Seigneur a dit : « Frappez et on vous ouvrira! » Ça ne
veut pas dire qu'il se dérange Lui-même.
— Dites-Lui que j'attendrai patiemment.

64. Marcel Béalu, *Max Jacob*, p. 9.

— Purifiez-vous! Vous avez les mains et les pieds sales.
— J'apporte la Couronne d'épines que le Seigneur avait perdue.
— Entrez [65].

Mais le bon larron peut aimer comme saint Jean de la Croix, être consumé comme lui.

Celui qui a brûlé le cœur a brûlé tout. Si tout est brûlé sauf Lui, que reste-t-il que Lui?... Étant avec Lui, n'ayant que Lui, j'ai tout! Étant sans Lui, n'ayant que Lui, je n'ai rien... « A quoi as-tu renoncé pour moi? dit l'Ami. — Je n'avais pas à renoncer puisque je n'ai jamais cherché que Toi à travers le monde. Tu as brûlé mon cœur avant que j'eusse un cœur et tu n'as rien brûlé d'autre parce qu'il n'y avait rien à brûler [66]! »

Le secret dernier de Max Jacob, c'était le besoin d'un Être où il pût ancrer son être si flottant, d'un Amour qui fixât ses amours. Pourquoi a-t-il renoncé, dès sa conversion, à ces évolutions sans fin qui amusaient tant les badauds? Pourquoi ne cherchait-il plus? C'est qu'il avait trouvé! L'homme aux masques de rechange s'était fixé dans son vrai visage, l'éternel. Il savait maintenant que la Merveille n'était pas loin de lui, qu'il ne fallait pas courir en surface, mais creuser en profondeur pour découvrir « la noisette blanche, le Seigneur caché ».

On me dit que le siège de mon Dieu est en moi...
Faut-il donc me détruire pour le trouver?
Alors, des pioches, des pelles!
La faulx pour séparer ma poitrine.
C'est là, c'est là.
Terrassiers, chirurgiens, venez me mettre en pièces
Et cherchez ce trésor.
Quand vous l'aurez trouvé, ne rebâtissez rien,
Laissez-le bien en évidence.
Qu'il vive là où Il est et plutôt que rien
Ne vive plus de moi pour ne plus l'étouffer.

Mineurs, découvrez-moi cette noisette blanche,
Le Seigneur caché [67].

Dominée par la crainte, la spiritualité de Max Jacob? Qui donc, devant ces beaux textes, osera encore l'affirmer?

65. Poème publié par la *Nouvelle Revue Française*, 1ᵉʳ juillet 1934.
66. *Idem.*
67. *Les Documents du Val-d'Or*, mars 1945, p. 47.

Mais toute teintée de pessimisme, cela, oui. Max Jacob
n'était pas de ceux qui exaltent dans la terre, le ciel et
les eaux l'œuvre des doigts divins, dans le siècle où nous
sommes la chaotique genèse d'un monde plus chrétien.
Rien du triomphal optimisme d'un Claudel. Pour lui, la
gloire divine ne brillait pas dans le caillou du chemin,
l'eau du fossé ou l'âme de Mme Lafleur. Il n'aurait pas
fallu le pousser beaucoup pour lui faire dire (je crois bien
qu'il l'a dit) : la création est l'œuvre du diable, véritable
« Prince de ce monde », habitant tout, infectant tout, et
plus que tout la chair du pauvre Max. Le siècle ne montait pas vers Dieu, il croulait à l'abîme; et Max, le doigt
sur l'Apocalypse (ou sur certaines prophéties moins autorisées), criait : « Sauve qui peut! »

Ce monde-ci était le domaine tout à la fois de la laideur et du péché. « Ma vie est amère, écrivait-il, au milieu
des démons terrestres; leurs affaires me blessent, leur
cupidité me blesse, leur vie me blesse, leur égoïsme, leur
laideur, leur bêtise, leurs préjugés ridicules me blessent,
leur mesquinerie me blesse. » On reconnaît bien là l'écrivain qui, en tant d'ouvrages, inlassablement, impitoyable-
ment, a portraituré la sottise et la bassesse qui s'ignorent,
les nôtres à tous.

M. André Billy s'en scandalise. En Max Jacob, dit-il,
l'artiste et le croyant s'ignorent. « D'un côté, un humo-
riste féroce, qui contrefait avec une adresse diabolique
les démarches de la bêtise humaine et même, à l'occasion,
celles de la bêtise « bien pensante »; de l'autre, un dévot
confit en mysticisme, en bonté et en pardon [68]. » Mais
non! c'est le même homme qui déteste la grimace affreuse
des visages faits à l'image de Dieu, et qui aime assez ses
pauvres frères défigurés pour vouloir restituer en eux
l'effigie divine [69]. Ah! qu'ils rejettent, comme il s'y efforce
lui-même, ce masque emprunté! Sa haine même du péché

68. André Billy, *op. cit.*, p. 43.
69. « Je ne me moque de personne, je pleure sur tous », a-t-il dit à
Marcel Béalu (*op. cit.*, p. 9).

est amour du pécheur. L'art noir de Max Jacob est un art chrétien.

Mais enfin Max étouffe sur cette terre, parce qu'elle ne va pas sans péché. Il écrit magnifiquement (car il y a de la magnificence dans un certain pessimisme) : « Ce qui me manque est l'atmosphère de la grâce de Dieu. » Et ce mot, qui résume toute sa vie spirituelle, fait écho à cet autre qui résume tout son effort poétique : « Je rêvais de recréer la vie de la terre dans l'atmosphère du ciel. » La nostalgie du ciel, voilà ce qui fait l'unité de Max Jacob l'insaisissable. Si on ne la trouvait pas, c'est qu'on ne la cherchait pas assez haut.

LÉON-PAUL FARGUE
ET SES FANTOMES

Léon-Paul Fargue est mort le 24 novembre 1947. De nombreux amis ont célébré « Léon-Paul », les vrais Parisiens le « piéton de Paris », les familiers le causeur trouvère aux mots artésiens, les lettrés un écrivain tellement solidaire d'une génération (celle de Montmartre et de Montparnasse) que sa disparition les vieillit tous. On a surtout parlé de l'homme, nous voudrions dire quelques mots du poète.

C'était d'abord un *artisan* du verbe. Il travaillait dans le mot comme son père dans la céramique. Avec la compétence joyeuse et raffinée du vieil ouvrier parisien. Dans cette conscience professionnelle, il mettait beaucoup de sa religion. Écoutez-le bougonner :

La meilleure façon de gagner Dieu, c'est de bien faire ce que tu fais. Les gens qui s'occupent tout le temps de Lui me font penser à ces ouvriers qui demandent sans cesse audience au patron. Pendant ce temps-là, l'ouvrage ne se fait pas.

L'ouvrage se faisait. Pas un comme lui pour faire tinter un mot à la manière d'un vase de cristal. Tous les mots français il les connaissait, ceux de Rabelais, et tous ceux que, Dieu merci, nous avons inventés depuis. Et les mots du dictionnaire ne lui suffisant pas, il en modelait de nouveaux, à profusion, pour son plaisir et le nôtre, qui entrechoquent et marient leurs sons dans ses pages comme des clarines dans un pré.

A dix ans, apprenti des lettres, il promettait. Dès cet

âge, il tâte et éprouve les vocables, leur apprend à tourner
dans une ronde. Écoutez cet enfant parler à son rat blanc
apprivoisé, dans une langue inconnue des hommes et des
rats blancs, mais avec un bonheur si exquis des sons et
du rythme que vous n'en oublierez plus la chanson.

> *Abi abirounère*
> *Qui que tu n'étais don?*
> *Une blanche monère,*
> *Un jo*
> *Un joli goulifon,*
> *Un œil*
> *Un œil à son papère,*
> *Un jo*
> *Un joli birliflon.*

Dès la quatrième, l'écolier ne jurait que par Laforgue,
Corbière et Lautréamont. Voyez-vous ça! Ajoutez Rimbaud, ajoutez Verlaine qu'il allait contempler dans un
café du Quartier latin, ajoutez les poètes de sa génération :
la bande d'Apollinaire, et Valéry et Claudel, ses amis :
plus qu'il n'en faut, n'est-ce pas? pour faire un petit
pédant de poésie, imitateur et livresque. Eh bien, plus
on le lit, plus on se convainc qu'il s'est formé tout seul,
en béant dans les rues et les jardins, en lisant, comme il
dit, « dans les pages de l'air », en aimant et en souffrant.
De là vient que son œuvre se refuse à tout classement
dans une école. Ce qui ne consonne pas avec lui, les
influences indiscrètes, il écarte tout avec une décision
amusante. Agacez-le, pour voir, en lui lançant plusieurs
fois de suite dans les jambes le nom de Victor Hugo.

Victor Hugo est un immense poète, quand il ne fait pas d'effets
avec son métier. Quand il ne fait pas rouler ses muscles comme à
la parade, chez Marseille. Quand il ne se donne pas de grands
coups de poing dans le caisson, comme fait le gorille avant d'attaquer le chasseur.

Vous voilà servis! Et voilà qui situe Fargue lui-même,
dans les tons discrets. Il laissera à d'autres les lourdes
thèses, défendues avec la pédale ronflante du pathétique.

— Mais Baudelaire, du moins, direz-vous, le Baudelaire des *Tableaux parisiens*, n'est-il pas son frère? Et la strophe que voici ne pourrait-elle être de Fargue?

> *Les deux mains au menton, du haut de ma mansarde,*
> *Je verrai l'atelier qui chante et qui bavarde;*
> *Les tuyaux, les clochers, ces mâts de la cité,*
> *Et les grands ciels qui font rêver d'éternité.*

Eh bien, non, Fargue n'eût pas écrit ce dernier vers, si large, si beau..., trop beau! Il eût vu là une attitude, presque une pose : ce regard perdu! Et l' « éternité » ! Vivons la chose, laissons le mot aux philosophes! Décidément, « Baudelaire est un faiseur de miracles, quand il ne met pas à son cœur un suspensoir d'un goût détestable ».

Alors concentrons, raffinons, prenons pour maître Mallarmé. Et voici Fargue aux mardis de la rue de Rome. Il apprécie, ma foi, comme un autre le tabac caporal, le grog et la leçon merveilleusement subtile. Mais quand il sort :

Notre maître Mallarmé gante juste. Il met quelquefois deux doigts dans le même —

dit-il simplement. Aucun goût pour l'hermétisme. Ne nous y trompons pas : Fargue aime bien plus que nous tous Hugo, Baudelaire et Mallarmé. Nous assistons à une querelle d'amis, d'égaux, en un sens. Il se situe par rapport à eux. Il choisit sa voie propre, qui n'est pas non plus celle de Barrès et de la littérature endimanchée, de ceux qu'il appelle drôlement « les fils à papa de l'art ».

Ce qui m'irrite dans Annunzio, dans Barrès, et dans quelques autres bellâtres de lettres, qui peuvent avoir des mérites, c'est qu'ils ne peuvent pas se passer du luxe..., du luxe de l'âme, du luxe lyrique. Ils ne font rien avec peu de chose... Ils sont incapables de bâtir sur un fonds modeste... Ils ne voyagent qu'en première classe. Ils ne parlent qu'aux officiers... Ils ne s'aperçoivent pas qu'on peut faire des miracles avec de toutes petites choses, avec le médiocre, avec l'anonyme. Ils ont bien l'air de ne pas savoir que les enfants font de grands voyages dans une petite caisse, jouent au chemin de fer avec une bobine, construisent un moulin avec une noix vide, et rêvent là-dessus les plus beaux poèmes.

Fargue sera lui-même ce poète de toutes les heures, pour
qui la poésie est un *état*, qui vit « en poésie » comme certains « en religion », ne s'habitue à rien, fait sa droite
balle non seulement des couchers de soleil romantiques
et des infantes symbolistes, mais de tout instant qui passe,
princier ou misérable.

Et n'allez pas vous représenter un vain styliste, un
petit maître uniquement curieux d'artifices, satisfait de
peser des syllabes, fût-ce sur des balances de fée. Le problème de l'existence lui est, à toute heure, tout entier
présent. Certes, la métaphysique lui fait peur : il fuit les
idées pures, ces hideux squelettes, et ce qui sort de sa
plume a les rondeurs de la vie. Mais une seule laisse de
ses poèmes remet en question plus de choses et nous
atteint plus à fond que toute la balistique des philosophes.
Sa musique vous paraît sans contenu, tant elle est légère,
mais elle emprisonne tous les horizons dans les mailles
de son rythme. Toute la peine, toute la joie du monde,
Fargue les fait tenir dans une coquille, mais transposées
et réduites par la macération du souvenir, distillées
jusqu'à l'essence par les patients détours du rêve. Les
détours du rêve sont pour certains, je le sais, un dédale
dont l'aventure les inquiète..., quand ils n'y flairent pas
quelque mystification : le poète ne les entraîne-t-il pas
loin du réel? Fargue va les rassurer lui-même qui définit
la poésie « cette vie de secours où l'on apprend à s'évader
des conditions du réel, pour y revenir en force et le faire
prisonnier ». Manié par lui avec naïveté et astuce, le poème
est un filet jeté sur la vie pour la capter toute, et la ramener, frissonnante, dans une lumière supérieure. Seul, un
artiste à résonance humaine intégrale a pu dire qu' « une
phrase parfaite est au point culminant de la plus grande
expérience vitale ». Vous en jugerez bientôt.

Mais que dites-vous de cet *Art poétique?* Lisez toute
la *Suite familière* : elle concentre, en quelques boutades
d'un timbre de voix très particulier et d'une maturation
parfaite, plus d'expérience personnelle, non seulement

que les sentences rimées de Nicolas Despréaux (lesquelles résumaient du moins avec bon sens l'expérience des autres), mais que tant de manifestes plus récents, pleins de théories et de querelles. Laissons les professeurs sur leur chaire, les perroquets sur leur bâton, les violents sur leur ring, et regardons ce bon artisan dans son atelier, ce menuisier du verbe, avec des copeaux jusque dans les cheveux, qui ne vous parle que de ce qu'il sait, et de ce qu'il fait lui-même.

**

L'échantillon que voici risque de paraître insignifiant. Je le cite en premier pour le plaisir de voir les amateurs de la « poésie de luxe » faire la moue. Qu'un miracle littéraire puisse se réussir « avec de toutes petites choses... », avec quelques champignons rencontrés au pied d'un arbre, voilà pourtant ce qu'il faut apprendre. Qui n'aime pas les champignons de Léon-Paul Fargue ne mérite pas de connaître ses fantômes.

Léon-Paul se promène dans la forêt. Halte! Voici « un complot de champignons derrière un chêne. Ils tiennent leur marché couvert. »

Joli! Ce pourrait être du Jules Renard. Pas moins. Pas plus. C'est beaucoup plus. Regardez de très près : quels drôles de petits bonshommes!

Certains font le signe du silence, d'un long doigt pâle, sur d'invisibles lèvres. Ce jaune, au crâne de savant, semble ausculter longtemps les secrets de la terre. Un autre a l'air d'un explorateur sous son casque blanc doublé de liège et s'en va tout seul dans les grandes ombres. Leurs marmots lèvent comme des cloques sur les grands pieds noirs des arbres. Les vieux se renfoncent sous leur bonnet de nuit qui tourne, et font la lippe. Mais de jeunes coquettes fraisées de clair, ouvrent doucement leurs longues ombrelles d'ivoire et dorment debout, dans l'attente.

C'est le regard de Perrault et d'Andersen, la vision voyageuse de l'enfant et du poète dans les « espaces imaginaires ». La présence les jette dans l'absence. Tout fas-

cine l'enfant, parce qu'il découvre dans une mousse, un
air de mirliton ou une bête à bon Dieu, ce que vous y
voyez vous-mêmes, mais bien autre chose encore, lui qui
anime l'inanimé et prête à trois figurines en carton les
soucis des hommes et des dieux. Fargue fera, lui aussi,
de grands voyages dans une petite caisse; il y a chez lui
un observateur ému et amusé du quotidien, de ce minus-
cule qui implique tout. A quoi bon parcourir tant de pays,
tant de livres, quand je trouve au pied de ce chêne un
raccourci drolatique de la société des hommes, ces champignons graves, inutiles et charmants?

Nullement vénéneux : Fargue n'est pas si sévère pour
l'homme! Il le voit plutôt misérable. Voici par exemple
des bêtes du Jardin des Plantes, qui nous renvoient notre
tristesse un peu comique.

Par la grille du Jardin des Plantes, on voit une espèce de zébu,
immobile et lourd, comme un meuble débarqué par les dieux, sans
compensation, tête basse, et des oiseaux tristes qui font le gros dos
près de leur rocher de photographe; et la grue trompette et le
paon blanc qui s'étale par terre sont là comme des actrices dans
une gare, ou comme des mondaines surprises dans une rafle et
gardées dans un coin, avec leur manteau de soirée; il n'y a rien à
faire qu'à attendre.

Encore une fois, n'attendez pas du poète qu'il jargonne
comme le philosophe, et pourtant il philosophe à sa façon,
combien plus familière, prenante et délectable! Si nous
revenons du Zoo accablés et troublés, tête basse (comme
le zébu!), c'est que nous avons reconnu dans la condition
de tous ces animaux captifs l'image de la nôtre sur la
planète, et nous tournons maintenant dans nos rues, en
ce stupide dimanche, comme derrière des barreaux, avec
une âme immense et des ailes trop lourdes, dans un décor
irréel. « Débarqués » en ce lieu « par les dieux » (comment?
pourquoi?), nous sommes en même temps des voyageurs
en instance de départ, bientôt embarqués par la mort,
comme de simples paquets, vers quels horizons? « Il n'y
a rien à faire qu'à attendre. » J'allais citer Platon, Pascal, des penseurs plus austères encore, mais c'est déjà

trop appuyer : j'ai effeuillé la fragile poésie, comme le botaniste la miraculeuse architecture de la rose. J'ai voulu seulement montrer que nous n'avons pas affaire ici à une littérature plate, sans dessous ni profondeurs. Si la phrase de Fargue nous paraît toujours si neuve, inentendue, inattendue, ses mots éclairés d'un halo, sommés d'une aigrette de feu, c'est que ses récits sont des *visions*. Les êtres dont il parle, reliés entre eux par des fils invisibles, participent à la même étrange aventure, reflètent le plus brillant et le plus sombre de la vie universelle, et nous reviennent constellés et tremblants d'un pèlerinage fantastique au pays des dieux. Fargue aura été le plus grand voyageur de notre époque dans les « espaces imaginaires ».

* *

Ces voyages le conduiront loin.

Il voit toutes choses mourir. Un tel événement efface les autres. Dans le cercle des amis comme au foyer familial, les places vides se multiplient. « Ce qu'on aime finit toujours par se décider à vous quitter. On est seul. Tout a pour but la solitude. » Fargue fait un effort pour s'établir dans un poste d'éternité, d'où il puisse dominer le temps et donner, s'il se peut, un sens à la mort elle-même. Dans *Vulturne* (qui rappelle *Aurélia*, mais une imagination haletante et colorée, salée d'humour, remplace ici les rêves fondus de Nerval), il essaye de se représenter le commencement et la fin des mondes. Que deviennent les morts? Il voit Dieu, au soir des temps, rassembler ses créatures, comme un berger ses troupeaux épars. Dieu « se rapproche et s'arrondit comme un tunnel ». Nous montons vers la lumière. Mais quelle lumière?

C'est ici, me semble-t-il, qu'une philosophie incertaine a égaré Fargue. Il voit les morts résorbés dans le grand Tout, chaque conscience engloutie dans je ne sais quelle conscience universelle, l'accès à l'éternité obtenu aux

dépens du temps, l'unité au prix de la multiplicité, toute
forme sacrifiée, toute singularité abolie, les visages odieuse-
ment confondus. Sa représentation du monde n'a pas
l'admirable équilibre de la construction dantesque affer-
mie sur le dogme catholique; son paradis n'est pas cette
rose des saints, où Dante distingue chaque élu conservant
sa personnalité, pétale distinct et complémentaire de tous
les autres, avivant son éclat propre aux feux qui l'entourent. Il ne voit pas Béatrice adressant encore à Dante,
du plus haut du ciel, un sourire humain. Si la fin de tout,
c'est, comme on le lui a dit, le renoncement à ce que nous
avons été, le reniement de tout ce que nous avons aimé,
si l'axiome éternel n'admet en son sein que « des âmes
vidées de leurs images », alors, il hésite. Comme nous le
comprenons! L'inquiétude qui le saisit est d'un poëte
véritable. N'essayez pas de lui vanter ce ciel aride, tai-
nien. « J'ai aimé, vous répondra-t-il, quelques-uns de ces
vers de la terre, et je ne demandais qu'à rester sous ma
pierre, dans ma vieille maison, dans ma cuisine, avec le
souvenir de mon père qui est mort. » Il ne sortira pas
de là [1].

---

1. C'est pour ne pas nous taire tout à fait sur le si important *Vulturne* (auquel tout le monde accordera, je crois, l'élan, sinon l'ampleur,
de l'épopée) que nous avons signalé ces vues, mais il serait à la fois naïf
et injuste de prétendre y enfermer toute la pensée de Fargue. Les idées
exprimées par un poëte sont, comme chacun sait, ce qu'il y a de moins
intérieur à son œuvre. Ou alors il les « touche » comme le musicien un
instrument : un de plus dans son orchestre. Elles ont partie liée avec
le jeu imaginatif, et Dieu sait si, dans *Vulturne* et *Espaces*, l'imagination s'en donne à cœur joie! Et n'oublions pas l'humour.

Au surplus, la pensée de Fargue était d'un type *oscillant*, comme
beaucoup de pensées modernes. Celles-ci ne se définissent pas par une
position stable, mais par un mouvement incessant entre des pôles dont
elles dénoncent ainsi l'existence et l'attraction. Tout ce que nous disons
ici appelle donc une vue complémentaire : elle sera au moins indiquée
par les beaux vers qui terminent la postface de *Sous la Lampe*. (Ces
vers s'accordent d'ailleurs beaucoup mieux avec le mot que nous dit
Fargue, au moment où nous le quittions, quelques semaines avant sa
mort.)

      Tout sera consommé, tout sera pardonné,
      La peine sera fraîche et la forêt nouvelle,
      Et peut-être qu'un jour, pour de nouveaux amis,
      Dieu tiendra ce bonheur qu'il nous avait promis.

S'il tentait du moins de joindre ses disparus? Peut-être ne se sont-ils évanouis que par manque de foi dans la vie? Et Fargue cite ce mot de William Blake : « Si le soleil et la lune doutaient, ils s'éteindraient sur-le-champ. » De même les morts « n'entendent plus Dieu leur dire qu'ils existent. Alors, ils doutent d'eux-mêmes et s'effondrent. Ils meurent d'une attaque de scepticisme... » Si l'on essayait de croire pour eux, de rappeler un instant sur nos bords ces démissionnaires de la vie? Fargue va se lancer à leur poursuite. Parents, amis, paysages de l'enfance, il va se pencher, s'efforcer de les faire remonter de leur nuit laiteuse, de leurs limbes. A ces errants, il offrira l'asile de son souvenir; à ces disparus, la chance d'une seconde vie. Lui-même s'oubliera, se videra, se fera pur accueil, mettra à leur disposition les battements de son cœur.

**
**

Mais le dur soleil effarouche le passé. Comme les oiseleurs opèrent dans les parcs aux riches ombres, le charmeur de fantômes se plaît aux éclairages prunelés. Il sort à la brune, il s'embusque dans la nuit tombante. L'air est devenu plus consistant, et dans le bain nocturne les oiseaux du soir peuvent ramer des ailes.

Fargue n'est l'homme ni du grand jour ni de la nuit, mais du soir. Dans nos rues qui s'éclairent comme au ciel qui s'étoile, une invisible main balise alors de feux notre obscurité en même temps qu'elle l'épaissit. L'homme voit placardés devant ses yeux les deux aspects de sa condition nocturne et lumineuse. Ni l'angoisse ne règne seule ni la certitude, mais, traversant des épaisseurs d'ombre, un espoir tremblant. L'heure est bonne. « Un temps à traquer le mystère. » Des lueurs clignotent, appellent. Léon-Paul n'y tient plus. En chasse! Il est de ces « piétons qui rêvent en marchant, qui cheminent, illuminés, dans le tunnel de leurs songes ». Mais si, en plein jour, les moindres objets lui parlaient de l'au-delà,

si un champignon était un homme et un paon blanc notre
âme enfermée dans sa boue, c'est tout maintenant qui
prend un aspect fantastique, c'est-à-dire à la fois irréel
et plus humain. « L'autobus et le camion sont des bêtes
antédiluviennes » lâchées dans les rues à la faveur de
l'ombre. Le train poursuit les passants en rampant
comme une chenille processionnaire. La locomotive « avec
ses astéries majuscules, avec ses seins pleins d'huile brûlante, avec ses icônes qui s'allument, avec ses lampes
dans toutes leurs niches, avec ses hommes saignants de
houille », est un monstre inclassable. Le promeneur ne
reconnaît plus la rue familière. Il nage dans l'air de
Paris comme dans un élément qui porte. « Les maisons
s'avancent comme des proues de galères dont tous les
sabords s'éclairent. L'homme file entre leurs flancs comme
une épave dans un port. » Apulée, cité en épigraphe à
la Drogue, décrivait déjà ce curieux pouvoir de fantasmagorie : « Dans ce pays des enchantements, je considé-
rais chaque chose avec une sorte d'inquiétude. De tout
ce que j'apercevais, dans la ville, rien ne me paraissait
être tel que mes yeux me le montraient. Il me semblait
que, par la puissance infernale de certaines incantations,
tout devait avoir été métamorphosé. »

Fargue s'enfonce dans cette forêt des signes, « au-devant
des yeux bleus du soir », à l'affût du passé qui rougeoie
dans l'air cotonneux. Un rien, une lampe qui s'allume,
une fenêtre qui brûle son cœur dans cette chambre de
bonne, une voix perdue, ce grand arbre éclairé qui secoue
lentement sa chaîne de songes, un remorqueur qui tousse
dans l'épaisseur du brouillard, moins encore, une bouffée
de musique, une odeur, et c'est la chute dans les champs
du souvenir. « La vie antérieure émerge et chuchote. »
Fargue frémit à ces « voix étranges qui semblent venir
d'un autre astre ». Et ses pensées « tremblent au bord
d'un abîme ». Ce sont bien des cris étouffés qui strient la
nuit, et ces lueurs sont des signaux.

Ah! je voudrais serrer tous les souvenirs sur ma poitrine pour te les offrir. Mais ils sont lointains comme des signaux. Signaux du soir avec leur douceur menaçante... Fanaux des trains et des bateaux, qui ont toujours ce regard triste... Signaux d'amour tendres et fins comme des cœurs à la fenêtre... Signaux du ciel, comme des fleurs dans un champ d'ombre.

A ces heures douteuses, tandis que le réel devient spectral, le passé s'épaissit dans les coins des rues, les escaliers mal éclairés, les cours sombres. Les morts avancent à pas feutrés. L'homme qui rôde se sent frôlé par des revenants.

Voici Fargue au bord de la mer, voici ses pas dans le jardin d'autrefois. De jolis mots brillent çà et là à la surface de sa prose fondue, à la fois soulevée et charmée par la présence du passé :

La rampe s'allume. Un clavier s'éclaire au bord des vagues. Les noctiluques font la chaîne. On entend bouillir et filtrer le lent bruissement des bêtes de sable.

Une barque chargée arrive dans l'ombre où les chapes vitrées des méduses montent obliquement et affleurent comme les premiers rêves de la nuit chaude.

De singuliers passants surgissent comme des vagues de fond, presque sur place, avec une douceur obscure. Des formes lentes s'arrachent du sol et déplacent de l'air, comme des plantes aux larges palmes. Les fantômes d'une heure de faiblesse défilent sur cette berge où viennent finir la musique et la pensée qui arrivent du fond des âges. Devant la villa, dans le jardin noir autrefois si clair, un pas bien connu réveille les roses mortes.

Ce pas, c'est celui de sa mère, dont la forme blanche tourne sur la terrasse, s'attarde auprès des fleurs.

Mais quand Fargue ne court pas à la rencontre de ses fantômes, ce sont eux qui le visitent, le soir toujours, aspirés par sa lampe. *Sous la Lampe* est précisément le livre qui nous raconte ses souvenirs les plus anciens, les enfances modestes d'un fils d'ingénieur. Mais, ajoute-t-il bien vite, « ce que nous avions suffisait à mon cœur ». Je crois bien! S'il pouvait seulement rendre la vie à ces minutes dorées par l'éloignement comme un jardin d'Hespérides, à ce trésor dormant qui hésite et tremble au bord de l'oubli! En pleine nuit, « la nuque sur l'oreiller des songes », il voit le monôme des ombres traverser la chambre; dans son lit, « comme un violon dans sa boîte », il est « comme un homme que son âme empêche de dormir », et que le silence même fait vibrer.

Alors, il fait un immense effort. Son père, sa mère, sa vieille bonne, il les « évoque », au sens ancien du mot, comme les Perses d'Eschyle évoquaient Darius avec des cymbales, des supplications impérieuses, des sanglots; et, soudain, au paroxysme de l'incantation, sur le perron de la Sorbonne (lors de la représentation donnée par les étudiants), Darius était là, arraché de l'abîme comme par un cric, seul lumineux dans la nuit parisienne. Ainsi Fargue conjure l'âme de son père, avec toute la musique dont il est capable. « En ce moment, dit-il, je rassemble toutes mes forces pour l'atteindre, je tente éperdument le mystère, je force la nuit qui voudrait dormir, j'écarquille la mort, pour m'imaginer ce que pouvaient être sa figure sérieuse, son costume, avec le col, la cravate et le chapeau de l'époque, son œil au travail, et sa parole que je n'ai presque connue que triste et quand tout espoir était déjà perdu. » A certains moments, il croit qu'il a réussi, qu'il a fait remonter son père jusqu'à lui. Il est là. « Père!... Écoute!... Trop tard. » Parfois l'apparition s'attarde. Elle ne dit qu'un seul mot : « Souviens-toi. » C'est fini. « La nuit sur lui s'est refermée. »

Pieuse nécromancie! Elle nous a valu le plus beau poème de la fidélité filiale qui se puisse lire en notre langue. Il est dédié *Aeternae Memoriae Patris*. Entrons dans ce monument avec respect et silence. Voici le sanctuaire, voici la crypte où Léon-Paul descendait chaque soir.

Depuis, il y a toujours, suspendu dans mon front et qui me fait mal,
  Délavé, raidi de salpêtre et suri, comme une toile d'araignée qui pend dans une cave,
  Un voile de larmes toujours prêt à tomber sur mes yeux.
    Je n'ose plus remuer la joue; le plus petit mouvement réflexe, le moindre tic
    S'achève en larmes.

Si j'oublie un instant ma douleur,
Tout à coup, au milieu d'une avenue, dans le souffle des arbres,
Dans la masse des rues, dans l'angoisse des gares,
Au bras d'un vieil ami qui parle avec douceur,
Ou dans une plainte lointaine,
A l'appel d'un sifflet qui répand du froid sous des hangars,
Ou dans une odeur de cuisine, un soir
Qui rappelle un silence d'autrefois à table...
Amenée par la moindre chose
Ou touchée comme d'un coup sec du doigt de Dieu sur ma cendre.

*Elle ressuscite! Et dégaine! Et me transperce d'un coup mortel
sorti de l'invisible bataille,*
Aussi fort que la catastrophe crève le tunnel,
Aussi lourd que la lame de fond se pétrit d'une mer étale,
Aussi haut que le volcan lance son cœur dans les étoiles.

Je t'aurai donc laissé partir sans rien te rendre
De tout ce que tu m'avais mis de toi, dans le cœur!
Et je t'avais lassé de moi, et tu m'as quitté,
Et il a bien fallu cette nuit d'été pour que je comprenne...
*Pitié! Moi qui voulais... Je n'ai pas su... Pardon, à genoux, par-
don!*
*Que je m'écroule enfin, pauvre ossuaire qui s'éboule, oh! pauvre
sac d'outils dont la vie se débarrasse, d'un coup d'épaule, dans un
coin...*

*Ah! je vous vois, mes aimés. Mon père, je te vois. Je te verrai tou-
jours étendu sur ton lit,*
Juste et pur devant le Maître, comme au temps de ta jeunesse,
*Sage comme la barque amarrée dans le port, voiles carguées, fanaux
éteints,*
*Avec ton sourire mystérieux, contraint, à jamais fixé, fier de ton
secret, relevé de tout ton labeur,*
*En proie à toutes les mains des lumières droites et durcies dans le
plein jour,*
Grisé par l'odeur de martyr des cierges,
Avec les fleurs qu'on avait coupées pour toi sur la terrasse;
*Tandis qu'une chanson de pauvre pleurait par-dessus le toit des
ateliers dans une cour,*
*Que le bruit des pas pressés se heurtait et se trompait de toutes
parts,*
Et que les tambours de la Mort ouvraient et fermaient les portes!
. . . .
O Vie, laisse-moi retomber, lâche mes mains!
*Tu vois bien que ce n'est plus toi! C'est ton souvenir qui me sou-
tient [2]!*

Si j'ai transcrit ce poème, c'est peut-être en pensant à
mon propre père, car chacun peut adopter l'expression si

2. *Poèmes*, Gallimard, 1944, p. 13.

fidèle d'une peine qui nous est commune à tous, et qui ne trouve jamais issue; mais c'est aussi pour que le vœu de Léon-Paul soit exaucé, et que, nous souvenant à sa place, un relais s'établisse en nos mémoires, qui écarte un peu, de celui qu'il chérissait tant, les menaces de l'oubli, l'injure d'une seconde mort.

De plus en plus volontiers, Fargue descendait dans la trappe du souvenir, dans l'empire des morts, plus vaste, plus populeux et, pour lui, plus réel que le présent. La dernière guerre, en faisant tourner l'histoire, en repoussant très loin de nous tant de modes de penser et de vivre, lui dictait son devoir de fidélité, dont il faut bien que certains s'acquittent pour les autres. On le vit, mémorialiste poète, ressusciter Montmartre, Montparnasse, ces villages de poésie bientôt aussi lointains et engloutis, pour l'actuelle génération du café de Flore, que les pays de légende et les cloches d'Ys. Un à un, les notables et les princes de ce continent disparu, Anna de Noailles, Marguerite Audoux, Verlaine, Francis Jammes, Max Jacob, combien d'autres, surgissaient des eaux, laurés comme des poètes, quelque peu ennoblis par la mort, et pourtant vêtus de grâce ou plissés de malice comme des vivants. Et le portrait tournait parfois à l'invocation : « Au revoir, Jammes, au revoir, mon ami. Et si nous devons nous revoir, je veux te revoir tel que je t'ai connu, en homme de la terre, avec ta barbe et ton béret, et non pas résorbé dans je ne sais quelle conscience universelle. » On l'entendait parfois dire du passé : « Aujourd'hui, je n'ai plus que lui. » Et il ajoutait, comme un obsédé... ou comme un amoureux : « Tout ce que vous voudrez pour une heure de la lumière, des chants et des odeurs de cette époque-là. » Ce qui ne lui était d'ailleurs pas refusé : il était homme à se souvenir « de l'odeur d'un potage parisien qui sortait, le 9 février au soir, vers 1928, du 14 de la rue de Dunkerque, odeur qui s'enroulait autour d'une algue musicale tombée du quatrième étage d'en face... » Un bouton électrique heurté par mégarde illuminait pour lui seul un écran où passaient des visages. « Que de fois, écrit-il, j'ai côtoyé des fantômes sur le court chemin qui va de mon bureau à mon armoire! » Le poids de son cœur chargé de plus de morts que de vivants le faisait doucement dériver loin de nous.

> *J'ai tant rêvé, j'ai tant rêvé que je ne suis*
> *Plus d'ici.*

Les prétendus grands événements — telle la dernière guerre — perdaient leur importance. A toutes les lignes d'horizon, un regard guéri des prestiges du temps n'apercevait plus que des fantômes. « Au terminus de toutes les lignes du monde, il n'y a pas de choses sérieuses, il n'y a pas un rendez-vous d'affaires, il n'y a pas un billet de banque, il n'y a pas même un sentiment : il y a un fantôme. »

Léon-Paul Fargue a rejoint ses fantômes.

Il ne sera pas oublié. Son œuvre ne s'imposera certes pas par la masse, la construction imposante et maçonnée, mais par une certaine note pure, tremblante, le cristal d'une voix inentendue, et cet appel des morts dans la nuit qui s'élève de ses poèmes fragiles et parfaits, lestés d'une larme, gréés pour traverser les âges.

DU NOUVEAU SUR RIMBAUD ?

Mai 1949 : grand émoi à Saint-Germain-des-Prés. Il ne faut pas une demi-journée pour que, de bouche à oreille et de café en café, la grande nouvelle fasse le tour du village, assaisonnée de tout petits potins. Car Saint-Germain-des-Prés est resté, pour la plus grande joie des Américains, un bourg très vieille France, où l'on caquette ferme, où les inimitiés sont fidèles, où les querelles sont parfois fort minces... bien que le monde entier s'y intéresse. La nouvelle, cette fois, est d'importance : « Il y a du nouveau sur Rimbaud! » On dit que *la Chasse spirituelle*, dont on ne connaissait que le titre, vient d'être retrouvée. On dit encore qu'une thèse va être soutenue en Sorbonne, modifiant la date des *Illuminations*, et mettant du coup par terre, avec les belles explications données au silence de Rimbaud, l'interprétation traditionnelle d'*Une Saison en Enfer*. Ainsi, raille-t-on, certains doivent leur conversion à une erreur de date! Aussitôt les clubs, les journaux, les librairies-salons littéraires prennent position. C'est la guerre, féroce peut-être, mais menée avec la curieuse courtoisie du bon vieux temps. (C'est ainsi que, par téléphone, *le Figaro littéraire* avise officiellement *Combat* de l' « ouverture des hostilités ».) Et si l'on songe que, surtout depuis la fameuse préface de Claudel, l'œuvre de Rimbaud est devenue un champ de bataille non seulement poétique mais spirituel, où s'affrontent athées et chrétiens, on pourra presque parler d'une guerre de religion. Au temps de Calvin et de la Ligue, tout le monde se

disait chrétien, mais chacun l'était à sa manière; à Saint-
Germain-des-Prés, nous ne trouvons aussi que des rimbaldiens, mais d'obédiences fort diverses : n'a-t-on pas
fait de Rimbaud un chrétien, un athée militant, un pré-
marxiste, un théosophe, un occultiste? Les récentes découvertes concernant les « saintes écritures rimbaldiennes »
vont-elles départager les combattants?

                                    I

   Imaginez qu'un Bédouin découvre dans quelque jarre
palestinienne un cinquième Évangile, et vous compren-
drez l'émotion des lettrés apprenant qu'un nouvel ouvrage
du grand poète est retrouvé. Le culte de Rimbaud se
nourrissait de trois minces recueils : 1º les poésies écrites
jusqu'à dix-huit ans; 2º *les Illuminations* écrites à
dix-neuf ans; 3º *Une Saison en Enfer* écrite à vingt ans.
Après quoi, comme chacun sait, Rimbaud s'est tu jusqu'à sa mort. Verlaine, il est vrai, avait fait allusion à
une certaine *Chasse spirituelle*, dont on n'avait plus eu
d'autres nouvelles [1]. Et tout à coup la voici dans nos
mains, somptueusement éditée par les soins du *Mercure
de France* (l'achevé d'imprimer est du 17 mai 1949).
Tombée du ciel? On n'admettra pas sans bonnes preuves
l'authenticité d'un pareil document.
   Commençons par la critique externe. Sur l'existence du
manuscrit, la préface de M. Pascal Pia est d'un laco-
nisme inquiétant : « Il existe encore, écrit-il, un manuscrit de *la Chasse spirituelle*, et peut-être même en existe-
t-il deux. Pour des motifs qu'il ne nous appartient pas
de rechercher, les détenteurs de ces feuillets d'une valeur
et d'un intérêt exceptionnels ne se sont pas fait connaître. »
D'où nous pouvons conclure : 1º que M. Pascal Pia a
édité sans voir le manuscrit (quel risque!); 2º qu'il se

_____

1. Verlaine, *Correspondance*, I, p. 67.

refuse à nous faire savoir d'où provient sa copie. C'est nous tenir pour peu exigeants.

Mais voici que, le surlendemain de la parution, deux jeunes acteurs, M. Nicolas Bataille et Mlle Akakia Viala, revendiquent dans *le Figaro* la paternité du « pastiche ». Ils ont voulu s'amuser aux dépens des critiques qui, l'an dernier, avaient peu goûté leur mise à la scène d'*Une Saison en Enfer.* Une réunion de cent écrivains et journalistes dans un café de Saint-Germain-des-Prés, suivie d'une confrontation chez M. André Rousseaux, dévoile la chaîne de transmission : M. Pascal Pia a reçu la copie de M. Maurice Saillet, qui l'a reçue de M. Billot, qui la tenait de M. Bataille. La cause est entendue, direz-vous, et M. Pia confondu. Point. Ce dernier objecte que, même aidé par Mlle Viala, M. Bataille n'a pu écrire *la Chasse* : « De son propre aveu, ce jeune homme n'a ni formation littéraire, ni style, ni même orthographe. » De plus, M. Pia a vu, vers 1922, chez l'érudit Pierre Dufay, une fiche bibliographique signalant l'existence du manuscrit, « poème en cinq parties ». Or, le poème présenté par M. Bataille, lequel n'a pu connaître cette fiche, a lui-même cinq parties [2]. Enfin et surtout l'attitude de M. Bataille a étrangement varié : pendant plus d'un mois, il présente son texte à M. Billot comme authentique. Interrogé sur quarante-deux points douteux, il fournit une trentaine de réponses plausibles. Puis, craignant sans doute une « fuite », il change soudain de thèse et « soutient que le texte qu'il a confidentiellement montré est apocryphe ». M. Billot « demande aussitôt à voir les brouillons. Le comédien promet de les lui montrer, mais deux jours plus tard, se dérobe, en alléguant qu'ils ont été détruits [3] ».

---

2. L'argument perd tout poids quand on se souvient que, dès 1947, *La Symbolique de Rimbaud* de M. Jacques Gengoux signalait la division en cinq parties des pièces de la grande époque : ce dont un pasticheur pouvait avoir pris bonne note. La remarque est d'André Breton dans *Flagrant Délit. Rimbaud devant la Conjuration de l'Imposture et du Truquage,* éditions Thésée, 1949, p. 33.

3. *Carrefour,* 1er juin 1949.

Apprenant que le texte va paraître au *Mercure*, il s'y précipite, suppliant qu'on arrête l'édition. Sur quoi M. Nadeau remarque pertinemment : « Si Mlle Akakia et M. Bataille étaient des mystificateurs « sérieux », ils auraient attendu que le texte publié eût fait se prendre aux cheveux rimbaldiens de toute obédience, et ils se seraient démasqués à la fin des hostilités, en triomphateurs... Singuliers pasticheurs que des pasticheurs qui ne veulent pas passer pour tels [4] ! » Tout se passe comme si le propriétaire du manuscrit, craignant soudain d'en perdre la propriété littéraire, avait demandé à M. Bataille de soutenir la thèse du pastiche.

Arguments de poids, auxquels toutefois on peut opposer celui-ci : peut-on se représenter le mystérieux détenteur du manuscrit comme assez peu ami des lettres et de Rimbaud pour faire croire à l'inauthenticité d'un tel texte, quand il le sait authentique?

La critique externe n'étant pas décisive, jetons-nous sur le texte lui-même : y reconnaît-on la griffe de Rimbaud [5] ? Les raccourcis violents, oui, ainsi que les thèmes les plus connus. Et c'est ce qui impressionne si fort à première lecture. Mais surtout les mots rimbaldiens sont tous là, alignés comme à la parade. Dès lors un doute s'insinue. Dans sa préface, M. Pascal Pia a cité côte à côte certaines phrases de *la Chasse* et telles autres d'*Une Saison.* « Thèmes et images se donnent la réplique », remarque-t-il. Hé! oui, mais un peu trop! Imagine-t-on

4. *Combat*, 24 mai 1949.
5. Serré de près par une meute de contradicteurs, un mot, qui ne stupéfie sous la plume d'un rimbaldien de sa réputation, a échappé à M. Pascal Pia : « Étant donné le caractère trop subjectif de pareils arguments (de critique interne), je ne m'y arrêterai pas. » (*Carrefour*, 1er juin 1949). Et je laisse de côté la réponse candide du pur érudit qu'est M. de Bouillane : « Tant que le manuscrit (s'il existe) ne sort pas de l'ombre, que voulez-vous qu'on dise? » Au gratteur de lettres et au collectionneur, le style, le ton, l'âme de Rimbaud ne disent rien : seuls comptent les autographes. La réplique de M. de Bouillane rappelle celle de la maman — moins candide, sans doute — à son enfant qui l'interrogeait sur le sexe d'une statue : « Mais puisqu'il n'a pas ses vêtements, comment veux-tu que je te réponde? »

Rimbaud se répétant? Ce qu'on imagine fort bien, par contre, c'est un pasticheur collectionnant mots et tournures. D'autant plus que nous avons trop souvent affaire à des enfilades de mots, à des redondances d'adjectifs. J'hésite à reconnaître ici la poigne de Rimbaud, la fusée de sa phrase, la multiplicité simultanée des sens et des résonances, la brusquerie *aisée* de ses sautes d'idées : ici, l'incohérence semble cultivée pour elle-même. Un pasticheur n'eût pas écrit l'authentique, mais si faible, *Un Cœur sous une Soutane*, mais il a très bien pu fabriquer la trop rimbaldienne *Chasse spirituelle*.

C'est du moins ce qu'a flairé la critique presque unanime. Le combat de coqs, dans lequel M. André Breton s'est distingué, n'a pas duré deux mois [6].

II

La première « affaire Rimbaud » battait son plein quand la seconde éclata. M. Henry de Bouillane de Lacoste soutenait en Sorbonne, devant un auditoire ébahi et repentant (l'un des juges, M. J.-M. Carré, fit publiquement amende honorable pour les hérésies contenues dans ses livres), que l'examen des manuscrits obligeait à situer la composition des *Illuminations* après *Une Saison en Enfer*. Sa méthode est simple [7]. Il commence par noter l'évolution, *année par année*, de l'écriture de Rimbaud sur les autographes déjà datés avec certitude ; ceci fait, la datation des feuillets des *Illuminations* n'est plus qu'un jeu. D'après cette expertise, *les Illuminations*, que tout le monde datait de 1872, doivent être reportées à 1874-1875, c'est-à-dire après la *Saison*, qui est de 1873. La conclu-

6. Depuis, les auteurs du pastiche ont raconté *comment on fait du Rimbaud* (article d'Akakia Viala et Nicolas Bataille, dans *La Table Ronde* de juin 1954).

7. Henry de Bouillane de Lacoste, *Rimbaud et le Problème des « Illuminations »*, Mercure de France, 1949.

sion de M. de Bouillane rejoint d'ailleurs l'affirmation
catégorique — et jusqu'ici méprisée — de Verlaine.

Pourquoi méprisée? C'est que, comme l'a dit Marcel
Coulon, « si Rimbaud a continué d'écrire après avoir
publié *Une Saison en Enfer*, cet ouvrage devient incompréhensible ». Et, de vrai, la renonciation à la poésie et
même son reniement semblent se lire en clair, pour une
fois, dans cette œuvre hermétique :

... Ne sachant m'expliquer sans paroles païennes, je voudrais me
taire.
    Je ne sais plus parler!
    A moi. L'histoire d'une de mes folies...
    Aucun des sophismes de la folie — la folie qu'on enferme —
n'a été oublié par moi... Cela s'est passé...
    Je m'évade!...
    J'ai essayé d'inventer de nouvelles fleurs, de nouveaux astres,
de nouvelles chairs, de nouvelles langues. J'ai cru acquérir des
pouvoirs surnaturels. Eh bien, je dois enterrer mon imagination
et mes souvenirs! Une belle gloire d'artiste et de conteur emportée!
    Moi! moi qui me suis dit mage ou ange, dispensé de toute morale,
je suis rendu au sol, avec un devoir à chercher, et la réalité rugueuse
à étreindre! Paysan!
    Enfin, je demanderai pardon pour m'être nourri de mensonge...

C'étaient *les Illuminations* qu'il condamnait ainsi! Il
fallait croire sur parole un poète qui parlait d'enterrer
son imagination, dressait le bilan ironique de son œuvre,
et annonçait son départ dans des voies entièrement nouvelles! La légende lancée par Isabelle et Paterne Berri-
chon, sœur et beau-frère de Rimbaud, illustrait cette
interprétation à la manière d'une image d'Épinal : joi-
gnant le geste à la parole, le poète aurait brûlé lui-même
dans la cheminée maternelle tous les exemplaires d'*Une
Saison*. Quand M. Losseau retrouva la fameuse édition
dormant depuis 1873 chez l'imprimeur belge, il fallut
faire son deuil de l'autodafé symbolique. On n'en conti-
nua pas moins de croire qu'avec *Une Saison* Rimbaud
avait « achevé le cycle de son évolution littéraire » et
« définitivement renoncé à la littérature », comme s'exprime encore la récente édition de la Pléiade. C'était pour
tous « le chant du cygne rimbaldien ».

Ce sabordage d'un poète en possession d'un génie verbal inouï, folie et scandale pour les esthètes, s'offrait aux
œdipes de la critique comme une énigme irritante et belle.
Qui d'entre eux n'y alla pas de sa solution? (Nous en
verrons plus loin quelques-unes.) Des esprits irrévérencieux, tel Kléber Haedens, insinuaient, il est vrai : « Le
grand charme de la question, c'est qu'il est impossible
d'y répondre. » On n'entendait pas les moqueurs. Et le
silence de Rimbaud eut finalement plus d'action sur la
poésie contemporaine que son œuvre même. Tout comme
l'entrée en religion de saint Bernard, de jeunes gens beaux,
riches et doués, nous porte à réfléchir sur la valeur de la
beauté, de la richesse et des dons de la vie commune, le
départ de Rimbaud avait soudain dévalorisé la littérature : comment continuer de s'y livrer quand un Rimbaud en faisait fi? Personne ne doutait que, d'une façon
ou d'une autre, il ne fût entré en religion : pour les chrétiens, il était devenu la proie — rebelle et fuyante — du
Dieu de l'Évangile; pour d'autres, il avait demandé à
quelque au-delà de la littérature, quoique en dehors de
toute grâce divine, les clés de la vie totale. Furieusement
opposées, les deux interprétations s'accordaient en ce
point : Claudel et André Breton n'accueillaient plus que
comme une injure l'épithète de littérateur. A qui ambitionne de « changer la vie », d'accéder à une mystique
vécue, — surnaturelle pour Claudel, naturelle pour Breton, — la profession littéraire apparaît frivole, inadéquate à un si grand dessein. Il ne s'agissait plus de consacrer sa vie à l'orfèvrerie poétique, à des bijoux d'un sou,
mais de trouver l'éternité et de devenir dieux, — Claudel
en participant à la vie de Dieu, Breton en se faisant dieu
sur le cadavre de Dieu. Comment le nier? Le départ de
Rimbaud a provoqué chez nous une singulière remise en
place de la chose littéraire, considérée désormais non
comme une fin, mais comme un moyen parmi d'autres,
et fort imparfait, d'atteindre notre fin, une fin qu'en des
sens divers on veut divine.

La découverte de M. de Bouillane ensevelit-elle sous le ridicule quarante ans de noble inquiétude et toute une révolution poétique? Renvoie-t-elle dos à dos païens et chrétiens? Ici encore, je crains que la nervosité, d'ailleurs charmante, de Saint-Germain-des-Prés n'ait exagéré l'importance de l'événement. Puisque Rimbaud a écrit *les Illuminations* deux ans après avoir dit : « Je voudrais me taire », c'est que la *Saison* n'enregistre pas une résolution arrêtée, mais un débat (son ton déchiré eût dû nous avertir!). La chute au silence ne se trouve, après tout, retardée que de deux ans. *Le silence de Rimbaud ne cesse donc pas de peser sur nous.* La bombe de M. de Bouillane a remué le vieux problème sans l'entamer [8].

Mais elle en a rappelé l'existence. Si nous tentions de faire le bilan de tant d'efforts poursuivis pendant un demi-siècle autour d'un mystère si bien défendu?

III

Nous rencontrons d'abord l'interprétation dite « chrétienne ». Claudel l'énonce en 1912, dans sa préface à l'édition du *Mercure.* « Arthur Rimbaud, écrit-il, fut un mystique *à l'état sauvage...* Sa vie, un *malentendu,* la tentative en vain par la fuite d'échapper à cette voix qui le sollicite et le relance, et qu'il ne veut pas reconnaître : jusqu'à ce qu'enfin, réduit, la jambe tranchée, sur ce lit d'hôpital à Marseille, il sache! » Quelques mots seulement, mais qui constituent un événement littéraire.

Jusque-là, la critique tournait ébahie, autour de ce « bloc chu », n'osant trop s'y attaquer. Voilà qu'un poète proposait de lire la vie et l'œuvre d'un autre poète dans un éclairage auquel les critiques de ce temps n'étaient

---

8. Bien m'a pris de me mêler : un article de M. C. Chadwick (*Revue d'Histoire littéraire de la France,* octobre 1958) vient de ruiner la thèse de H. de Bouillane et de replacer *les Illuminations* à leur date traditionnelle.

guère habitués, la lumière même du drame claudélien :
le ciel et la terre attentifs au destin d'une seule âme, le
thème de l'Appel et celui des vaines résistances, Rimbaud
vu comme un Tête d'or étreignant enfin, au rendez-
vous de la mort, ce Soleil qu'il croyait fuir; ou encore
c'est un Mesa, un Rodrigue désarmant moins devant Dieu
que désarmés par lui. C'était projeter sur la vie et sur
l'œuvre une lumière abrupte et superbe, la première qui
ne leur parût pas ridiculement inadéquate. La *Saison*,
« espèce de prodigieuse autobiographie psychologique
écrite dans (une) prose de diamant », selon le mot de Verlaine, ne repoussait pas de tels rayons, mais s'en laissait
pénétrer. Il s'agissait bien d'un « combat spirituel », celui
auquel se ramènent tous les autres drames humains : la
lutte avec l'Ange, avec Dieu. *Les Illuminations* révélaient
le mystique-né, tandis que les *Poésies* blasphématoires
trahissaient jusqu'au hurlement la résistance de l'homme
blessé. La fuite haletante devant toute créature disait
enfin l'insatisfaction définitive de qui traîne dans sa chair
le harpon de Dieu. Quant à la conversion finale, elle
concluait sans dissonance une vie étudiée à cette profondeur et devenait aussi vraisemblable que l'épilogue d'un
drame claudélien.

Peu soucieuse de se justifier, énoncée avec une vigueur
simplificatrice qui pouvait faire croire à une volonté d'an-
nexion, trop liée d'autre part à la personne même de son
auteur, à sa conversion et à sa dramaturgie, l'interprétation de Claudel ne pouvait s'imposer à tous. On s'étonnait aussi de voir rattachée au christianisme, qu'on s'ima-
ginait expirant, l'œuvre la plus fougueusement inspirée
du xixe siècle.

On essayera de toutes façons, nous allons le voir, d'arracher Rimbaud à la solide poigne de Claudel, mais
l'explication, métaphysique et religieuse, proposée par lui
exercera sa fascination sur toutes celles qui suivront.
Désormais, on ne cherchera plus *au-dessous* d'elle. Il
s'agira toujours d'en trouver des équivalents. Toute la

génération des années 1910 pourrait avoir prononcé ce
mot de Jacques Rivière : « Je ne pourrai me délivrer de
Claudel que SI J'ARRIVE A VOIR PLUS GRAND. Perspective
effroyable [9] »

.*.

La première de ces transpositions est présentée par le
surréalisme. On trouve dans ce mouvement un égal désir
d'en finir avec le christianisme et de reprendre toutes ses
ambitions. Le christianisme est pour lui la tunique de
Nessus. Et cette hantise, parfois camouflée, s'exprimant
d'autres fois en imprécations impuissantes mais d'une violence révélatrice, fait des surréalistes les héritiers authentiques d'une part au moins de Rimbaud. On connaît leur
doctrine : le rejet de toutes les contraintes — religieuses,
civiques, littéraires — doit nous permettre d'accéder à
un état nouveau, « surréel » (ne disons pas « surnaturel »!),
où un chrétien reconnaît immédiatement la « divinisation » qu'il attend de la grâce. Les blasphèmes de Rimbaud, d'une part, et, d'autre part, sa langue « illuminée »
d'un éclat qui en effet ne paraît pas de ce monde recom-
mandaient notre poète au culte des surréalistes : lui du
moins était allé au-delà des manifestes et des bonnes
intentions : il avait réussi, atteint l'absolu. Ses moindres
mots étaient une écriture sainte. Ayant enfin unifié le
rêve et la réalité, il s'était tu. Rimbaud était un saint du
surréalisme [10].

9. Jacques Rivière et Alain-Fournier, *Correspondance*, III, p. 94.
10. Un saint qui pensa perdre son auréole. « Inutile de discuter encore
sur Rimbaud, écrivait André Breton en 1930 dans le *Second Manifeste
du Surréalisme !* Rimbaud s'est trompé, Rimbaud a voulu nous tromper. Il est coupable devant nous d'avoir permis, de ne pas avoir rendu
tout à fait impossibles certaines interprétations déshonorantes de sa
pensée, genre Claudel. » Ce qui inquiète les surréalistes, c'est que la
thèse chrétienne intègre tranquillement la leur bien plus qu'elle ne se
soucie de la contredire. On aimerait que cette inquiétude s'exprimât
autrement que par des injures. C'est ainsi que, dès 1925, Claudel s'entendait traiter de « goujat », de « cuistre » et de « canaille ». (*Lettre
ouverte à M. Paul Claudel, ambassadeur de France au Japon*, 1er juillet

L'interprétation proposée par M. Rolland de Renéville
n'est pas moins religieuse [11]. Mais il a senti que, pour
purifier Rimbaud de toute empreinte chrétienne, les affirmations du surréalisme — lui-même trop occidental pour
ne pas rester un peu chrétien malgré lui — ne suffisaient
pas. Il a donc tenté de rattacher Rimbaud à la tradition
religieuse de l'Orient. Guidé, soit par ses lectures à la
bibliothèque de Charleville (mais on a prouvé depuis
qu'aucun livre de cette bibliothèque ne pouvait l'initier
aux sciences hermétiques de l'Inde), soit par son instinct,
Rimbaud serait remonté de Platon à Pythagore et aux
mystères orphiques. Dépassant toute multiplicité, et
même cette dualité de l'homme et de Dieu que le christianisme maintient jusque chez ses élus, il aurait ambitionné
de réaliser en lui l'unité absolue, la « voyance » divine :
il aurait tenté de se faire dieu. Pourquoi a-t-il renoncé à
la poésie? Mais tout simplement parce que, immergé en
Dieu, consommé dans l'unité, le mystique ne sait plus
user du discours, lequel « est encore basé sur la multiplicité des choses ». Son état « ineffable » le retranche du
reste des hommes. Et le mot de Rimbaud : « Je ne sais
plus parler » est à rapprocher de l'aveu des mystiques
chrétiens se disant réduits à un « bégaiement muet ».

Ce n'est pas sans condescendance que M. R. de Renéville consent à comparer le « voyant » de Charleville aux
mystiques chrétiens, gênés, nous dit-il, par le dogme
catholique pour atteindre à l'état des mystiques orien-
taux. Eh bien, l'assimilation de Rimbaud à un saint Jean
de la Croix nous paraît, à nous, une entreprise déjà suffisamment téméraire et que peut seul inspirer l'esprit de
système. Chaque fois que M. R. de Renéville reprend

1925.) Le sujet, qui est beau, et qui appelle en effet discussion, est mieux
abordé dans le pamphlet récent *A la Niche, les Glapisseurs de Dieu* (Éditions surréalistes, 1948) : les catholiques toutefois ne s'estimeront pas
définitivement assommés par l'accusation sommaire de « duplicité »
encadrée d'une nouvelle bordée d'invectives.
    11. Rolland de Renéville, *Rimbaud, le Voyant*, Au Sans Pareil, 1929
(édition revue, La Colombe, 1947); *Univers de la Parole*, Gallimard, 1944.

l'exposé de la pensée orientale, avec des échappées sur la Kabbale, nous nous inclinons. Spécialiste d'hermétisme et d'occultisme, il est maître en la matière et nous sommes ses disciples. Mais dès qu'il cite Rimbaud, nous résistons : il force les textes. Par exemple quand il rapproche l'assertion fameuse : « Je est un autre » de celle des Védas : « Brahman est vrai, le monde est faux; l'âme de l'homme est Brahman et rien d'autre. » C'est le moment où l'hypothèse de travail tourne à l'idée fixe. Pour nous faire admettre que Rimbaud a cherché l'absolu à travers les catégories de la théologie orientale, il est obligé de prêter au poète « un système de pensée cohérent ». Ce que n'admettra aucun esprit non prévenu.

Si une thèse aussi aventureuse a pu retenir l'attention, c'est parce que, pointée contre le catholicisme, elle n'en maintenait pas moins les études rimbaldiennes sur un palier hautement religieux. Ainsi démarquée, « dépaysée », agrémentée d'une coloration orientale alors fort à la mode, l'interprétation claudélienne prenait soudain un attrait piquant et rare qu'elle ne pouvait attendre, n'est-ce pas? de la religion de chez nous. M. R. de Renéville n'a, malgré tout, rencontré qu'une incrédulité polie.

Nullement découragé par l'insuccès des autres (il ne le sera qu'à la fin de son livre en confessant son propre échec), un autre interprète de Rimbaud, M. Pierre Debray, s'attaque à la même gageure : prouver que Rimbaud a renié le christianisme, mais pour s'ouvrir à un sentiment religieux *agrandi* [12]. M. Debray n'épargne pas sa peine. Tourmenté, jusqu'au scrupule, par sa bonne volonté de conciliation, il se compose un arsenal composite où nous retrouvons des réminiscences surréalistes, quelques analyses d'Étiemble [13], la psychanalyse existentielle de Sartre et, brochant sur le tout, certaines idées politiques et sociales chères à l'auteur. C'est entendu, Rimbaud déguisé

12. Pierre Debray, *Rimbaud, le Magicien désabusé*, Julliard, 1949.
13. Étiemble et Yassu Gauclère, *Rimbaud*, Gallimard, 1936.

en moine hindou n'est plus Rimbaud. A défaut d'une
religion existante, il est pourtant indispensable de relier
le prophète à quelque idéal communicable à tous les
hommes. Ce sera le marxisme, mais non pas tout cru : revu
et corrigé de façon à inclure la croyance en Dieu. Car
enfin le mot « Dieu » fulgure dans la *Saison*. D'ailleurs,
qui recherche l'absolu ne saurait être athée; qui veut
l'Amour veut le Dieu de saint Jean. Toute la vie de Rimbaud a donc été une « quête de Dieu ». Quel Dieu? Ah!
pas celui que nous prêchent les théologiens et les curés!
Préparez-vous, bonnes gens, à l'annonciation d'une religion nouvelle. « ... Ce Dieu n'est pas le Dieu chrétien,
et... sa cause, au contraire de celle du Christ, est liée à
celle du progrès, de la liberté, de la raison. » — Mais
encore? Ce Dieu est-il transcendant? — Non pas, immanent au contraire. — Rimbaud est-il donc panthéiste?
— Pas davantage. « Le divin pour lui ne s'identifie pas
au réel, mais il n'est pas pour autant surnaturel. Le poète,
en effet, le découvre au sein de la nature bien que par-
delà le réel... » — Voilà maintenant du surréalisme, et la
thèse de M. Debray n'y gagne pas en cohérence. Allons-
nous abandonner le Dieu de Rimbaud dans cette position
incommode entre « réel » et « surnaturel », entre ciel et
terre? C'est ici que le marxisme se révèle de grande ressource. Le Dieu de Rimbaud? Il a noms : « la Raison, le
Génie, l'Ame universelle, la Loi de l'univers, son principe
de progrès ». Il se manifeste au travers de l' « évolution
cosmique », s'identifie peut-être à elle, laquelle se déroule
« selon des lois inexorables » et un « déterminisme absolu ».
Mais quand l'idée de Dieu, généreusement ouverte aux
dernières nouveautés, s'est ainsi dégradée de saint Jean
à Karl Marx et à André Breton, qu'en reste-t-il? Elle est
vide! En somme, à la question : « Rimbaud croit-il à
Dieu? », M. Debray répond oui, répond non, répond oui
et non.

Mais, objecterons-nous, vous qui reprochez aux autres
d'éluder le problème de Dieu, que faites-vous de l'enfer,

du mal, qui n'occupent pas une moindre place dans la
Saison? Ici, la gêne de M. Debray devient plus sensible :
dans un système où l'homme et le monde sont entraînés
par un « déterminisme absolu » vers un état meilleur, ni
le péché ne garde de sens, ni l'enfer n'est éternel, ni la
révolte n'a d'objet. Aussi apprenons-nous que la «révolte
de Rimbaud contre la condition humaine n'est pas démoniaque, elle est, au contraire, un élan vers Dieu ». Son
sentiment de culpabilité s'atténue en « ennui ». Son péché,
véniel, tient tout dans la méconnaissance passagère du
« déterminisme absolu ». Et Satan, pratiquement escamoté, est encore moins Satan que Dieu n'est Dieu. Pauvre
Rimbaud, lui que le « combat spirituel » a fait saigner, le
voilà engagé au service d'idées optimistes, d'où tout tragique intérieur est exclu, où l'encre remplace le sang, où
tout s'arrange pour le mieux, comme dans toute construction philosophique qui se respecte! Il n'est plus aux prises
avec le Dieu chrétien, mais humblement soumis à un bon
Dieu délayé dans la sauce à la mode, celle de l'Histoire [14].

---

14. Pour faire de Rimbaud le prophète du nouveau dogme, tous les
coups de pouce sont bons. J'en donnerai deux exemples. Pour que Rimbaud ait été jusqu'au bout fidèle aux idées de M. Debray, il faut que, au
Harrar, il ait « continué de croire à la Révolution, à la Science, à l'avènement de l'Amour » : thèse qui, tous les rimbaldiens le savent, ne peut
invoquer en sa faveur aucun texte, alors qu'on pourrait en alléguer
contre elle au moins un. Dans une lettre du 6 mai 1883, Rimbaud
écrit : « Vous me parlez des nouvelles politiques. Si vous saviez comme
ça m'est indifférent! Plus de deux ans je n'ai pas touché un journal.
Tous ces débats me sont incompréhensibles, à présent. Comme les
musulmans, je sais que ce qui arrive arrive, et c'est tout. » M. Debray
est un critique courageux qui s'attaque aux textes les plus gênants...
pour les tordre d'une main puissante jusqu'à ce qu'ils exhalent sa propre
thèse. Celui que nous venons de citer prouve, paraît-il, que « Rimbaud
continue de croire au caractère naturel — de ce fait fatal, nécessaire, —
du progrès humain. Il va même jusqu'à faire sien le fatalisme absolu,
inconditionnel, des Arabes qui l'entourent. » Un mot, dans le commentaire d'Isabelle Rimbaud, lui-même torturé, a permis de faire dire à
Rimbaud le contraire de ce qu'il disait fort clairement. Inutile d'ajouter que le contexte d'Isabelle, parce qu'elle y parle des sentiments religieux de son frère, est rejeté non sans mépris.
    Autre exemple. Rimbaud s'est-il finalement converti? M. Debray
avoue : « ...si Rimbaud s'est vraiment converti, toutes nos perspectives
se renversent. » La lettre d'Isabelle relatant cette conversion est un

Ce souci de dépasser le dogme chrétien en se chargeant de ses dépouilles, cette manie de tirer à soi tous ses termes en les altérant aboutissent à ces sommets qui nous paraissent, eux, indépassables :

Puisque Dieu a exempté Rimbaud de la condition commune, son Immaculée Conception donne à celui-ci le pouvoir d'enfanter le Verbe qui sauvera l'humanité.
Il est devenu ce qu'est pour le chrétien la Vierge, l'intercesseur privilégié.

**

Un prophète, un dieu, un messie, une sainte Vierge : tout plutôt qu'un pauvre chrétien, pécheur comme nous tous, qui fuit Dieu dans le même temps qu'il le cherche. Le sérieux avec lequel sont accueillies ces exégèses désespérées ne saurait nous en imposer.

L'interprétation proposée par Claudel n'a rien d'alambiqué. Elle se borne à faire observer que Rimbaud n'est pas né en Chine ou aux Indes, mais en pays chrétien, d'une famille chrétienne, et que le problème humain se pose pour lui *en termes chrétiens*. Dieu, Satan, le baptême, l'Église, les prêtres hantent sa pensée et ses ouvrages. Satan y triomphe peut-être (qui le dira?), mais Satan est inconnu de l'Orient et du socialisme : c'est un personnage chrétien, quoique très mauvais chrétien; il demeure bon gré mal gré sujet du Christ, quoique fort mauvais sujet. Nous ne prétendons pas que Rimbaud ait jamais été catholique de volonté résolue [15], encore moins sans

document embarrassant. M. Debray consent donc à tenir pour « prouvée » la conversion du poète. Quel beau joueur! direz-vous. Mais si notre auteur accepte la conversion, c'est sans doute qu'il s'apprête à l'interpréter. Tournons la page : c'est fait! A la question : « Rimbaud s'est-il converti, oui ou non? », M. Debray répond, ici encore, oui et non. Rimbaud n'a point tant songé alors « à son salut éternel » qu' « à son salut temporel ». Comme il fallait s'y attendre, Rimbaud s'est vraiment converti... aux théories de M. Debray.
15. Le beau livre de Daniel-Rops (*Rimbaud, le Drame spirituel*, Plon, 1936) reste le meilleur exposé de la question. Nous n'oserions toutefois voir comme lui dans le silence de Rimbaud la preuve qu'il avait dès lors compris l'inanité de sa lutte contre Dieu.

péché [16]. (Ce n'est pas nous qui le canonisons, c'est vous, remarquez-le, dans tous vos systèmes. L'Église a assez de saints : elle peut se passer de « saint Rimbaud ».) Nous n'avons même pas besoin de sa conversion *in extremis* [17]. Pécheur harcelé par la grâce, il a pu récalcitrer jusqu'au-delà de la mort contre l'aiguillon. Nous affirmons seulement que, même s'il a refusé l'appel du Christ, *il l'a entendu*, et que, hors des perspectives chrétiennes de l'innocence perdue et de la rédemption, son œuvre, où subsiste tant de mystère, devient du coup totalement incompréhensible.

Ce qu'en outre nous, chrétiens, ne pouvons nous empê-cher de remarquer, — ce que nous seuls peut-être pou-vons remarquer (les surréalistes sont ici les plus proches de nous), — c'est chez nous et chez Rimbaud une simili-tude de thèmes, d'exigences, d'attentes. Cette volonté, par exemple, d'unir « le chant raisonnable des anges » à la vie quotidienne des hommes et au tressaillement muet des choses, de transfigurer ce monde opaque ou de le briser dans une apocalypse fulgurante, de contempler de nos yeux l'avènement du matin éternel. Comment ne pas voir que toutes ces aspirations de Rimbaud, énon-cées par une bouche tordue et blasphémante, ces éjacu-lations « décoordonnées » par le refus, sont reprises par Claudel, les mêmes, se « composent » chez lui et pro-

16. « ... Il (Rimbaud) fut pour Claudel un voyant, un saint... » (J.-M. Carré, *Vie de Rimbaud*, Plon, 1926, p. vii.) Sans commentaire. — On est confondu, d'autre part, de voir M. R. de Renéville et surtout M. Étiemble (qui en compose une fervente anthologie) brandir chacun des blasphèmes de Rimbaud comme autant d'armes mortelles à la thèse de Claudel, alors que celle-ci y trouve précisément son aliment : Rimbaud ne se débattrait pas ainsi contre Dieu et l'Église s'il ne sentait pas sur lui leur emprise. — Ce n'est pas nous que gêne le « péché » de Rimbaud, ses saouleries, son inversion; c'est, par exemple, M. R. de Renéville qui les nie, parce qu'elles ne conviennent guère en effet à un yogi se divinisant par l'ascèse : « Jeûne volontaire ou forcé », « chasteté quasi totale », ose-t-il écrire contre l'évidence historique.

17. Sur la mort (chrétienne ou non) de Rimbaud, voir la contro-verse Étiemble-Guillemin (*Figaro littéraire*, 9 et 16 mai 1953), et Henri Guillemin, *A vrai dire* (1957).

duisent enfin ce chant d'orgue cosmique où toutes les
valeurs du monde viennent fournir leur note exquise et
puissante? C'est avec ce monceau de pierres jetées contre
le Christ que Claudel a bâti sa cathédrale.

Claudel n'est d'ailleurs pas le seul à qui le contact de
Rimbaud a donné ce coup au cœur, cette « traction
soudaine », cette certitude invincible d'une fraternité
mieux nouée entre nous que celle du sang. Remarquons-
le en passant, l'interprétation « chrétienne » a été moins
défendue par des critiques en mal de thèse qu'attestée
par de grands écrivains rendant témoignage. Les critiques, les catholiques comme les autres, se sont en
général montrés tristement déficients quand ils se
sont attaqués au bloc Rimbaud, collant sur lui leurs
yeux de myopes, tripatouillant des textes superbes et les
changeant en plomb. Mais Claudel, Mauriac [18], Verlaine
sont peut-être plus capables de sentir dans ces mêmes
textes une certaine pulsation intime et de rejoindre le
foyer bien caché d'où jaillissent de tels feux. Quand ils
nous jurent qu'ils ont reconnu dans le drame rimbaldien
le leur propre, nous pouvons les en croire : leur œuvre à
chacun, confession bouleversante, nous garantit qu'ils
ne mentent pas. « Parbleu, objectez-vous, ils sont chrétiens! » Ils ont donc une compétence qui vous manque.
Peut-être, après tout, certaine zone de mystère vous
est-elle interdite : c'est un secret entre Rimbaud et
nous.

Faut-il rappeler enfin que l'explication « chrétienne »
est la première en date, non seulement parce que la
préface de Claudel est de 1912 (sa conviction, nous le
savons maintenant, datait de 1886), mais parce que le
premier tenant de la thèse claudélienne est le pauvre
Verlaine, lequel a tout de même autant de titres à parler
de Rimbaud que les critiques tard venus. Son poème
Crimen Amoris montre son ami comme le centre et l'en-

---

18. François Mauriac. *Dieu et Mammon.* Editions du Siècle, p. 115.

jeu d'une lutte grandiose entre le ciel et l'enfer : c'est l'éclairage même d'*Une Saison;* et l'une de ses lettres à Rimbaud ne dit rien d'autre : « Ce m'est un si grand chagrin de te voir en des voies idiotes, toi si intelligent, si *prêt* (bien que ça puisse t'étonner)! J'en appelle à ton dégoût lui-même de tout et de tous, à ta perpétuelle colère contre chaque chose, — juste au fond cette colère, bien qu'inconsciente du *pourquoi.* »

Cette lettre est du 12 décembre 1875!

Décidément, rien de nouveau sur Rimbaud.

UN DEMI-SIÈCLE
DE VIE LITTÉRAIRE

De Paul Bourget à Jean-Paul Sartre, de François Coppée à Paul Claudel et à Henri Michaux, de Jules Lemaître à Charles Du Bos et à Maurice Blanchot, vit-on jamais, au cours d'une seule génération, coupure aussi nette, révolution aussi brusquée? En sorte que, dans le pays du monde le plus entiché de littérature, les plus décidés à suivre le mouvement y ont perdu le souffle. L'homme cultivé — je ne parle pas de la masse, je parle de l'ingénieur, de l'officier, du professeur, de l'ecclésiastique — est déconcerté. Ce qu'il ne fut jamais. Jusqu'en 1900 à peu près, tout Français exerçait sur la production littéraire une sorte de judicature. Ce n'était pas un cercle de critiques, encore moins un cénacle d'auteurs, c'était le public qui jugeait en dernier ressort une œuvre nouvelle. Aujourd'hui, l' « honnête homme » — celui qui prétend tout apprécier du haut de son gilet — est devenu un type désuet jusqu'au ridicule. La littérature est maintenant une spécialité, ou même une religion à mystères. Qui n'est pas initié, ou bien recueille dévotement la manne des appréciations autorisées qui tombe de quelque haut lieu parisien, ou bien se révolte. Entre les snobs et les résistants, longtemps il fallut choisir. Mais un tiers parti se développe sous nos yeux : celui des indifférents. A côté de la littérature qui compte, malheureusement illisible, il y a celle qui ne compte pas : on la lit beaucoup [1]! Le danger est grand d'une tranquille, d'une croissante désaf-

1. La boutade — bien connue — est de Jean Paulhan.

fection. Profitons de ce tournant du demi-siècle pour nous demander : depuis le bon temps de M. Fallières et de la littérature pour tous, *que s'est-il donc passé?*

*
* *

Il s'est passé d'abord qu'entre 1900 et 1914, alors que notre génie semblait définitivement spécialisé dans la blague parisienne et l'érudition sorbonique, des écrivains de race ont tout à coup apparu. Pour éviter toute querelle, ne retenons que les Cinq Grands : Péguy, Proust, Valéry, Claudel, Gide. La subite entrée en ligne de ces génies authentiques, qu'une pléiade de beaux talents vint peu à peu escorter, fait de cette époque, de notre époque, une des plus miraculeuses de notre histoire, comparable seulement à la prairie poétique de la Renaissance, à la génération classique, à l'explosion romantique. Après les ratages partiels du naturalisme, du symbolisme, du cubisme, après tant d'essais incohérents et de semences qu'on eût cru perdues, quelle moisson! Les nouveaux venus furent mal accueillis. Leur seule présence n'obligeait-elle pas à brûler ce qu'on venait d'adorer? Si *Tête d'Or* était un vrai poème, les vers de *l'Aiglon* battaient ridiculement des ailes, et Rostand n'était pas une gloire nationale. Tout leur fit barrage : un goût public frelaté, une critique trop souvent boulevardière, une Académie formaliste, vouée au ronron aimable et confite dans l'admiration mutuelle. Le malentendu commençait.

Ce n'est qu'en suivant l'effort et les luttes de la *Nouvelle Revue Française* qu'on peut apercevoir quelque unité dans le chaos qui suivit. La *N. R. F.*, je le sais, ne représente pas toute la vie littéraire de son temps, mais elle en a été l'aile marchante, et il ne semble pas que les historiens lui aient accordé jusqu'ici l'attention qu'elle mérite.

Nettement cataloguée « rive gauche », elle s'est battue

sur deux fronts : la « rive droite », et ce qu'on est tenté
d'appeler la « rive extrême gauche ». A peine sera-t-elle
victorieuse à droite qu'elle se laissera déborder sur sa
gauche. Et c'est bien là, nous allons le voir, toute l'histoire de l'entre-deux-guerres.

La « rive droite », d'abord. L'automne de 1912 vit le
petit monde des courriéristes littéraires ému par une
querelle qu'on baptisa plaisamment « la guerre des Deux
Rives ». La « rive droite » — ainsi désignait-on « la tendance mondaine, académique et boulevardière » — s'avi-
sait soudain qu'elle perdait lentement de son crédit,
tandis que s'affermissait la « rive gauche », entendez « la
tendance novatrice, antibourgeoise, antiacadémique, anti-
tout-ce-que-l'on-voudra ». Ainsi parle M. André Billy [2],
impartial historien, dont le cœur pourtant, comme chacun sait, est plutôt « à droite ». Autour des livres inven-
dables de Gide et de Claudel, un conventicule d'admirateurs s'est formé : quelques jeunes gens graves, obstinés,
silencieux. Et déjà la seule présence d'écrivains plus
profondément implantés dans la tradition française ou
simplement humaine que tant d'arbustes de surface fait
dépérir ces derniers. Il meurt une réputation par semaine.
Eh oui! des romanciers comme Anatole France, Paul Bourget et Henry Bordeaux, des hommes de théâtre comme
Georges de Porto-Riche, Maurice Donnay, Edmond Rostand, des critiques comme Brunetière, Faguet, Jules
Lemaître, savent maintenant qu'aux yeux de la génération montante leurs tirages princiers et leurs théâtres
envahis chaque soir ne sont que succès de pacotille.
L'agaçant, c'est que la *N. R. F.*, dont l'apparition en
1908 n'a pas fait seulement une ride dans la mare aux
grenouilles, ne joue pas le jeu des autres. Elle n'attaque

2. André Billy, *Le Pont des Saints-Pères*, Fayard, 1947.

pas. La « rive droite » n'attend que cette étincelle pour
faire flamber tous ses beaux esprits, pour ensevelir sous
le ridicule la jeune équipe aux fronts trop lourds. La
N. R. F. s'interdit à elle-même le succès facile et toute
flatterie au public. Elle méprise les cafés, les duels, les
potins, la réclame, toute la mousse du parisianisme.
Quant aux dramaturges du boulevard, elle se contente
de les ignorer, ainsi que les auteurs « bien parisiens »
et les « romanciers pour midinettes » parmi lesquels elle
range visiblement tel académicien...

Et en 1914 la victoire est acquise. Les grandes œuvres
du style nouveau ont forcé l'attention. *La Porte étroite*
est de 1909; en 1914, avec *l'Otage*, la jeune équipe livre et
gagne, mais en gilets sombres, sa bataille d'Hernani. Et
ne voilà-t-il pas que Péguy lui-même, las de lutter seul
contre la Sorbonne, se tourne vers la *N. R. F.*! En
juillet 1914, il lui promet sa *Note sur Descartes*. Enfin, la
guerre ayant balayé force vieilleries, le goût nouveau
décidément s'impose. La « rive droite » décline, mais à la
manière de ces vieillards guillerets qui n'en finissent pas
de mourir, et qui jouent des farces aux jeunes gens. La
Revue des Deux Mondes organise alors la retraite, et sauve
la face, en recueillant ces restes vénérables. Et jusqu'en
1939 l'Académie leur assurera la consolation de son
immortalité provisoire.

*
* *

1918. La *N. R. F.* est maintenant sous le feu des pro-
jecteurs; et son directeur, le délicat, le discret Jacques
Rivière, est poussé malgré lui à l'avant-scène. On attend
qu'il parle. (Chacun sait d'ailleurs qu'André Gide n'est
pas loin : il occupe la boîte du souffleur.) Eh bien! ce qu'il
annonce, c'est bel et bien un nouveau classicisme. Les
facilités du romantisme nous sont aujourd'hui, remarque-
t-il, intolérables. Nos œuvres seront limpides et achevées.
Non pas toutefois à la manière du classicisme cartésien

qui partait de l'idée claire : on ne se baigne pas deux fois dans le même fleuve. La vie est aujourd'hui plus complexe; elle charrie du mystère depuis Dostoïevski, avec Freud elle s'ouvre sur des abîmes. Mais la lucidité française doit jeter des torches dans ces gouffres, clarifier ces pans de nuit.

Quel grand dessein! Mais combien chimérique! Rivière voulait en somme donner à la floraison inattendue de nos grands écrivains le temps de pousser jusqu'aux fruits, immobiliser, comme dans *la Jeune Fille Violaine*, une saison dorée. Sensible lui-même à tous les souffles, et oscillant sans cesse de Claudel à Gide et de Gide à Claudel, il espérait faire de cette tension entre deux puissants pôles spirituels une harmonie durable [3].

Pourquoi le public français, *dans son ensemble*, n'a-t-il pas adopté ce nouveau classicisme? Pourquoi la *N. R. F.*, qui a réussi, ou peu s'en faut, à confisquer l'activité littéraire d'un temps prodigieusement riche, a-t-elle échoué à créer un *climat*? Car sur ce point l'écart est grand — et c'est ce qui frappe d'abord — entre les « siècles » précédents et le nôtre. Toutes les femmes de France, depuis la reine jusqu'à la bourgeoise de Vendôme, crurent, un temps, devoir écrire leurs lettres dans le style de Mᵐᵉ de Sévigné, puis de *la Nouvelle Héloïse;* Chateaubriand imposa ses rêves à tous les jeunes gens, Musset à toutes les jeunes filles. Rien de tel aujourd'hui, Les écrivains que nous avons nommés n'ont pas laissé sur leur époque une marque harmonieuse. Nous avons eu de grands écrivains, non pas un « siècle » littéraire.

A quoi cela tient-il? C'est d'abord que les écrivains des « grands siècles » exprimaient, plus encore qu'ils ne créaient, un goût qui était dans l'air. Ainsi Molière venait heureusement après la Fronde, Rousseau reposait de Voltaire. A ce goût nouveau ils donnaient un style, leur style, une noblesse artistique qui emportait l'adhésion

3. Sur le nouveau classicisme préconisé par Jacques Rivière, voir son article de la *N. R. F.* de juin 1919, recueilli dans *Nouvelles Études*.

de tous. Hélas! cette splendide unité ne se retrouvera
plus! Mille courants, mille remous nous agitent, que
chevauchent nos différents écrivains, et c'est un carrousel
d'un invraisemblable désordre. L'un se veut fils de
Montaigne et l'autre de Pascal. Desserré le lien d'une
croyance unique, de cette chrétienté qui fit au moyen
âge d'une communauté d'artisans un peuple d'artistes,
chaque écrivain nous propose une conception du monde
entièrement nouvelle et affrontée à toutes les autres.
Pour beaucoup, l'admiration de Claudel n'exclut-elle pas
celle de Gide, et réciproquement? N'incriminons pas la
littérature quand il s'agit d'une crise de civilisation.

Cette diversité d'ailleurs, la *N. R. F.*, hospitalière
comme l'âme de Gide, l'a toujours adorée, loin de la vouloir réduire. Son échec est ailleurs : elle s'est mal acquittée
de la tâche qui lui revenait de faire connaître ses écrivains au grand public, un public qu'elle dédaigna un peu
trop, et qui, en revanche, l'ignora. Jamais elle ne passa le
Pont des Arts pour gagner au goût nouveau une pauvre
« rive droite » depuis lors désemparée. (Les romanciers
qui atteignirent à une très vaste audience, tels Mauriac,
Duhamel et Jules Romains, ne furent jamais, notons-le,
tout à fait de la maison.)

Faut-il tenter un portrait de la *N. R. F.?* Elle est née
réservée et puriste. Jamais elle n'est sortie de la bon-
bonnière natale où, comptant ses trésors, elle attendait
qu'on vînt à elle. Vulgariser lui faisait horreur. Elle ne
visait pas au succès immédiat : noble attitude qui n'allait
pas sans quelque subtil dédain du public. Fondée contre
toutes les facilités, elle se complut dans sa réputation de
revue difficile. On y cultiva l'exquis et le rare plutôt que
le puissant : des arbres japonais dans des pots. Contre
les inspirés torrentueux, on donna l'exemple d'une pensée et d'une forme distillées lentement, — un peu alam-
biquées. Le penchant à la quintessence et au raffinement
n'est pas niable, non plus qu'une certaine défiance des
couleurs vives, des formes pleines et d'une jovialité qui

avait jusqu'alors ses franchises en terre gauloise. Dans sa campagne contre « les Longues Figures », Béraud parut trop pataud pour atteindre ces délicats, mais on avait là une réaction du public dont il eût fallu tenir compte. La grisaille était de bon ton chez ces puritains du style. Je crois aussi qu'à la *N. R. F.* on perdait peu à peu contact avec la vie. Et la ferveur dionysienne des *Nourritures terrestres?* me direz-vous. Hélas! cette orgie de départ, qui nous paraît aujourd'hui un peu littéraire, et cette joie, pas tellement gaie, nous les vîmes s'exténuer jusqu'à l'exsangue. Gide a trop joué avec la vie; il n'a voulu avoir avec elle que des « contacts aigus, instantanés et sans conséquences ». La littérature chez ses disciples a pris le pas sur la nature. Et cette littérature fleure l'encre de salle d'étude. Les yeux fixés sur la *N. R. F.*, toute la gent littéraire fut en somme, pendant vingt ans, sous la férule d'une institutrice un peu huguenote, suprêmement distinguée, qui parlait à mi-voix pour qu'on l'écoutât mieux, et qui régentait le monde des lettres par des remarques brèves, un peu sèches, définitives. De cette classe d'élèves mandarins, abandonnés, comme dira Ramuz, « à une sorte de délire intellectuel », ce n'est pas seulement le « gendelettre » de rive droite qui s'est trouvé exclu, c'est aussi l'honnête homme. Nous sommes quelques-uns à le regretter.

Mais une autre raison, et bien meilleure, explique l'échec du nouveau classicisme : l'avènement brutal du surréalisme ne lui a pas laissé le temps de se développer. C'est en juin 1919 que Rivière annonce une « renaissance classique », quand déjà, en mars de la même année, s'est fondée la revue *Littérature*, qui va devenir l'organe du nouveau mouvement. Jacques Rivière fut doublement mauvais prophète (mais comme nous tous, et avec plus d'intelligence) : il voyait poindre un âge classique, et c'est le surréalisme qui est venu; il soutint alors que le surréalisme n'était que feu de paille, et le surréalisme a si bien bouleversé l'idée même de littérature que beaucoup de Français éprouvent un étrange malaise: les voici dépaysés dans leur propre pays.

On parle beaucoup du surréalisme, mais par allusions et pour les initiés. Un mouvement qui a quarante ans d'âge est supposé connu. Il n'en est rien. Essayons de le voir à l'état naissant, avec les yeux étonnés et un peu scandalisés de Jacques Rivière.

Ce qui d'abord éveille l'inquiétude de Rivière, c'est que les surréalistes condamnent la notion même d'œuvre d'art. Plus de poèmes ouvrés, travaillés au ciseau de la volonté et du goût! leur entend-il dire. Mais un épanchement du rêve, une libération de l'inconscient. Toute intervention de l'intelligence critique est attentatoire à l'inspiration, dont il faut au contraire respecter la force vierge. « Composer », voilà bien le comble de l'artifice, puisque c'est combiner, ajuster, supprimer, c'est faire subir à ce qui jaillit spontanément de moi une certaine toilette conforme aux routines séculaires. Tout style est une ornière. Pourquoi *choisir* entre les mots qui se pressent pour exprimer mon moi le plus intact? Assis à ma table, je note, scribe fidèle, tout ce qui monte des profondeurs sacrées de mon inconscient. C'est l' « écriture automatique ».

Fort bien, remarque Rivière, mais le résultat est sous nos yeux : ce sont « les incohérentes processions de mots » des poèmes surréalistes. Sont-ils sublimes ou plats? La question, nous dit-on, n'a plus de sens, il suffit qu'ils soient authentiques. La compétence du critique, celle aussi du simple lecteur, se voit ainsi récusée : tout Français était docteur ès arts, expert en littérature, et il n'y a plus ici ni art, ni littérature. Mais seulement une cascade de miracles qu'il a la permission d'admirer.

Jacques Rivière n'attend guère, et dès 1920, au

risque de s'aliéner la jeunesse, il attache le grelot : « Le danger est immense », prononce-t-il. Mais il ajoute aussitôt qu'on aurait tort de s'inquiéter, car c'est là la queue du vieux romantisme, le bout de la queue, le point final. Impossible d'aller plus outre. Rebroussons chemin. Loin de les gronder, dit-il, sachons gré à ces jeunes fous d'avoir prouvé, par l'absurde, l'impasse du romantisme,... et la nécessité du nouveau classicisme.

Mon lecteur, j'en suis sûr, pense comme Jacques Rivière : bon sens d'un côté, folie de l'autre. Les choses, par malheur, ne sont jamais aussi simples, et le fait est là qui force à réfléchir : quatre ans plus tard, le surréalisme ne s'en portait que mieux, et Rivière dut reprendre la plume. Dans un article qui fit quelque bruit, un tout jeune homme, Marcel Arland, venait de lui signifier qu'il s'était mépris en réduisant à une querelle d'esthéticiens ce qui était en réalité « un nouveau mal du siècle ». La jeunesse se moquait bien d'être classique ou romantique, elle était travaillée par une angoisse métaphysique. Et il écrivait ces mots qui n'ont pas cessé de retentir sur notre époque, comme un tocsin.

Toutes questions se ramènent à un problème unique, celui de Dieu... Dieu, l'éternel tourment des hommes, soit qu'ils s'attachent à le créer ou à le détruire... Mais un esprit où cette destruction de Dieu est accomplie..., par quoi comblera-t-il le vide laissé en lui?... Jusqu'à ce que nous ayons pris l'habitude de ce nouvel état, toutes choses nous apparaîtront dérisoires, et nous-mêmes d'abord... Car ce n'est pas en quelques années que l'homme se consolera de la perte de Dieu [4].

Si la littérature demeure étrangère au poignant problème que pose à la plupart des jeunes la perte de la foi chrétienne, à quoi sert-elle? Quand la vie n'a plus de sens, quand le néant nous attend à toutes les lignes de l'horizon, qu'importent les jeux littéraires et leurs lauriers?

4. *Nouvelle Revue Française*, février 1924.

Le sentiment puissant qui anime les surréalistes, et qu'ils ont hérité de Rimbaud, c'est que « la vraie vie est absente ». Ce monde n'est pas fait pour nous. Il y a maldonne. Faisons éclater ces apparences, et au-delà d'elles nous retrouverons le secret, notre secret qui nous a été volé. Disloquons et anéantissons toutes les formes, en particulier celles du langage où notre pensée est canalisée depuis des siècles. Libérée des étroitesses de la raison, l'imagination va nous introduire dans l'intégrité de notre nature divine. Les mots vont se faire magiques, le paradis n'est pas loin, la merveille va paraître.

N'en doutons pas : le surréalisme athée est un très curieux phénomène de résurgence du sentiment religieux, comme il s'en est produit tout au long de l'histoire. Là est sa force, puisque le besoin religieux est incoercible; là aussi sa faiblesse, car la solution qu'il nous propose est véritablement désespérée : c'est l'acceptation de la folie.

Nous n'avons pas à rechercher aujourd'hui en quoi ce mouvement a réussi, et en quoi échoué. Constatons seulement entre la littérature vivante et le public un nouveau malentendu. Les chevaliers du gros bon sens ont bien ri du surréalisme; attardée à la « rive droite », ou occupée à assimiler Valéry, Proust ou Claudel, la foule l'a ignoré; les catholiques ne pouvaient être tentés par une école qui se donnait des airs de secte mystagogique et violemment antichrétienne. Quant à Jacques Rivière, il resta fidèle à lui-même : la littérature, écrivit-il, ne doit être subordonnée à rien, pas même à une recherche métaphysique; poètes, ne jouons pas les prophètes et les mystiques.

Après la mort de Rivière, la *N. R. F.* louvoie avec plus de souplesse, prend le vent, utilise tous les courants, même le courant surréaliste, mais renonce à diriger la vie littéraire. Elle la reflète seulement. Fidèle à la qualité, elle reste un lieu de rencontre prestigieux. C'est un laboratoire où l'on tente sans cesse la fusion de ce qui naît chez nous de plus hardi avec ce qui s'y crée de plus parfait. Jean Paulhan, son nouveau directeur, cherche encore aujourd'hui la pierre philosophale : je vois bien ce très curieux homme coiffé du bonnet d'alchimiste.

Enfin la guerre de 1939 disperse une équipe qui a mieux servi la littérature pure que l'impur public, et qui, impuissante à assagir les aspirations nouvelles, a laissé se consommer entre la société et les artistes un véritable divorce.

∗

Ne parlons pas de divorce, protestent certains, là où jamais il n'y eut vrai mariage. Quand donc, en France du moins, le grand public apprécia-t-il la beauté? Mais il raffole de rengaines sentimentales, de coups de clairon patriotiques et de vers de mirliton. « Ce n'est pas à Nerval, écrit Thierry Maulnier, que va la faveur du public français, c'est à Casimir Delavigne. Ce n'est pas à Baudelaire, c'est à Béranger. Ce n'est pas à Rimbaud, c'est à Déroulède. Ce n'est pas à Valéry, c'est à Rostand. Ce n'est pas bon signe, pour Hugo, qu'il faille le ranger dans la catégorie de ceux qui plaisent à la foule. »

A quoi l'on brûle de répondre : ce n'est peut-être pas bon signe pour la thèse de Thierry Maulnier que Victor Hugo soit tout de même un grand poète, et Racine, et Corneille, et Ronsard, tous accessibles et amis de nos mémoires. Le sophisme consiste ici à tenir pour seule valable la poésie depuis Rimbaud et à faire de l'inaccessibilité l'une des marques de toute poésie.

Il y a donc bien divorce. Mais où sont les torts?

Les écrivains, sans doute, ne se sont pas assez souciés d'être compris. Mais il faut dire aussi que nous exigeons nous-mêmes de la poésie beaucoup plus qu'autrefois. Solidement installés dans l'univers chrétien, les honnêtes gens pouvaient savourer jadis, en gourmets, à leurs heures de détente, les pièces montées préparées par Ronsard, Molière ou Racine. Mais dans l'actuelle débâcle

des croyances, communes, nous supporterions mal une
littérature qui prétendrait endormir notre angoisse avec
de jolies cadences. Les détracteurs de la poésie contemporaine ne sont-ils pas parfois les plus prompts à mépri-
ser toute « littérature », parce qu'ils n'y savent voir
qu'un jeu futile? Ce qui précisément n'est plus. Seulement, se chargeant de nos inquiétudes, elle ne peut
toucher que les inquiets.

Non, les torts sont communs.

Et d'abord, l'éducation chez nous est passéiste. Dans
les œuvres vivantes du passé, les adolescents sont invités
à admirer bien plus le passé que le vivant. C'est que nous
sommes trop riches. Nous traînons notre patrimoine
littéraire comme un avare son sac d'écus. Notre marche
s'en trouve alourdie. Par-dessus tout, le Français déteste
d'être dupe. Les valeurs consacrées, oui, voilà de la litté-
rature-or; mais le moderne n'est pas à l'abri d'une
dévaluation. Attendons! Et tandis qu'aux siècles passés,
de dix en dix ans le mobilier changeait, reflétant les
rajeunissements du goût, nous nous adressons à l'antiquaire : un faux Henri II, c'est décidément plus sûr
que tous ces modernes! Ne vit-on pas, à l'exposition de
1925, le président de la République trôner sur une chaise
Louis XV! On suivait plus hardiment la vie autrefois.
Imagine-t-on Louis XIV sur un siège gothique? Au
XIIIᵉ siècle, des villes démolirent leur cathédrale com-
mencée depuis cinquante ans, parce qu'elle n'était plus
au goût du jour. Les cavaliers de Louis XIII firent bon
accueil aux tragédies de Racine. Tourné vers l'avenir, on
en acceptait les risques. Mais qu'en 1950 des jeunes gens
boudent Péguy, Proust ou Claudel, je suis tenté d'y voir
de la sénilité.

Le retard est grand, et nous avons noté déjà toute une
série de décalages entre la littérature vivante et les admi-
rations du public : quand, vers 1905, Bourget devient
le romancier coqueluche de la bourgeoisie, il a cessé de
compter pour les nouveaux écrivains; la *N. R. F.* tient

la vedette jusqu'en 1939, alors que depuis 1920 elle est secrètement débordée par le surréalisme; celui-ci est aujourd'hui célèbre, mais c'est l'heure où l'on cherche à le dépasser. Si les généraux sont ordinairement en retard d'une guerre, le public l'est toujours d'une révolution littéraire. Combien, qui se croient avancés, qualifient la nouvelle poésie dans les termes mêmes dont usait Rivière il y a trente ans : « innovations abracadabrantes », « litanies ahurissantes », « poèmes non seulement indéchiffrables, mais proprement illisibles »? Quand donc l'avant et l'arrière-garde se rejoindront-elles? Et quand donc les critiques, trop souvent snobs, reviendront-ils à leur rôle modeste d'agents de liaison entre les deux?

Certains signes feraient croire qu'on y aspire. Je ne pense pas seulement ici aux avertissements, ou fâcheusement systématiques d'un Julien Benda ou trop négatifs d'un Roger Caillois, ou un peu gros d'un Marcel Aymé. Mais l'après-guerre a apporté le goût d'une communion. A la « Rencontre internationale de Genève » de 1948, le débat s'est orienté, d'une façon inattendue, sur *la rupture entre la société et l'art d'aujourd'hui :* elle fut unanimement déplorée. Enfin, l'effort pour garder le contact avec le peuple est-il à blâmer parce que les communistes en ont jusqu'ici le monopole?

La littérature, sinon pour tous, du moins pour le plus grand nombre possible, pourquoi pas?

DEUX VIEILLES REVUES

Trois revues viennent de naître, qui font assaut de couleurs fraîches : la pimpante *Parisienne*, les *Lettres Nouvelles*, la *Nouvelle Nouvelle Revue Française*.

Une hirondelle ne fait pas le printemps. Mais trois? Serait-ce le signe d'un vrai renouveau dans nos lettres? Oui et non, répondrons-nous tout à l'heure. A coup sûr, nous voici à un tournant : la guerre, la vraie, est bien finie, puisque nous en sommes à « la guerre des revues ».

Car l'arrivée des « nouvelles » dans cette volière caquetante qu'est certain quartier de la rive gauche vient d'y susciter une belle animation. Directement menacée par la réapparition de la *N. R. F.*, *la Table Ronde* l'accueille à coups de bec. La *Nouvelle N. R. F.* dit des méchancetés à la petite *Parisienne* et fonce sur la dernière venue, les *Lettres Nouvelles*, avant même que la pauvrette soit sortie de l'œuf. La *Parisienne* passe ses nerfs sur *les Temps modernes*. Quant aux revues non littéraires, qui n'ont pas l'excuse de la légitime défense, elles sont aussi impitoyables.

A qui la palme dans cette dispute? A François Mauriac, bien sûr! Premier prix d'escrime *(la Table Ronde)*. Mais avec Étienne Borne *(Terre humaine)*, c'est la lutte à mort. On sourira peut-être de son tir au canon contre des alouettes. Mais non, l'affaire est grave. Allons, nous aussi, à l'essentiel.

**

La *N. R. F.*, nous l'avons dit, a dominé, et même un peu régenté les lettres françaises entre les deux guerres.

Nous lui devons beaucoup. Sous la direction de Jacques Rivière, puis de Jean Paulhan, elle a su s'entourer de l'une des plus brillantes pléiades de notre histoire : Gide, Claudel, Proust, Valéry, qu'escortèrent bientôt vingt à trente satellites. Par son opposition à toutes les facilités, soit romantiques, soit mondaines, comme par son exigence de perfection, la *N. R. F.* s'était enfin acquis une autorité presque exagérée : la moindre de ses notules devenait parole d'Évangile.

Disons-le tout de suite : la *Nouvelle N. R. F.* n'héritera pas de ce quasi-monopole. Le plomb que lui envoient aujourd'hui ses détracteurs, en renaissant elle l'a dans l'aile.

Le plomb de l'âge d'abord. Qui se dit *Nouvelle Nouvelle*, qui s'applique au visage, comme un fard, cette étiquette flambante, n'est plus très sûr de sa jeunesse. La bonne dame en a trop mis!

A la place d'un Rivière aux antennes inquiètes, tout en nerfs et détentes, pur, pauvre, hardi comme qui n'a rien à perdre, je vois installés à la direction de la *N. R. F.* deux mascottes des lettres, Jean Paulhan et Marcel Arland, l'un tempérant l'autre comme dans un ministère bien « dosé », et travaillant à la défense et illustration de la puissante firme Gallimard. On ne lève plus à chaque pas de miraculeux talents, on exploite les vieilles gloires. Nous n'irons plus au bois, les lauriers sont coupés, dont Midas a fait des lingots. Arrivés, les Argonautes couvent leur toison d'or. Parlons plus simplement : dans les premiers sommaires de la *Nouvelle Nouvelle*, que de fonds de tiroirs! Toutefois, soyons justes : de temps à autre, comme à la grande époque, Jean Paulhan se croit obligé de révéler quelque nouveau « génie ». On accourt : c'est un monstre à cinq pattes, inviable, hier Malcolm de Chazal, aujourd'hui un certain Vailati (mort en 1909!).

Et puis, l'ancienne *N. R. F.* se voulait un peu trop étrangère aux contingences de ce monde. Jamais tour d'ivoire ne fut mieux close. Dans ce cabinet chinois sans portes ni fenêtres, des mandarins, sourds aux convulsions sociales et aux menaces de guerre, continuaient à parler un langage parfaitement intemporel, tout en dégustant de belles proses. La littérature pure exorcisait pour eux les maléfices d'un monde par trop impur. La doctrine de la maison était de n'en point avoir : ni sociale, ni politique, ni religieuse. On accueillait indifféremment, au titre d'exercices également réussis, le *Corydon* de Gide et les *Grandes Odes* de Claudel. Les imprécations de Bernanos n'avaient ni plus ni moins d'importance que celles de Camille : c'était de la littérature. Tous les thèmes étaient bons qui donnaient à des virtuoses de la plume l'occasion d'exécuter leur numéro et leurs sauts assez peu périlleux.

Vint la guerre, et l'occupation. Occupé comme le reste, le cabinet chinois devint, sans transition, poste émetteur de la doctrine nazie. Épisode sans reproche, admettons-le, mais assurément sans gloire, que la *Nouvelle N. R. F.*, dans son éditorial, tait pudiquement. Passons. Mais nous sommes bien obligés de constater que « cette chère vieille dame tondue, dont les cheveux ont mis huit ans à repousser » (comme dit Mauriac), n'a rien appris et rien oublié. C'est toujours la doctrine de l'art pour l'art qu'on nous propose, et son indifférence foncière aux postulations humaines non seulement les plus urgentes, mais les plus hautes.

Certes, le contre-poison qu'à la suite et en prévision d'événements tragiques nous proposa J.-P. Sartre est lui-même un poison. La « littérature engagée » — engagée jusqu'au cou dans le nœud coulant de la politique — eût été mortelle à la littérature. Qui en parle encore? Au pays de Flaubert et de Boileau, la littérature engagée n'avait aucune chance d'avenir. Mais voici que la guerre s'éloigne. Les écrivains d'action comme Mounier, Aragon, Saint-Exupéry sont ou morts ou vieillissants. Le révolutionnaire Malraux collectionne des images. Coincé entre l'échec, où il se complaît, et l'efficacité, dont il fait un devoir aux autres, Sartre n'avance plus et réussit à décevoir jusqu'à ses adversaires. L'existentialisme devient un cadavre encombrant, que le professeur Merleau-Ponty est officiellement chargé d'embaumer au Collège de France. La jeunesse regarde ailleurs. Oui, nous sommes à un tournant.

Et revoici la tour d'ivoire! Plus capitonnée que jamais. De ce haut lieu préservé, les atrocités de la guerre (et ses propres mésaventures) n'apparaissent plus à la *N. R. F.* que comme « les vicissitudes de l'époque et de l'histoire ». Euphémisme charmant! Le raz de marée communiste peut pousser jusqu'à nous sa pointe, et la tempête hurler : la *N. R. F.* ne voit ni n'entend. Ou plutôt si, elle entend, mais ce qui fait sécher de terreur des peuples entiers se mue pour elle en musique des anges. Car elle utilise ceux-là mêmes qui soumettent tous leurs écrits à l'idée qu'ils se font de la destinée humaine. Chrétiens et communistes, nous dit-elle, restez ce que vous êtes, et chantez-nous votre chanson..., pourvu que, passant notre seuil, vous deveniez « avant tout soucieux de la perfection de (votre) œuvre ». Avant tout? Les convictions d'un homme ne seraient-elles pour la *N. R. F.* que la matière dont elle compose son art? et la « pureté » dont elle se targue, que sa profonde indifférence à ce qui *avant tout* nous intéresse?

Il faut bien croire que, quant à elle, la *N. R. F.* fait passer l'art *avant tout*, et le tient pour la valeur suprême, puisqu'elle nous promet le bonheur si nous consentons à la suivre. Notre « condition commune » de Français peut devenir, nous assure-t-elle, « délicieuse ». Qui se refuserait à cette invite de miel? Le même miel, après tout, que distillaient les lèvres du vieil Anatole France. Jouons donc de la flûte dans l'incendie du monde.

Seulement, depuis M. Bergeret, nous avons entendu des voix plus graves, et que nous ne pouvons oublier si vite. Malraux, Saint-Exupéry, Bernanos, Sartre et Camus nous ont parlé non plus seulement de notre condition de Français, mais de la « condition humaine », qu'à la suite de Pascal ils nous ont montrée ou misérable, ou grande, ou les deux, — mais jamais « délicieuse ». (Quel mot!) Nous n'avons pas le sentiment que ces écrivains aient desservi la littérature : en lui donnant une sonorité plus ample, ils l'ont rendue à sa vocation. Nous ne reviendrons pas aux petits-maîtres et à leur humanisme étriqué.

Une revue littéraire n'est pas un bulletin de philatélie ou de numismatique. Qu'elle le veuille ou non, elle engage *tout l'homme*. La *N. R. F.* n'a pas fait l'effort que nous attendions d'elle et qu'imposait l'évolution récente de la littérature. N'ayant pas modifié sa position de 1908, elle renaît avec des rides : celles mêmes de l'esthétisme. Il nous fallait dire ici notre déception.

Mais voici *la Parisienne*. Son directeur, M. Jacques Laurent, prend soin de nous avertir qu'il ne s'agit nullement — on pourrait aisément s'y tromper — d'une revue de mode ou d'une publication grivoise. Mais bel et bien d'une revue littéraire. Et dès le troisième numéro il exulte. Succès! « Le public a été content des libertés que nous nous donnions. (Quelles libertés? Nous verrons cela.) Dans l'entrain qu'il a mis à nous lire, ajoute l'heureux M. Laurent, il entrait du soulagement et de la surprise. » Cela, oui. Pourquoi?

Figurez-vous que *la Parisienne* « vise à plaire ». Voilà une grande nouveauté.

Faut-il rappeler que, depuis la Libération (et même avant : le mal remonte peut-être à 1935), les Français ne se souciaient plus de bien écrire? J'entends avec cette justesse élégante qui, de tradition chez nous, est considérée comme une simple politesse à l'égard du lecteur. Je sais bien qu'il nous fallut digérer les influences étrangères : la pensée allemande, le roman américain. Mais pourquoi, s'ouvrant (et cela très heureusement) à des

soucis plus graves, prenant en charge certains cantons
humains jusqu'ici réservés à la philosophie, se sont-ils
crus autorisés à user d'un jargon inutilement technique?
Au pays de Descartes, de Pascal et de Bergson, l'obscurité devint un signe de profondeur. Le feuilleton critique
le plus bâclé invoquait pêle-mêle le destin, la phénoménologie, le freudisme, la théorie d'Einstein et « le malheur
de l'existence ». On concluait à l'inexprimable. Glissant,
comme sur une pente vertigineuse, de « problèmes » en
« mystères » et de profondeurs en abîmes, on en vint à
se demander le plus sérieusement du monde si tout langage n'est pas impossible (cela en un langage en effet
impossible). Des chapitres interminables s'intitulaient :
« Adieu aux mots [1] » La langue française se révélant
inapte aux idées profondes, on fit appel aux ressources
de l'allemand, et c'est ainsi qu'on parla non seulement
de « l'être-pour-la-mort », mais de « la-femme-pour-la-
vie [2] ». Tout romancier illisible trouvait critique à son
pied, plus illisible encore, et qui se faisait fort de « dévoi-
ler le substrat métaphysique » d'un texte abyssal, —
tout simplement mal venu. On passait condamnation
sur les faiblesses proprement littéraires d'une œuvre,
pourvu qu'on y reconnût « sincérité » ou « authenticité »,
— termes aussi vagues que les poncifs romantiques.
Remonté de son puits, notre critique déclarait l'œuvre
« valable ». Nous l'en croyions sur parole! Plus d'images
qui allègent, de paragraphes qui aèrent, mais des cubes
de ciment qu'il s'agissait d'attaquer au pic. On piochait,
de plaisir la lecture devenant une tâche. Dans cette prose
morne, le Français ne reconnaissait plus sa langue. Un
brouet aussi épais eut enfin raison de son appétit : il y
toucha de moins en moins. Et l'on parla d'une crise de
la librairie. Des écrivains se lamentèrent : les Français ne
savent plus lire! Ce sont eux qui ne savaient plus écrire!
      Une réaction s'opère sous nos yeux. On revient au récit

1. Incroyable? Je pourrais donner la référence.
2. Même remarque.

limpide, à la phrase courte, au trait qui brille, pique ou
déride. De jeunes romanciers essayistes — toute une
équipe — ont juré de ne pas être ennuyeux. Réduits à se
déchiffrer les uns les autres, les cacographes montrent
moins d'aplomb, me semble-t-il; cependant qu'un Mauriac, jadis regardé de haut par les snobs de l'abstrus, élargit encore son audience et fait lire ses moindres billets
par les malins comme par la foule : on lui sait gré d'essayer de tout dire dans une langue qui se souvient de
Pascal, de Racine et de Maurice de Guérin. Allons, nous
sortons du tunnel : revoici le ciel nuancé de l'Ile-de-
France.

Mais le danger est grand de tomber de Mauriac à Marcel Aymé, de Marcel Aymé à Roger Peyrefitte...

... Et de Roger Peyrefitte à Jacques Laurent. Car cette
tendance nouvelle, l'auteur de *Caroline chérie* la sert moins
qu'il ne l'exploite. Sa *Parisienne* « vise à plaire », nous
dit-il ingénument, et même à « séduire », et il reconnaît
qu'elle se donne pour cela quelques « libertés ». Lesquelles?
Mon Dieu, toutes celles qui offrent quelque chance d'ac-
crocher le public. Non seulement la gentillesse et le sourire,
les petits articles adroitement cuisinés, le mot d'esprit
qui croque sous la dent, la page qui se déguste comme une
pâtisserie légère dans un salon de thé. Mais aussi — il
faut « plaire », et M. Laurent a son idée sur ce qui plaît
aux Français — les propos paillards, les histoires salaces,
les allusions égrillardes ou franchement crapuleuses. « Un
réveillon d'auteurs », nous dit-il. La noce, quoi! Ni populaire, ni mondaine : exactement demi-mondaine.

Après le casse-tête prétentieux, la littérature de kiosque.
Après le noir, le rose partout. Est-ce moins artificiel? Et
la vraie littérature en est-elle mieux servie? Car enfin
M. Laurent se flatte beaucoup quand il prétend nous
ramener à la grande période de 1925, laquelle poussa
l'amour de l'art jusqu'au mépris du succès immédiat.
Claudel ni Gide ne visaient à plaire, moins encore à
séduire. Ils déplurent longtemps. M. Laurent, lui, nous

aguiche, et par des moyens qui ont fait leurs preuves sur
les boulevards et leurs trottoirs. Non, ces clins d'œil, cette
parfumerie, cette frivolité élégamment grivoise ne rappellent guère l'exigence artistique de la première après-
guerre, s'ils détonnent tout à fait après la seconde. Ce
sont les facilités de 1900. Un anticléricalisme de bon ton
achève l'illusion : nous voici revenus à « la belle époque ».

La Parisienne prétend allier aux attraits du digest la
respectabilité d'une revue. Elle répond, hélas! à l'idée
que, de Toulouse à Lyon et de New York à Buenos Aires,
beaucoup de braves gens se font de la femme de Paris.
Provinciaux et étrangers retrouveront leur gai Paris.
La Ville-Lumière va briller à nouveau de tous ses feux
puisque, déjà unique par ses boîtes de nuit, elle va rede-
venir, grâce à M. Laurent, la ville du monde la plus spiri-
tuellement polissonne.

ANDRÉ GIDE ET LES CHRÉTIENS

L'émotion qui s'est emparée de tous à la mort de Gide nous a atteints, nous chrétiens, d'une façon spéciale, spécialement douloureuse. Beaucoup d'entre nous ont longtemps aimé en lui, non seulement l'artiste, mais l'homme, mais l'âme. C'est que Gide n'était pas de ces écrivains qui semblent n'avoir rencontré le Christ à aucun détour de leur vie. *Quo vadis?*, voilà la question que, né protestant, nourri d'Évangile et entouré d'amis catholiques, il n'est jamais parvenu à faire taire, sinon peut-être aux toutes dernières années de son existence. Elle explique, dans sa personne, bien des subtilités et des contorsions, et dans son œuvre des contrastes jamais vus : des pages vibrantes de pure lumière, — peu nombreuses, il est vrai, mais ineffaçables, — et où il semble tout près d'atteindre aux sommets spirituels, et d'ignobles bas-fonds que, ne consentant pas à déchoir, il s'est donné pour mission de faire passer pour des sommets. Quoi d'étonnant si cet ange radieux des ténèbres a souvent fait penser à Satan? Frère ennemi, André Gide n'en reste pas moins pour nous un frère. Nous ne pouvons pas oublier le chemin qu'il a fait avec nous; et le malaise, le haut-le-cœur, l'horreur même qu'il nous inspirait à la fin, n'ont jamais eu raison en nous d'un reste de tendresse.

Acquittons-nous d'abord de nos devoirs envers l'écrivain, l'un des plus finement racés que la France ait connus.

Lui qui prêchait la libération des instincts exerçait sur sa plume la rigoureuse maîtrise d'un classique. Cet immoraliste était un puritain du style. Sa langue un peu grise redoutait tout éclat : le saxophone de *Salammbô*, les pétards de Léon Bloy et même l'orchestre complet de Hugo n'étaient pas trop de son goût. De là ses défauts : à trop surveiller sa plume on la contraint. Le puriste l'emporte souvent chez lui sur l'écrivain de verve. Sa langue n'est pas exempte de maniérisme. Et même de coquetterie : pour reprendre le mot impitoyable de Claudel, Gide n'a pas cessé d' « épousseter » son style, comme sa personne, « avec un plumeau de colibri ».

D'où vient pourtant son charme si rare? D'une limpidité racinienne. D'une aisance princière. Savamment calculée, pleine de ruses et semée de surprises, sa phrase n'en jaillit pas moins d'un trait, ferme et flexible comme un rameau de printemps. Le miracle est là, dans cette surcharge d'intentions, jointe à une légèreté ailée, à une transparence, à une simplicité réservées d'ordinaire aux âmes enfantines et vacantes.

Impuissant à créer des personnages vraiment détachés de lui, Gide n'a triomphé ni dans le roman, ni dans le théâtre, mais dans des essais qui rayonnent autour du fameux *Journal*, et où il ne s'est jamais lassé de présenter les aspects ondoyants et divers d'un personnage unique : lui-même. Mais ce personnage, toute sa vie s'est employée à le créer.

* *
*

Il ne peut s'agir pour nous de définir, après tant d'autres, la signification humaine d'une œuvre, mais de dessiner d'un trait rapide la courbe spirituelle de la vie qui vient de se clore et qui a soulevé dans tant d'âmes un si puissant remous.

Le Gide de vingt ans — le Gide de toujours — fut un être exigeant. Il voulait tout. Si nous savions en faire bon usage, la piécette d'or, le « talent » confié par Dieu nous ouvrirait et le ciel et la terre. Or, les familles que Gide connut d'abord, la société bourgeoise, la France de 1900, voyaient petit. De la religion, on avait surtout retenu des habitudes, des pratiques, des contraintes. Coupée des sources, la littérature était livresque ou frivole. L'art faisait le beau, — un vieux beau travaillé des tics de la décrépitude. Trop fière de son passé pour céder à des influences étrangères, la France était une maison sévèrement fermée où régnait un air vicié. Et Gide lui-même a évoqué « cette atmosphère des salons et des cénacles où l'agitation de chacun remuait un parfum de mort ».

Gide ouvre portes et fenêtres. Bientôt il introduira chez nous Nietzsche, Dostoïevski et même Tagore. Mais le plus pressé est de jeter aux buissons tous les livres. La sensation pure! Il veut palper avec ses doigts, goûter avec ses lèvres. « Il ne me suffit pas de *lire* que les sables des plages sont doux, je veux que mes pieds nus le sentent. » Un seul tout petit livre, alors décrié, trouve grâce, qui accompagnera ce vagabond dans tous ses voyages, et qu'il sauvera des enchères quand il vendra ses livres.

O paroles du Christ si profondément méconnues! Dix-huit siècles ont passé et c'est là que nous en sommes à ton égard! Et certains vont disant : « L'Évangile a cessé de vivre; il n'a plus pour nous ni signification ni valeur. » *Ils blasphèment ce qu'ils ignorent*, et je veux leur crier : l'Évangile nous attend encore. Sa vertu, loin d'être épuisée, reste à découvrir, à découvrir sans cesse. La parole du Christ est toujours nouvelle d'une promesse infinie.

Et voici enfin pour parler de Dieu un accent neuf et comme libéré. Gide cite l'Évangile avec une voix fraîche qu'on ne connaissait plus aux chrétiens. L'éternité, rappelle-t-il (nous l'avions un peu oublié), gonfle la minute présente. La joie est notre part. Dieu nous appelle, et son royaume est parmi nous. Marchons à son odeur. Courons le risque divin. Versons le vin éternellement nouveau dans des vaisseaux neufs. Appelons à nous, de toutes les branches de tous les arbres, tous les oiseaux d'une terre-

paradis. Faisons descendre sur la terre la corbeille des
promesses éternelles. Ravageons *sans choisir* — choisir
entre les dons de Dieu serait péché — le Jardin des délices :
ses fruits ne manqueront pas à notre soif; Dieu fasse que
notre soif ne manque pas aux fruits! Et qu'une sévère
ascèse maintienne tous nos sens altérés, prêts à épuiser
la gamme entière des jouissances, des plus animales aux
plus angéliques. Si nous touchons sa création, Dieu nous
traverse : dépouillons-nous donc pour le mieux sentir.

Ce nudisme spirituel est d'abord accueilli sans défiance.
Et l'ivresse mystique — la ferveur, comme on disait, —
versée aux pages des *Nourritures terrestres*, a étourdi une
part choisie de la jeunesse d'alors, la mieux douée, la plus
exigeante, la plus riche d'âme. Au début, l'ami Jammes
y communie de tout son cœur. Les écluses spirituelles,
contrôlées par les Églises avec une prudence parcimo-
nieuse, allaient s'ouvrir toutes grandes sur un monde
desséché par le doute. J'exagère? Écoutez Jammes : « Il
m'a semblé, écrivait-il à Gide, que... des torrents de chasteté, d'ascétisme et de frugalité morale naissaient en
mugissant de cette œuvre... Ah! les nourritures divines! »
Jammes est naïf? Écoutez Marcel Arland : « Parmi les
écrivains de sa génération, André Gide est peut-être le
seul qui soit mystique...; (il est), de tous, celui qui possède
l'âme la plus religieuse. » N'en doutaient pas d'abord ses
grands amis Claudel et Du Bos, et ceux surtout qui, initiés par lui à l'Évangile et à une certaine soif spirituelle,
crurent enfin devoir traverser leur maître pour aboutir à
un catholicisme plénier : Rivière, Dupouey, Schwob,
Ghéon, Copeau. Parmi les jeunes gens de ce temps-là,
Gide a créé une sorte de raz de marée religieux. Il a été
à l'origine d'un mouvement de conversions. Nous ne
l'avons pas oublié.

*
* *

Qu'est-ce donc qui, chez Gide, a séduit la jeunesse
d'alors, et qui séduit encore celle d'aujourd'hui? Comment

a-t-on pu voir dans les valeurs gidiennes des valeurs religieuses? Autrement dit : qu'y a-t-il eu de commun entre Gide et nous? précisons : entre Gide et Claudel, par exemple?

C'est d'abord le mépris des livres et des systèmes d'idées, et la préférence accordée, dès qu'il s'agit d'orienter toute la vie, à l'*expérience* vivante. « Non, Jacques Rivière, n'en croyez pas les livres », adjurait Claudel. Et cette expérience, qui vaut toutes les raisons et les met tranquillement par terre, c'est *la joie*. La joie, disait alors Bergson, est le signe d'une vie qui a réussi. Et Claudel : « La joie et la vérité, c'est la même chose, et du côté où il y a le plus de joie, c'est là où il y a le plus de vérité. » C'est bien par le portail de la joie que les convertis de ce temps-là sont entrés dans l'Église. Mais pourquoi parler des convertis de marque? Est-ce qu'entre les deux guerres toute notre jeunesse des mouvements spécialisés, s'engouffrant par cette porte ouverte et délaissant celle, mesquine et chagrine, des dévotes, n'a pas redécouvert une religion dilatante et rayonnante, un christianisme de ressuscités?

Mais cette jeunesse a profité aussi d'une autre idée, à la fois claudélienne et gidienne, celle de *l'éternité vécue dès maintenant*. Gide a été très frappé par cette parole de saint Jean : *Qui credit in me* HABET (au présent) *vitam aeternam*. C'est dès maintenant que nous sommes rendus participants de la vie éternelle. De notre côté, nous répétions le cri triomphal de Claudel : « Chaque matin, je rouvre mes yeux dans le Paradis. » Que de fois n'avons-nous pas rappelé cette doctrine joannique et paulinienne à notre jeunesse scoute et A. C. J. F., et avec quelle avidité ne fut-elle pas accueillie [1]?

---

1. Le 12 janvier 1924, Claudel écrivait à Gide : « Votre grande découverte, qui est parfaitement exacte, c'est que la vie éternelle n'est pas remise à plus tard, c'est qu'elle commence dès maintenant, à l'instant même, que le Royaume de Dieu est avec nous, *intra nos*. » (*Correspondance*, p. 240.)

Par malheur, la joie, l'expérience de l'éternité, comme tout cela demeurait ambigu au temps de Claudel et de Gide! L' « élan vital » de Bergson traversait les temps nouveaux, et, de confiance, on le nommait : Dieu. Mais c'était un Dieu ployable en tous sens. Chez un Péguy, « ressourcé » à la plus ancienne mystique de notre peuple, le Dieu de Bergson prenait des traits de vitrail : c'était le Dieu de saint Louis. Chez un Claudel nourri de liturgie et de thomisme, une exultation de premier chrétien rajeunissait un catholicisme par ailleurs solidement architecturé. Mais l'élan vital pouvait aussi camoufler la rentrée du dieu Pan; et à l'abri de ce beau nom de joie, de joie-pour-aujourd'hui, sous ce vocable franc et clair pouvaient tenter de se réhabiliter et de redorer leur blason les vieux faunes païens avec toutes leurs frénésies. Avec Gide... Mais n'anticipons pas.

Qu'est-ce encore qui, chez Gide, avait séduit, et séduit encore la jeunesse? C'est l'invitation faite à chacun de cultiver en soi ce qu'il a d'unique, d' « irremplaçable ». Ma joie, c'est ma création, disait Gide. Mon ciel ne ressemblera donc à celui de personne. Dieu n'appelle-t-il pas chacun par son nom? Proposer à tous un idéal commun, c'est fabriquer en série des conformistes, aussi lugubrement semblables que les mannequins de cire aux devantures d'un magasin de confections. Bien plus, c'est consentir à un écart entre la vie vécue et la vie manifestée, entre l'être et le paraître, car professer un idéal moral, c'est presque immanquablement se dispenser de le vivre. Nos « beaux sentiments » nous rassurent sur nos sentiments réels. Chacun croit volontiers que sa vie se situe sur le même plan que son langage, et l'on a tôt fait de se confondre avec sa façade. Le professeur de morale se tient pour moral. Tel laisse volontiers ses yeux et ses propos s'envoler vers les sphères supérieures qui reste, au vrai, fort en deçà. On attache bientôt plus d'importance à l'édification des autres qu'à la construction de soi-même, à l'apparence de la vertu — surtout homologuée par la société — qu'à la vertu même. (Et Gide écrit de l'un de ses personnages : « Sa décoration ne lui permet plus de douter de l'authenticité de ses vertus. ») Hypocrisie? Non, car si l'on fait des dupes, on est soi-même sa première dupe. On ment avec sincérité. Pharisaïsme plutôt. Il faut une crise, un choc, pour que le sépulcre surchargé d'ornements laisse apparaître le vide intérieur.

Il y a beaucoup à retenir dans ce procès des bien-pensants (c'est-à-dire de ceux qui se croient bons du seul fait qu'ils pensent bien). Ici encore, Gide n'a pas été l'initiateur, puisque Péguy l'a précédé. Et la plupart des écrivains catholiques d'aujourd'hui expriment les mêmes exigences : Mauriac, qui lui doit quelque chose, mais aussi Bernanos, qui ne lui doit rien. *Un Homme de Dieu*, de Gabriel Marcel, rappelle curieusement *l'École des Femmes*, de Gide, et n'est pas moins âpre. Quand toute une génération réclame une vie « authentique », prenons-y garde, nous ne pouvons pas nous séparer d'elle en invoquant le christianisme : la condamnation du Pharisien n'est-elle pas le trait le plus violemment accusé de l'Évangile?

Seulement, Gide va plus loin, où nous ne le suivons plus. Non content de dénoncer l'écart entre la vie vécue et l'idéal professé, il condamne tout effort vers un idéal défini, toute soumission à une morale. Une morale, pour être belle, dit-il, n'en est pas moins mutilante. Engager sa vie sur une voie unique, c'est renoncer à tous les autres chemins. Tant d'expériences nous attendent! Et les plus interdites sont les plus prometteuses. Nous sommes des êtres multiples, contradictoires : cette constatation, qui étonnait Pascal et l'engageait à surmonter la nature, enchante Gide et le décide à s'y enfermer. Pourquoi ne pas donner toutes leurs chances à toutes nos tendances? Nos instincts les plus divers doivent « dialoguer », et c'est la tension entre ces pôles opposés qui fera flamber notre vie, lui donnera son intensité et tout son éclat. Voilà bien ce qui chez Gide séduit la jeunesse : la promesse d'un humanisme intégral, d'une jeunesse sans fin.

La grâce de la jeunesse ne lui vient-elle pas de ce qu'elle
ne choisit pas parmi ses dons, ne préfère pas l'une de ses
possibilités à toutes les autres? elle les veut toutes. Entre
les deux « postulations » ou exigences qui sont en nous
et dont parle Baudelaire, l'une animale, l'autre céleste,
l'une vers Dieu et l'autre vers Satan, Gide s'est flatté de
ne pas choisir. A-t-il pu tenir cette gageure?

* *

Mais bien avant que le développement complet de la
vie de Gide ait pu administrer la preuve de sa réussite
ou de son échec, certains de ses premiers disciples, nous
l'avons dit, l'avaient dépassé, parfois même renié. C'est
que dans sa ferveur biblique elle-même ils avaient flairé
un énorme malentendu.

Gide avait falsifié l'Évangile. Pas un mot qu'il n'en ait
adultéré : présence de Dieu dans sa création, détachement,
joie, — oui, sans doute. Mais « Dieu », précisait Gide,
« n'est pas ailleurs que partout ». Mais le devoir du
détachement consiste surtout à se libérer de tous les
« devoirs ». Mais la joie, c'est la volupté.

Cette subversion des valeurs évangéliques s'expliquait
— Gide nous l'apprit bientôt lui-même — par le besoin
de justifier à ses propres yeux sa défaite charnelle. Ne
luttant plus, il voulait pouvoir contempler encore son
cœur et son corps « sans dégoût ». C'est au sortir de
certaines expériences, narrées avec une impudeur tranquille dans *Si le Grain ne meurt*, que Gide avait vu le
remords céder à l'extase des sens. Lisant alors l'Évangile
d'un œil neuf, j'en vis, dit-il, *s'illuminer soudain et l'esprit
et la lettre.* Combattre ses instincts, ces magnifiques
créatures de Dieu, n'est-ce pas s'opposer à Dieu lui-
même? L'offrande misérable que celle d'un cœur dévasté!
Oui, la morale est invention humaine. Sous l'être « factice », œuvre des conventions, l'être « naturel » demande
à « naître de nouveau ». Là est l'innocence véritable, là

la pureté; là la sincérité, qui est accord avec nos tendances profondes; là l' « esprit d'enfance », ingénuité que rien ne trouble. C'est dans l'explosion sensuelle que Dieu se trouve et se goûte. « Oh! mon Dieu, qu'éclate cette morale étroite, et que je vive, ah! pleinement..., sans croire toujours que je vais pécher. »

Gide a-t-il dès lors trouvé la paix? Comment le croire, quand son *Journal*, quand son œuvre entière est une entreprise de justification? Il continue de se dire religieux, et même chrétien. Il festonne, il rehausse ses écrits de sentences évangéliques dont il altère subtilement le sens, et le Christ cautionne ainsi les propositions les plus osées. Il s'approprie avec une adresse stupéfiante la parabole de l'Enfant prodigue, se coule en elle, lui donne une conclusion inattendue. Ainsi s'obstine-t-il à vouloir marier le ciel et l'enfer.

* *

Au moment de choisir, — car celui qui a prétendu éviter tout choix y sera enfin acculé par plus fort que lui : « Qui n'est pas avec moi est contre moi », — Gide hésite. La crise de *Numquid et tu* (Et toi aussi, serais-tu Galiléen?) est pour lui la croisée des chemins (1916). Il a toujours oscillé de Ménalque à Alissa : s'il tentait un effort du côté de la sainteté? Lui qui se précipite vers toute voie possible, se laissera-t-il dépasser de ce côté par ses amis convertis? Peut-être a-t-il mal lu l'Évangile?

Ah! ne laissez pas le Malin dans mon cœur prendre votre place! Ne vous laissez pas déposséder, Seigneur! Si vous vous retirez complètement, il s'installe. Ah! ne me confondez pas tout à fait avec lui! Je ne l'aime pas tant que ça, je vous assure.
L'Évangile est un petit livre tout simple, qu'il faut lire tout simplement.
Seigneur, je viens à vous comme un enfant, comme l'enfant que vous voulez que je devienne... J'écoute et vous soumets mon cœur.

Il écoute, mais n'entend que la rumeur qui monte de ses livres. Entre ses yeux et ce qu'il lit s'interposent les

truquages qu'il a déjà fait subir à la Parole. En vain
recourt-il à la Vulgate, au texte grec, sa pente l'emporte.
Un mot l'obsède, fréquent en effet dans l'Écriture :
Nunc. « C'est *dès à présent* qu'il faut vivre dans l'éternité. » Gide disait d'abord : la vie *futurement* éternelle
n'exclut pas la vie *actuellement* éternelle. Ce qui est fort
juste. Le voici maintenant qui affirme : « La vie éternelle que propose le Christ... n'a rien de futur. » Cette
fois, la rupture est consommée. C'est au moment où il
est face au Christ que, brusquement, Gide lui tourne le
dos.

*

On le vit alors s'éloigner à grands pas. En vain
Jammes, Claudel, Du Bos l'appelaient-ils : son *Journal*
prouve qu'il ne les entendait plus. Disons-le, car les
textes abondent, il fut injuste envers eux. Trouvant les
mots qui consterneraient le plus sûrement des chrétiens,
il les rendit responsables de son refus. On dira que
Jammes, avec sa brusquerie un peu simpliste, n'était pas,
pour ce subtil et ce compliqué, le convertisseur idéal, et
pas davantage le massif Claudel. Mais le subtil et
compliqué Charles Du Bos tenta, lui, de suivre Gide
dans les mille et un détours de son labyrinthe, et ne
réussit qu'à l'exaspérer. La vérité, c'est que ce soi-disant
éternel disponible ne l'était plus.

C'est alors qu'il se mit à crayonner dans les marges
de son *Journal* des portraits-charges de ses amis convertis. Nul ne fut épargné. Leur conversion était une
démission; ils avaient roulé en ribote sous la table sainte;
leur croyance avait anesthésié en eux l'esprit critique;
leur assurance était orgueil, leur foi mauvaise foi. Certains pourtant lui gardèrent leur amitié, d'autres rom-
pirent avec l'écrivain scandaleux qui, ayant tout perverti, et jusqu'à la parole inspirée, appelait maintenant
naturel un vice contre-nature et s'en constituait l'apolo-

giste. Entre Claudel et lui ce fut la lutte ouverte, Claudel
y allant de sa massue et Gide de son stylet.

En 1933, l'adhésion au communisme fut le dernier sursaut d'une âme désaffectée pour échapper à la prison du
narcissisme, à la vacance, au néant. Cet homme, qui
déjà ne savait plus où aller, cherchait un succédané du
christianisme. « Il faut bien que je le dise, ce qui m'amène
au communisme, ce n'est pas Marx, c'est l'Évangile. »
Toujours l'Évangile terrestre! Mais ici encore il craignit
l'enlacement d'une doctrine et se déroba vite.

Dès lors, Gide ne bougera plus. Instable, nerveusement
infixable, oui, mais sa belle inquiétude semble morte.
Son visage spirituel s'épaissit à la fois et se durcit. Parfois, au seul nom du Christ, il tressaille encore : « C'est
vous que je retrouve partout, alors que je croyais vous
fuir, ami divin de mon enfance. » Mais non, le voici décidément athée et antichrétien. Dieu est un mot « à peu
près vide de substance ». « Je ne comprends même plus
qu'à peine *de quoi il s'agit.* » Voici même le sarcasme :
tout mon mépris, dit-il, « c'est contre lui d'abord que je
le tourne. C'est ma façon de l'adorer ». Et ces banderoles
pour meeting anticlérical : « L'athéisme seul peut pacifier
le monde d'aujourd'hui. » « La religion et la famille sont
les deux pires ennemis du progrès. » Tout à la fin, certains mots, assez vagues, donnent l'idée d'un délayage
du pâle Renan : Dieu n'est pas, il devient...

**

André Gide suppliait qu'on ne le jugeât point. Nous
n'en sommes pas tenté. Mais une œuvre du moins se juge
elle-même qui, après avoir dévasté la fleur d'une génération, a fini par avoir raison de son auteur lui-même.
Devant cette nature fastueusement douée et que nous
avons vue couler comme le plomb au plus bas d'elle-
même, devant ce vieillard qui baisait la boue avec une
satisfaction totale (le tairions-nous quand il s'en est

targué il y a peu?), devant ce disciple du Christ consolidé
dans une paix rendant un son de mort, nous n'éprouvions
plus depuis quelque temps qu'une pitié épouvantée.
Quelle vie accomplie! clame le chœur des journaux. Oui,
en un sens, car n'ayant jamais cherché que *sa* vérité,
Gide l'a enfin trouvée [2].

André Gide ne s'est pas situé en dehors du christianisme pour le combattre. Il l'a parasité, s'est insinué
dans son essence, s'est accru de sa sève, l'a totalement
perverti. Les valeurs qu'il nous propose nous sont moins
étrangères que celles d'un Voltaire, peut-être même que
celles d'un Molière. Seulement, passant par lui, elles ont
subi une étrange mutation. Appel à une vie « éternelle »,
dépassement de soi-même, détachement, pureté, ferveur,
extase, confession même (quelle frénésie de confessions,
sur lesquelles il a fait descendre lui-même la plus abondante absolution!) : la contrefaçon est complète. Le surnaturel se voit tout entier ramené à l'humain, et l'humain au sensible. Au total, l'entreprise gidienne est une
transmutation narcissique des valeurs évangéliques. Cet
obsédé de l'Évangile, dont l'œuvre presque entière est
frappée au monogramme du Christ, gardera à nos yeux
la mine équivoque d'un faussaire. C'est un faux mon-
nayeur.

A-t-il agi consciemment? Qui l'affirmera? Il a opéré, si

2. Ma sévérité étonnera peut-être. Mais j'avais à traiter un sujet ter-
rible qu'ont escamoté les publicistes, entraînés, au moment de la mort
de Gide, dans le conformisme de litanies véritablement éperdues. Les
aspects déplaisants, pour ne pas dire dégoûtants, enrobés dans certaine rhétorique sucrée, ont été dégustés comme pralines par les lecteurs bien-pensants des journaux littéraires bien-pensants. Toute louange
languit auprès des grands noms. Aussi, quelle surenchère! Mais découvrir dans Gide du *cornélien* était réservé au génie — pourtant suave,
fondant et ennemi de toute expression un peu drue — de M. Francis
de Miomandre. Qu'est-ce donc qui, chez Gide, peut bien rappeler la
cambrure du Cid? C'est qu'il n'a jamais cédé « à la tentation de se réfu-
gier dans la commode retraite d'un dogme, d'une croyance ». (*Nouvelles littéraires* du 1er mars 1951.) Oserai-je mettre en garde un écrivain
aussi distingué que M. Francis de Miomandre contre la « tentation »
« commode » des phrases toutes faites?

j'ose dire, sans aucune des précautions des illusionnistes,
avec une désinvolture parée de candeur. Une candeur
qui ne semble pas jouée. Il a cent fois prétendu « prendre
au pied de la lettre les paroles du Christ ». L'énormité de
ses contresens a pu faire croire qu'il se moquait de nous.
Je crois plutôt que, de formation protestante, l'interprétation libre de l'Écriture lui a toujours paru la chose
du monde la plus naturelle; le poids de sa nature a fait le
reste.

Gide définissait Nietzsche : « Un lion dans une cage
d'écureuil. » Mais lui-même, c'est plutôt un écureuil dans
la jungle, une jungle qu'il a pieusement baptisée : Évangile. Il n'y rugit pas, il n'y brise rien, parce qu'il y trouve
ses aises et tout ce qu'il veut. Il s'y est finalement égaré.

A Cuverville, devant le cercueil d'André Gide, un pasteur protestant a lu quelques passages de *Numquid et tu.*
Oubliant le mal qu'il nous a fait, plusieurs catholiques, je
le sais, s'associaient de loin à cette prière, à ces formules
pathétiques qu'une instance de la grâce tira un jour de
lui, et qui prenaient un sens encore plus pathétique d'être
redites devant sa dépouille. Il ne s'agissait pas de le
confronter à la période la plus généreuse de sa vie, pour
le confondre, mais de lui prêter nos lèvres pour qu'il
puisse encore dire à Dieu :

Mon Dieu, je viens à vous avec toutes mes plaies qui sont deve-
nues des blessures; avec tous mes péchés sous le poids desquels
mon âme est écrasée.
Tous les reflets de Vous que je sentais en moi se ternissent. Il
est temps que Vous veniez.
Quoi! suis-je donc aujourd'hui comme si je ne L'avais jamais
aimé?
Souillure affreuse, ô salissure du péché! Cendre que laisse après
soi cette flamme impure, scories... Peux-tu me nettoyer de tout
cela, Seigneur? que je chante ta louange à voix haute.

ENCORE GIDE

Nous croyions connaître André Gide. Que peut avoir de caché un homme enragé de confession, confident jusqu'à l'impudeur, et qui, durant un demi-siècle, au long des deux mille pages de son *Journal*, a mis sa gloire à se dévêtir en public?

Une sincérité aussi ostentatoire nous en imposait. Est-elle sans faille? Une révélation récente permet d'en douter.

Il y a mieux : voici que, d'outre-tombe, Gide lui-même nous tend un complément de son *Journal*. Cette fois, nous sommes bouleversés : *Gide avait tu l'essentiel.*

Passons vite sur *l'Envers du Journal de Gide*. C'est une vilaine histoire. « Victor » (*alias* François Derais) est ce garçon — il avait alors quinze ans — qui vécut dix mois dans la même maison que Gide, et que ce dernier a si fort malmené tout au long de son dernier *Journal*. Chacun son tour. « Victor » donne maintenant sa propre version des faits (version qui fut connue de Gide, et contre laquelle il n'éleva que des contestations de détail). Ce que le glorieux septuagénaire avait oublié de dire, c'est que la « goujaterie » qu'il reprochait à l'enfant n'était qu'une attitude de défense contre certaines entreprises que l'on devine.

La publication d'un tel document — composé de querelles misérables, parfois malodorantes, et se situant à

l'étiage du Gide des dernières années — s'imposait-elle?
Oui, répond M. Henri Rambaud dans l'important essai
qui ouvre le volume. Gide n'a-t-il pas risqué presque
toute sa fortune littéraire sur la sincérité? Ne s'est-il pas
fait une spécialité de démasquer chez autrui l'hypocrisie? A l'égard de Gide lui-même, la critique a donc un
« droit » et même un « devoir » d'indiscrétion. Admettons.
Et passons. Et comme M. Derais se proclame de la même
famille spirituelle qu'André Gide, laissons-les laver leur
linge sale en famille. Retenons seulement que l'éclatante
franchise dont se targuait l'auteur du *Journal* n'est pas
sans éclipses [1].

*
* *

Autrement grave est le document qui émane de Gide
lui-même [2]. Préparant, en 1939, la publication de son
Journal, il notait :

A le relire, il me paraît que les suppressions systématiques (du
moins jusqu'à mon deuil) de tous les passages relatifs à Madeleine, l'ont pour ainsi dire *aveuglé*. Les quelques allusions au drame
secret de ma vie y deviennent incompréhensibles par l'absence de
ce qui les éclairerait; incompréhensible et inadmissible l'image
de ce moi mutilé que j'y livre, qui n'offre plus, à la place ardente
du cœur, qu'un trou.

Ce « drame secret », celui où se nouent tous les autres,
il nous le révèle donc enfin. Le moi de Gide, moins
« mutilé », moins « incompréhensible », en sera-t-il plus
« admissible » ?

1. François Derais, Henri Rambaud, *L'Envers du Journal de Gide*,
Le Nouveau Portique, 1951. L'étude de M. Rambaud est la plus attentive et la plus complète que nous ayons sur la « sincérité » gidienne.
Plein de respect et même de sympathie dans sa méthode, M. Rambaud n'en est pas moins impitoyable dans ses conclusions.
2. André Gide, *Et nunc manet in te*, suivi de *Journal intime*, Neu-
châtel et Paris, Ides et Calendes, 1951. (Une édition privée, tirée à treize
exemplaires, avait paru en 1947, aux mêmes éditions, par les soins
d'André Gide lui-même.)

Apprenant, en voyage, la mort de sa femme, — c'était en 1938, — il accourut.

Je fus surpris, lorsque je m'approchai du lit où elle reposait par la gravité de son visage. On eût dit que la grâce et l'aménité, qui donnaient à sa bonté une force si rayonnante, habitaient toutes dans son regard; de sorte que, à présent que ses yeux étaient clos, plus rien ne restait, dans l'expression de ses traits, que d'austère; de sorte aussi que le dernier regard que je portai sur elle devait me rappeler, non point son ineffable tendresse, mais le sévère juge-ment qu'elle avait dû porter sur ma vie.

Étant ce qu'il était, pourquoi Gide s'est-il marié? Pourquoi a-t-il épousé sa cousine Madeleine (l'Alissa de *la Porte étroite*, l'Emmanuèle des autres ouvrages), cette femme dont tous ceux qui l'ont approchée ont dit la bonté inépuisable, la paix rayonnante et même la sain-teté? C'est pour sa piété même qu'enfant penché avec elle sur l'Évangile, il l'avait aimée. Puis, jeune homme en quête d'émotions « mystiques », il la chérit comme une de ces princesses de rêve, plus anges que femmes, qui traversaient alors l'œuvre de Maeterlinck. Il y avait là, il l'a noté, un subtil orgueil, mais aussi certaine igno-rance de la vie, et pas mal de littérature. Survinrent les désirs charnels. De sorte qu'en lui une division s'opéra, qui fut pleinement acceptée. « Je ne pensais qu'à l'âme, écrivait-il à vingt ans; déjà je vivais dans le rêve; mon âme se libérait du corps... Puis je les ai tant séparés que maintenant je n'en suis plus le maître; ils vont chacun de leur côté, le corps et l'âme [3]. » D'un côté la frénésie sensuelle, mais de l'autre l'amour « éthéré ». Ceci complé-tait cela, l'équilibrait, le rachetait peut-être. Au grand profit de l'artiste, dont les facultés de création se trou-vaient stimulées, pensait-il, par la « cohabitation » en lui du « meilleur et du pire ».

C'est dans ces dispositions qu'il se maria. En épousant Madeleine, « c'est le ciel que mon insatiable enfer épou-sait [4] ». Le ciel, la catégorie de l'idéal, bien plutôt qu'une

3. *Cahiers d'André Walter*, Les Œuvres représentatives, 1930, p. 47.
4. *Si le Grain ne meurt*, p. 369.

personne. Tout le sentiment allait à l'épouse, tout le
charnel « ailleurs ». Son imagination avait bien forgé une
Alissa conforme au rôle qu'il prétendait lui imposer;
mais le mariage, il le reconnaît, « impliquait une sorte de
contrat, au sujet duquel l'autre partie n'avait pas été
consultée ». La pente était forte; la mauvaise foi suivit :
« ... J'en arrivai à me persuader confortablement que
mieux valait ainsi. »

Mme Gide comprit vite l'horreur d'une telle situation
(car, dès leur voyage de noces, et même en présence de sa
femme, il ne sut pas se contraindre). Elle ne pouvait être
tentée par une théorie de la « joie » imaginée tout exprès
par l'artiste pour justifier les joyeuses libertés du mari.
N'osant prêcher sa femme de vive voix, il espéra l'atteindre par le détour de ses livres. Car c'est à son intention qu'il écrivit son œuvre, pour la convaincre, en somme,
que ses misères étaient encore de la beauté, et son éloignement de l'Évangile une fidélité plus authentique à la
« ferveur » de leur enfance.

Toute mon œuvre est inclinée vers elle... Jusqu'aux *Faux Mon-
nayeurs* (le premier livre que j'aie écrit en tâchant de ne point
tenir compte d'elle), j'ai tout écrit pour la convaincre, pour l'en-
traîner. Tout cela n'est qu'un long plaidoyer; aucune œuvre n'a
été plus intimement motivée que la mienne, et l'on ne voit pas
loin si l'on n'y distingue pas cela.

Il échoua. Entre sa femme et lui, aucune « explication »,
jamais. Mais un silence bientôt intolérable, où il sentait
réprouvées sa conduite et son œuvre. Ces livres, qui soulevaient par le monde si grand tapage, sa femme les
laissait sur la table, non coupés. « Je passai outre. » Est-il,
dans toute son œuvre, un mot plus triste?

Un jour, elle brûla toutes ses lettres.

Et ce fut la brisure, pas seulement entre eux, mais en
lui. Sans doute souffrit-il, il l'avoue, de voir « réduit à
néant par elle ce qui, de moi, me paraissait mériter le
plus la survie », mais surtout ce geste muet déchirait

son mensonge. Désormais, le savant équilibre en lui était rompu. Détaché d'elle, de son « ciel », il glissa au plus bas.

Tout ce qu'elle soulevait en mon être de bon, de généreux, de pur, retombe, et cet abominable reflux m'entraîne tout entier vers l'enfer... J'étais, je suis encore quelqu'un qui s'enlise dans un marais puant, cherchant autour de lui quoi que ce soit de fixe, de solide, où prendre appui, mais entraînant avec lui et enfonçant dans cet enfer boueux tout ce à quoi il se raccroche.

Cependant, Mme Gide s'efforçait de rééquilibrer sa vie à elle par une plus grande union à Dieu. Où le mari ne voyait que recherche d'un « confort » spirituel! Exaspéré, il notait « le lent progrès du catholicisme sur son âme (elle était, comme lui, protestante); « il me semble, ajoutait-il, assister à la marche d'une gangrène ». Jusqu'à ce qu'enfin la mort de sa femme lui arrache cet aveu : « Je garde ce remords d'avoir faussé sa destinée. »

*
* *

André Gide ne nous aura jamais aussi sûrement touchés que dans cette confession suprême, enfin vraie, enfin *repentante*. Ce virtuose des aveux astucieusement tournés en apologie ne ruse plus : il s'accuse. Et, désarmé, il nous désarme.

Une gêne pourtant subsiste. Mme Gide redoutait que, pour comble de malheur, son drame intime ne fût un jour livré en pâture à la curiosité d'un immense public — son mari insiste assez là-dessus — et c'est bien pour cela qu'elle détruisit ses lettres : elle morte, que n'a-t-il respecté cette pudeur! Une colère vous vient contre le démon littéraire parlant plus fort qu'une volonté sacrée.

Même dans cet écrit, d'ailleurs, la « littérature » rend tout suspect. De quelque vénération qu'il témoigne de la part du peintre, le portrait de Madeleine comporte tout de même quelques ombres. Or l'incident de « Victor » nous a avertis de nous tenir sur nos gardes dès que nous n'entendons qu'une voix, — et nous n'entendrons jamais la voix de Madeleine.

Enfin, le pathétique même dont frissonnent ces pages est-il toujours de parfait aloi? Le pathétique, hélas! fait partie du métier; il se fabrique; ce qu'en vaut l'aune, tout écrivain le sait. Et même devant sa femme Gide ne cessait pas d'être un artiste, qui s'émeut à volonté, exulte ou larmoie, et cependant s'observe. Devant les cendres de ses lettres, « durant une pleine semaine, je pleurai, écrit-il; je pleurai du matin au soir, assis au coin du feu de la salle où notre vie se concentrait; je pleurai sans arrêt, sans chercher à lui dire que mes larmes, et toujours attendant d'elle un mot, un geste... En vain espérais-je que la constance de mon chagrin triompherait de cette apparente insensibilité... » On le voit pleurant, et du coin de l'œil guettant l'effet de ses larmes. Elle ne se laissa pas fléchir par une comédie devenue naturelle, et qui ne coûtait pas cher. De même, dans ces pages inondées de belles larmes, et ennoblies d'évocations littéraires où sa femme est Béatrice, Eurydice ou Ariane, tandis que lui-même tient le rôle de Dante, de Thésée ou d'Orphée, Gide nous semble se jouer à lui-même un drame malgré tout complaisant..., où le public est admis. Si ses pleurs n'ont pas attendri sa femme, ils l'attendrissent lui-même. Faut-il le dire? Les pleurs pénitents ont leur beauté; et Gide pleurant ne lâche pas son miroir. Un geste regrettable a privé la postérité de l'un des volets du diptyque gidien, celui où s'inscrivaient l'élan spirituel, l'aspiration à la pureté. (« Peut-être n'y eut-il jamais plus belle correspondance. ») Mon œuvre, gémit-il, n'est plus qu'une « symphonie où manque l'accord le plus tendre, qu'un édifice découronné ». Mais, prenant la place des lettres, le *Journal* posthume peut encore réparer le désastre, s'il restitue cette note exquise, s'il redresse la flèche écroulée de l'idéal. Et avec les pierres de son foyer détruit, Gide édifie cette Sainte-Chapelle du souvenir où flamboiera dans les siècles sa repentance. Sa vie a fait « faillite », il l'avoue. Mais où l'homme a piteusement échoué, l'artiste peut triompher encore.

Non, décidément, rien ne peut faire que le mensonge artistique ne soit au cœur de ces confessions apprêtées. Et le pire est que Gide lui-même n'est pas dupe. Artiste toujours, oui, mais toujours lucide, il note soudain : « ... Il entre de la complaisance dans ma plainte : le besoin d'une unité de ton dans ce carnet et comme une convenance artistique. » Et nous apprenons du même coup qu'il a « exagéré » sa « piété » dans *Numquid et tu*, aussi bien que sa « joie (trop résolue et, partant, factice) » dans ses *Nouvelles Nourritures* [5]. Serait-ce donc que chez lui tous les mots mentent? Mais alors, d'un pôle à l'autre de cette œuvre, aux appeaux de laquelle tant d'âmes plus naïves que la sienne sont venues se prendre, tout vacille! De tant d'ardentes convictions si bien dites, que reste-t-il, sinon qu'elles sont bien dites?

Un mot, au moins étrange, rapporté par Julien Green, accroît notre inquiétude. « Converti au catholicisme, n'allez-vous pas, lui dit-il, perdre votre talent? »

Il me fait voir la place que je pourrais occuper (dans la littérature) et brusquement me lance cette phrase : « Pourquoi ne feriez-vous pas *une embardée du côté du démon?* » Je lui dis que je ne serai jamais du côté du démon. Et Gide : « Vous feriez semblant [6]! »

Mais alors, que devons-nous penser de son embardée à lui du côté de Dieu au temps de *Numquid et tu?* Sommes-nous sûrs qu'il n'a pas « fait semblant » ? Qui démêlera jamais — et lui-même ne l'eût pu faire, sans doute, — ce qu'il entre de souci littéraire dans ses prises de position les plus émouvantes?

Après tout, de quoi nous étonnons-nous? L'homme qui a sacrifié à son art l'être au monde qu'il a le plus aimé, a bien pu lui sacrifier aussi les scrupules de la vérité. Sa jeunesse, comme celle de toute sa génération, fut pourrie

5. *Journal*, 26 août 1938, Bibliothèque de la Pléiade, p. 1314.
6. Julien Green, *Journal*, V, 1946-1950, p. 110.

d'esthétisme. Il ne s'en guérit jamais. Et ce fut le deuil
secret de son âge mûr de voir, non seulement sa femme,
mais tant de ses amis (tels Jammes, Copeau, Ghéon,
Dupouey), préférer la vie à la littérature. Ils n'adoraient
plus les mêmes dieux. Il accusa de trahison celle et ceux
qu'il ne cessait pas d'aimer. Qu'y a-t-il de plus cruel que
de garder son amour à des êtres qu'on ne reconnaît plus?

Gide a dû beaucoup souffrir. Pour la première fois
peut-être il laisse ici entrevoir sa blessure; il s'efforce — en
vain, hélas! — de rompre les rets des prestigieux men-
songes dont toute sa vie s'est faite prisonnière; il se fait
humble; il expie. Pour la première fois il nous émeut.

Ne lui jetteront la première pierre que ceux que n'a
jamais inquiétés le si troublant mystère de l'art. L'exemple
de Gide est effrayant, et quiconque tient une plume son-
gera qu'un danger tout pareil le menace, celui de préférer
à la vie ce qui n'en est que le masque orné. Car l'art est
à la fois vérité et mensonge, et l'artiste qui ne se fixe pas
dans la Vérité se consolide tôt ou tard dans le mensonge [7].

7. Sur ce problème central de la vie d'André Gide, de nombreux
livres ont paru depuis : d'amis, de témoins, de psychologues. Tous
confirment ou même aggravent ce que nous lisions dans *Et nunc manet
in te*. Citons en particulier : Jean Schlumberger, *Madeleine et André
Gide;* Roger Martin du Gard, *Notes sur André Gide;* Pierre Herbart,
A la recherche d'André Gide; Jean Delay, *La Jeunesse d'André Gide*.

L'APOTHÉOSE
DE MARCEL JOUHANDEAU

« Dieu est grand et moi aussi. »

M. J.

Pourquoi tout ce bruit? M. Marcel Jouhandeau serait-il ce jeune grand écrivain que nous attendons?

Il a passé la soixantaine et publié, en trente ans, quarante volumes. Jeune? Nous sommes loin de compte. Mais on ne prive pas aisément le morphinomane de sa piqûre, ni le public de sa « révélation » bi-mensuelle. De là, soudain, ce déchaînement de l'orchestre publicitaire, la radio mobilisée, *l'Imposteur* tambouriné à l'oreille des sourds, l'auteur traîné devant le micro; et, pour finir, le coup de cymbales de l'éditeur : « Un départ foudroyant : huit mille exemplaires vendus en dix jours. »

Jeune? Non, mais grand écrivain. Et qui vaut mieux que son dernier livre [1].

*
* *

Jouhandeau prend pour sujet son propre ménage, qui se trouve être de ceux que l'on dit « impossibles ». Nulle affabulation romanesque : à quoi bon une intrigue là où le « drame » ne cesse pas? Mais, ficelées au hasard, des notes cueillies sur le vif. Nulle transposition : qui doutait qu' « Élise » — plus facile à identifier que l'héroïne du sonnet d'Arvers — fût Mme Jouhandeau en personne, l'a bientôt appris de sa bouche : l'ouvrage à peine paru, la voici qui s'avance au-devant des photographes (le livre se vend de mieux en mieux), se répand en interviews où

1. *L'Imposteur*, Bernard Grasset, éditeur, 1950. Mais l'œuvre presque entière a paru chez Gallimard.

elle propose aux journalistes amusés sa version à elle des
différends conjugaux (les éditions se succèdent, les presses
gémissent), annonce enfin une réplique à *l'Imposteur* : ce
sera *Joies et Douleurs de la Belle Excentrique* (voilà un
livre tout lancé). De privé devenu public, le drame tourne
à la comédie.

Il faut croire que le « succès foudroyant » s'explique par
une indiscrétion ici portée à son comble, car enfin nous
avions déjà les *Chroniques maritales* et les *Scènes de la Vie
conjugale*, d'un mérite au moins égal, si plus voilées. Ici
et là Élise au premier plan, excentrique, jalouse, agitée
de tempêtes baroques suivies d'un beau temps aussi
inexplicable que suspect. Élise et ses bêtes, Élise et ses
pauvres, Élise convertie, Élise caressante et tout à coup
la hache levée pour un mauvais coup. Tableaux! Deviné
dans l'ombre, le mari-auteur, moins pittoresque, n'est
que pitoyable. Cet homme qui a « l'air austère d'un professeur ou d'un moine » a épousé une danseuse; solitaire
ombrageux, il vit sous le joug. Veut-il faire son Jupiter
et tonner? Junon se dresse, ou c'est la Gorgone aux cheveux hérissés et sifflants. Battu et content, en somme,
puisqu'il ne s'est marié, dit-il, que pour s'imposer une
discipline. Mais pourquoi étaler ce linge sale? C'est que
le malheureux, devant son écritoire, échappe à sa femme;
il ne la domine que par son talent : publier ses chroniques,
c'est son moyen à lui d'avoir le dernier mot. La plume
acérée vaut la langue bien pendue.

De quoi nous plaignons-nous? Pour quelques francs ils
nous offrent leur comédie à domicile. Le lit conjugal est
sur les planches. Élise continue son métier. Et Jouhandeau pousse jusqu'à l'impudeur le côté baladin de quiconque tient une plume. Chacun de ses livres : une exhibition. L'un des numéros s'appelle *Ménagerie domestique*. Il
« montre » son ourse, et le plaisir du bon public n'est
jamais aussi vif que lorsqu'elle gronde très fort et griffe
le montreur. Applaudissons!

**

Au fait, voici une lueur qui nous permet de nous risquer, au-delà de *l'Imposteur,* dans une œuvre touffue,
profonde et à bien des égards redoutable. Cette chamaille
conjugale étalée aux yeux de tous, comme cela ressemble
à un fabliau! Mais c'est « le dit du Mal Marié » ! Chaminadour, — la ville natale de l'auteur, Guéret, recréée
selon son imagination et son cœur, — est un bourg du
moyen âge. Les murs épais des maisons sont vrillés par
des regards avides, et tout ce qui ne se voit pas se devine.
Le mari et la femme vont donner alentour, chacun de son
côté, leur version d'une dispute dont toute la rue aux
aguets a perçu l'éclat. « Une rue de province ressemble à
une allée des supplices : le malheureux qui choit y est
jugé et torturé par trois cents femmes assises chacune
sur le pas de sa porte ou dans le fond de son alcôve. »
M. Jouhandeau est une commère de son village : bon œil,
bon bec. Bonne plume. Autour d'Élise, dans les ouvrages
antérieurs, nous voyons se lever cent autres visages inoubliables : le père et la mère de l'auteur, les voisins, les
voisines, tous traités à la même eau-forte, tous agrandis
jusqu'au type et même jusqu'au symbole religieux. Pour
qui sait voir, chaque village recèle ses monstres, des bac-
chantes et de grandes courtisanes, Tartuffe et Harpagon.
De la boucherie paternelle on apercevait l'église : le cycle
Chaminadour contient de bien bonnes histoires de curés,
de présidentes d'Enfants de Marie. Lisez ce portrait des
dévotes :

Les dévotes n'habitent pas loin de l'église, qu'elles hantent,
comme les fées de nos vieux contes. Elles se déplacent lentement.
Elles sont caparaçonnées de laine. Leurs mains dans les mitaines à
deux doigts ressemblent à des pinces et leurs capotes sont munies
d'antennes subtiles. On dirait des insectes vus au microscope.
Leur vie est très enveloppée, très primitive, très simple. Friandes
et pieuses, elles vivent de bonbons, en attendant le Paradis.
Qu'elles auraient de peine à ne pas se croire immortelles, et quel
dommage pour Dieu si elles ne l'étaient pas! Ceux qui ne les

connaissent guère peuvent se moquer de leur piété. Ceux qui les
approchent se demandent ce qu'elles seraient sans leur piété? Des
bêtes plus vulgaires [2].

Nous avons là un Jules Renard à pointes sèches, sans
sécheresse; un La Bruyère plus riche d'âme et qui ne recu-
lerait pas devant une paillardise; un Saint-Simon des
petites gens, et dont l'œil de bœuf est la vitre d'une boucherie; un Jérôme Bosch qui jette pêle-mêle ses compa-
triotes dans un enfer d'un grotesque hallucinant. Le style
de Jouhandeau résume en lui, comme une vieille église,
tous nos styles successifs. Dans sa syntaxe, d'entournures
aussi libres que la latine et d'une solidité classique
(M. Jouhandeau a été professeur de sixième pendant
trente-sept ans), des mots s'enchâssent qui sont de la
veine populaire la plus plaisante. Imaginés par lui pour
démarquer les noms réels [3], ceux qu'il invente sont sans
éclat indiscret, mais d'un riche velours... comme les robes
des dévotes; fourrés comme des pâtisseries de province,
des chaussons cuits au four banal, ils se dégustent lentement : Chaminadour, les Pincengrain, Noémie Bodeau,
Prudence Hautechaume, Paul Craquelin.

La Jeunesse de Théophile nous apprend que son auteur
fut un premier communiant ébloui pour toujours par l'or
des chasubles, des chapes, de l'ostensoir. Toutes les maisons du village se nichaient comme autant d'absidioles au
sein d'une cathédrale énorme dont l'église était le taber-
nacle. Rien n'échappait au sacré. Au-dessus du lit, le
crucifix jugeait les actes et jusqu'aux pensées de l'enfant.
Sortait-il dans la rue, il « croyait entendre l'Éternel appeler chacun par son nom, et chacun répondait : « Présent! »
Puisque tout déjà était patent au regard de Dieu, l'indiscrétion était impossible. Il fallait tout dire. Chaminadour

2. *La Jeunesse de Théophile*, p. 173.
3. Mais les victimes se sont reconnues! Il faut lire le chapitre de
Binche-Ana intitulé « Chaminadour insurgée ». « La ville avait failli
devenir collectivement folle de colère contre celui qui avait osé lui présenter son image. »

est une cité mystique qu'éclaire jusqu'en ses derniers
retraits la lumière du Jugement. C'est tout un monde de
sainteté et de stupre dont les passions cachées se mettent
à hurler à l'apparition du signe de la croix. D'un ouvrage
à l'autre, nous retrouvons Véronique, la Duchesse, Éliane,
M. Godeau, qui continuent d'entrecroiser leurs pas pour
s'extorquer leur secret.

Jouhandeau a conçu son œuvre comme une église « où
je logerais, nous dit-il, Dieu et mon âme, et tous les miens
et les étrangers ». Nous avons suffisamment parlé des
gargouilles, et de ce portail où, dans la balance de l'ange,
M. l'Archiprêtre est aussi nu que « le coiffeur ». Le sanctuaire nous réserve quelques surprises. De la farce, nous
sommes déjà passés au « mystère ». Et nous voici en
théologie.

Jouhandeau est un obsédé de Dieu. Enfant, il a connu
ce contact intime, ce feu au cœur, ces larmes de joie dont
on s'ébahit quand on en trouve l'aveu cousu dans le
pourpoint de Pascal, alors que tant de chrétiens en gardent
encore mieux le brûlant secret sous la cendre accumulée
de leur vie. Sans cette expérience, on peut écrire de
savants traités sur Dieu, aura-t-on l'âme religieuse?

Un soir de novembre que j'ai prié dans mon église et un matin de
mai que j'ai lu dans le jardin de mon père le Sermon sur la Mon-
tagne sont les deux dates de ma vie intérieure les plus mémorables.
Je n'en sais plus les années lointaines, mais j'en garde le parfum,
le charme en moi comme un souvenir personnel de Dieu [4].

On crut autour de lui, lui-même pensa qu'il était appelé
au sacerdoce. « Théophile éprouvait confusément qu'il
n'y avait rien — en dehors de lui — de plus grand que
les prêtres. » En dehors de lui? Ne nous choquons pas
encore : un enfant qui porte un tel secret croit volontiers

4. *Algèbre des Valeurs morales*, p. 200.

qu'à lui seul Dieu a ainsi parlé. Retenons toutefois le trait :

— Tu seras prêtre, Théophile?
Cette parole le fit penser aux hommes qu'il avait vus dans la foule grise se promener vêtus de roses, plus grands que des rois. Dès qu'il eut entendu la voix d'une Supérieure lui parler de cet avenir comme d'une chose qui lui était possible, il sentit son désir se confirmer, et il éprouva qu'il s'était engagé à être prêtre pour l'éternité dès qu'il eut répondu :
— Oui [5].

Que se passa-t-il? Il déçut tout le monde. Il prétendit, nous le verrons bientôt, monter plus haut encore. Des amitiés mystiques, celle surtout de « Mme Alban » (une Mme Guyon plus trouble et plus folle que l'inspiratrice de Fénelon), exaltèrent son ambition d'une vie passée en tête à tête avec Dieu, tout le reste rejeté comme indigne. Mais réelle ou seulement rêvée, la vocation a imprimé sa marque indélébile sur les goûts, l'imagination, les exigences spirituelles de Jouhandeau. Jehan Rictus ne lui découvrait-il pas une ressemblance avec Lamennais?

Quelques êtres naissent prêtres, écrit Jouhandeau lui-même Ils sont tentés d'entrer dans les Ordres... Plusieurs s'y engagent, d'autres s'y dérobent, mais ceux qui s'y dérobent n'en sont pas moins prêtres, n'en sont que davantage prêtres, quoi qu'ils fassent... Sans cesse, ils entendent autour de leur être une parole qui les préserve, qui les réserve, qui les sépare, qui les sacre et les consacre à part [6].

Ainsi fait, comment Jouhandeau a-t-il pu se marier? Nous retrouvons ici l'inévitable Élise. Il espérait normaliser du même coup sa vie religieuse trop méprisante de tout ce qui n'était pas Dieu, et sa vie sexuelle détraquée par un quiétisme indulgent aux pires vices. Le sacrement allait opérer ce miracle de lester l'esprit et de sanctifier sa chair. Le cercle mortel de l'égoïsme spirituel serait brisé. Entendez M. Godeau se prêcher lui-même, fort bien

5. *La Jeunesse de Théophile*, p. 19.
6. *Essai sur moi-même*, p. 58.

d'ailleurs, quoique un peu longuement, comme il arrive quand on se croit en chaire :

(Par le mariage) l'individualité dans ce qu'elle a de plus essentiel, dans son unité et dans sa substance, a été atteinte. Il y a là métamorphose mystique... Je ne dispose plus de moi. Par un miracle des rites qui a changé ma nature simple en une double nature, je ne puis plus dire, sans me renier à demi, que je ne suis toujours que moi, je suis devenu « moi + un autre ». Je suis devenu « elle et moi », « Élise et moi »... Je ne suis plus que la moitié de mon être physique et moral... Le centre même de ma personnalité s'est déplacé... Je ne suis plus à moi seul un système parfait, un être entier, je ne suis plus que l'un des deux foyers ou l'un des deux pôles d'un individu nouveau en deux personnes [7].

Ainsi médite M. Godeau, toujours séduit par l'éternité, ici transposée du sacerdoce au mariage. La vie commune se révèle-t-elle impossible? Des amis apitoyés lui conseillent-ils la rupture?

De même que je n'ai pas le droit de renoncer à ma propre âme si elle me pèse, à plus forte raison n'ai-je pas le droit de renoncer comme on dépose un fardeau trop lourd, à cette seconde âme que je me suis moi-même donnée, que j'ai adoptée solennellement, volontairement devant Ciel et Terre... Je n'ai plus à jamais le droit de défaire ce que j'ai fait et personne sans péché ne peut m'y inviter. Que je le veuille ou non,... cette âme est unie à jamais à mon âme, son salut à mon salut, sa perte à ma perte... Je ne suis qu'une chair et qu'une âme avec Élise [8].

Mais ce morceau, dont je ne soulignerai pas la beauté, ne dévoile qu'un aspect d'un être double; et voici l'autre aspect (noté à la veille du mariage, mais qu'on entend en sourdine dans *l'Imposteur*). Après la méditation voulue et pesante, quelle explosion!

Non, je ne veux pas qu'elle vienne chez moi.
Là je suis seul, je me suis toujours vu seul, je demeurerai seul.
Il faut qu'il y ait toujours un endroit de moi où nul, pas même elle, n'ait accès.
Le Nid de l'Aigle.
Me souvenir de ma vocation.

7. *Monsieur Godeau marié*, p. 204 et 205.
8. *Ibid.*, p. 206 et 207.

Ma vocation est un mystère, même pour moi.
Ma vocation est le secret de Dieu sur moi.
Je n'étais pas mariable, je ne suis mariable qu'à l'Absolu [9].

Le drame de M. Godeau, c'est qu'engagé dans « cette
Aventure éternelle qu'est le mariage », il vit en réalité
séparé, *segregatus*, dans son veston comme dans une
soutane, dans la chambre conjugale comme dans une
cellule. Non, lui disent ses amis, « vous n'aurez jamais
l'air marié ».

Quand Élise le trouve lointain, il lui suffit d'ouvrir les
livres de son mari — ressource que n'ont pas toutes les
femmes — pour savoir à quoi il rêve, pour suivre, depuis
la Jeunesse de Théophile jusqu'à l'*Algèbre des Valeurs
morales* le chemin escarpé de ses pensées, pour apprendre
aussi, hélas! qu'il n'y a pas de place pour elle au « Nid
de l'Aigle »! *L'Imitation*, saint Jean de la Croix, sainte
Thérèse, commentés par Mme Guyon plutôt que par le
curé de la paroisse, ont enseigné à M. Godeau que toute
la dignité de l'homme est « intérieure » : dans la fréquen-
tation de Dieu accueilli comme en visite au « château »
de l'âme. « Dieu et moi » : idée exaltante! Tout le reste
n'est « rien ». Aux yeux brûlés par la présence de Dieu, le
monde , pâlissant, n'est plus que « fantasmagorie », « un
langage d'amour convenu entre Lui et moi ». Quant aux
hommes, les plus proches eux-mêmes s'éloignent, n'ont
bientôt plus que la taille de « bacilles vus au microscope »,
tandis que M. Godeau grandit, grandit, jusqu'à presque
égaler Dieu... puisqu'il lui parle! Les anges eux-mêmes,
d'après saint Thomas, n'accèdent pas au secret dernier
des âmes : comme dans les tableaux, ils volètent, défé-
rente auréole, autour du front que Dieu visite. Mons-
trueux aux yeux du monde, cet orgueil et cet égoïsme

9. *Monsieur Godeau marié*, p. 16, 17, 28, 247.

sacrés le seraient-ils aussi pour Dieu? « Que ton égoïsme
ne t'effraie pas, c'est moi qui l'ai déposé en toi », croit
entendre le nouveau mystique. Mais sur ces sommets
est-on jamais assuré de ne pas interpréter des souffles?
« Hélas! avoue M. Godeau, empruntant sa ressemblance,
parfois c'était le Démon qui se glissait à la place de Dieu
et me répondait. »

Celui qu'a séduit dans le sacerdoce l'orgueil d'une
proximité insurpassable avec Dieu, et qui s'est voulu
plus que prêtre, sent la tête lui tourner. Embourbés dans
les impuretés sociales, le vulgaire et M. l'Archiprêtre lui-
même devraient envier celui qui vit au plus haut de soi,
dans sa « fine pointe » (il parle comme les mystiques);
tels les personnages des tympans, les voilà obligés de se
tordre le cou pour apercevoir, très au-dessus d'eux, celui
qu'enveloppe la Gloire comme un manteau partagé avec
Dieu. Apothéose secrète, d'autant plus savourée.

Mais comment se fait-il? M. Godeau pèche! Dans le
même cas, les quiétistes voulaient ignorer ce qui se passait dans les parties basses de leur être. Cette mauvaise
foi répugne à M. Godeau. Pour garder son auréole, il
usera d'une autre malice : il va muer la honte charnelle
en péché des anges, redresser un faux pas de vilain en
une révolte de grand seigneur, où l'orgueil retrouvera
son compte. Asservi à ses vices? Dites plutôt pécheur
volontaire. Voué à la damnation? Non, c'est lui qui
choisit l'enfer. Tentation grandiose... et gamine : per-
pétrer le mal pour faire l'intéressant, « pour attirer
l'attention de Dieu ». Sa supériorité sur Dieu : Dieu ne
peut pas ne pas l'aimer, quand lui-même peut se refuser
comme un enfant capricieux. Bouderie où c'est le Père
qui souffre. S'éloigne-t-il, Dieu le poursuit. Le poursuit
jusqu'au cercle dernier de l'abjection, jusqu'en enfer. Si
je pèche, écrit-il, « c'est Dieu qui est en enfer ».

L'Enfer est la plus grande souffrance de Dieu avant d'être la
mienne.

L'histoire de mes péchés sera le chapitre des humiliations de Dieu en moi dans l'histoire de Dieu.

Si je Lui refuse mon amour, Dieu se fait romantique et pleure au milieu de son ciel comme sur un rocher nu... L'Enfer n'est pas ailleurs qu'à la place la plus brûlante du cœur de Dieu... Les Anges ne Le consolent pas de moi.

Dieu est présent dans l'Enfer avec moi... Il m'y étreint... Il y est face à face avec moi, et moi avec Lui, d'égal à égal. Je suis le pendant de Dieu, le jouteur de Dieu, son second, le seul adversaire qu'Il ait redoutable. Et notre dispute est encore dialogue d'amour où entre désespoir et éternité.

Dieu scellé à moi. Moi scellé à Dieu.

Je vois toujours Dieu crucifié à moi [10].

ELLE. — J'ai peur de Dieu.

LUI. — Vous êtes de l'Ancien Testament... Dans le Nouveau, c'est Dieu qui a peur [11].

***

A la face d'un monde qui crie un peu trop fort son athéisme, comme on crie de douleur, l'œuvre entière de Jouhandeau affirme tranquillement Dieu. Je crois à lui, écrit-il, « comme à un être dont l'existence est évidente ». Sans Dieu, d'ailleurs, « plus rien n'aurait de sens ni d'importance ». Il n'y aurait plus pour l'homme bien ni mal, haut ni bas : quelle platitude! « Un athée est un homme châtré du côté de l'âme. L'athéisme : se priver de Dieu, quelle mortification! L'athéisme : s'amputer de Dieu, on ne pouvait être plus cruel envers soi-même. L'athéisme : se diminuer de l'infini. » Dieu est notre unique point de repère : « même si l'on s'éloigne de lui, au moins sait-on où l'on va ». De sa présence, vient à tous nos actes leur grandeur redoutable : « Il y va de l'Enfer et du Ciel dès que je branle seulement la tête. »

C'est pour relever l'homme, dont une certaine littérature chrétienne, janséniste et moralisante, avait fait un pantin manœuvré d'En-Haut, que Nietzsche avait réclamé la mort de Dieu. Mais aux dernières nouvelles, Malraux nous apprend que le meurtrier n'a pas survécu à sa vic-

10. *Algèbre*, p. 228, 229, 232.
11. *Monsieur Godeau intime*, p. 235.

time : loin de prendre des sentiments divins, l'homme
ne se pose plus que des problèmes de troupeau, et les
maux du surhomme amputé de sa responsabilité infinie
ne relèvent plus que des vétérinaires de l'eugénisme.
L'athéisme avilit ce qu'il pensait grandir. Jouhandeau le
savait avant Malraux.

Mais l'autre idée de Nietzsche, celle de la grandeur de
l'homme par la liberté, le christianisme peut l'avouer
puisqu'elle est sienne. Dieu nous respecte, parce qu'il
est l'Amour, et que tout amour s'expose au refus. Dans
la main du Tout-Puissant, nous ne sommes pas des
pierres, mais de petits êtres en quelque façon infinis,
puisque nous pouvons dire non à l'Infini. Voilà ce qui a
frappé Jouhandeau jusqu'à l'obsession.

Certes, nous sommes fort gênés devant un christianisme qui semble, à la manière quiétiste, prétendre se
passer du Christ pour aller droit à Dieu; qui meurtrit la
face humaine où ne se reconnaît plus la Face de l'Amour
incarné; qui croit approcher Dieu davantage en s'éloi-
gnant des hommes. Et je reconnais aussi qu'elle est fort
déplaisante à la longue cette façon d'endosser une peau
de damné pour mieux montrer la grandeur impérissable
du chrétien, même pécheur. Dans l'œuvre de Jouhandeau,
la lumière paradisiaque est bien pâle, quand l'enfer
flambe de tous ses feux; mais c'est un enfer chrétien.
D'autres, Claudel en particulier, ont montré que l'homme
fait un plus bel usage de sa liberté en s'ouvrant à Dieu.
Mais devant l'effort désespéré du prométhéisme pour
fonder sans Dieu la grandeur de l'homme, il était bon
d'affirmer une fois de plus qu'on n'accède à cette grandeur que dans l'ordre de la grâce et du péché [12].

---

12. Comme celle de Graham Greene (curieusement obsédée, elle aussi,
par la damnation), l'œuvre de Jouhandeau ne répond pas au christianisme, mais aux païens qui nous entourent, dont elle emprunte les perspectives et jusqu'au langage. « Depuis que Dieu a créé un être libre,
Dieu n'est plus le Tout-Puissant, écrit Jouhandeau. Il a introduit dans
le système de la nature une inconnue », la liberté humaine. (*Algèbre*,
p. 213.) Ce paradoxe sonne aussi fièrement que la réponse fameuse

***

Marcel Jouhandeau est-il parmi nous un suppôt de l'enfer, comme l'affirment les journaux? Lui qui sait ne pouvoir être grand sans Dieu, a-t-il décidé de ne pas l'être avec Dieu, mais seulement contre Dieu? Tenant ferme la foi, refuse-t-il l'espérance et la charité? Voilà qui ne nous regarde pas.

Mais l'affirmer serait méconnaître les lois de la création artistique. M. Godeau n'est qu'un *personnage* de Jouhandeau, autrement dit un Jouhandeau *possible*, non réel. On a beau faire, on ne livre de soi que des masques. On croit écrire avec son sang, ce n'est jamais qu'avec de l'encre. Comment, sans ridicule, attribuer à Duhamel les échecs de Salavin, à Claudel la sainteté de Violaine [13].

D'autant plus que M. Godeau n'est que *l'un* des personnages de Jouhandeau, lequel ne serait pas un grand écrivain s'il ne nous faisait pas entendre des voix alternées, Éliane la sainte donnant jusqu'au bout la réplique à M. Godeau le damné, comme dans *l'Annonce* Mara à Violaine.

Mais, dira-t-on, le créateur n'a-t-il pas fini par s'identifier à sa créature privilégiée? La littérature n'a-t-elle pas déteint sur la vie, le masque sur le visage? C'est le

d'Oreste à Jupiter, dans *Les Mouches* de Sartre : « ... Il ne fallait pas me créer libre... A peine m'as-tu créé que j'ai cessé de t'appartenir. » (*Théâtre*, I, p. 99-100.) Mais ce sont armes qui se retournent, et Sartre peut prendre pour lui ces mots de Jouhandeau : « Je ne crains que ceux pour qui le nom de Dieu est vide de sens, parce que, n'ayant la mesure de rien, ils se méprennent sur tout, d'abord sur eux-mêmes. » « Mieux vaut l'Enfer que le Néant. » (*Algèbre*, p. 198 et 129.) Et en effet, qui ne voit que, comparé à celui de Jouhandeau et de Graham Greene, l'enfer de *Huis Clos* est de carton?

13. Sur les liens de ses personnages avec lui-même, Jouhandeau s'est clairement expliqué dans *Essai sur moi-même*, p. 64 et suiv. On notera en particulier cette remarque — clé précieuse pour le commentateur — que plusieurs de ses livres (en particulier l'*Algèbre*) peuvent être considérés « comme les œuvres de M. Godeau ». N'est-ce pas insinuer que la philosophie de M. Godeau n'engage pas plus Jouhandeau lui-même que le journal de Salavin Georges Duhamel ou le bovarysme Gustave Flaubert?

secret de Dieu. Mais M. Godeau lui-même est-il tellement simple? Si, comme me le disait un jour Paul Claudel, il y a une part d'enfer dans Violaine et de ciel dans Mara, combien n'est-il pas plus facile de trouver au fond de M. Godeau une goutte d'amour capable peut-être d'avoir raison de tant de sécheresse! Car enfin c'est par ces mots que se conclut la *Défense de l'Enfer* :

Dieu, toute ma jeunesse, mon premier amour, qu'il n'y ait plus de repos ni de consolation si je L'ai déçu, désespéré.

Rafraîchis, Seigneur, mes lèvres brûlées par le mal, ne détourne pas ton Visage. Serais-Tu perdu à jamais pour moi? Serais-je perdu à jamais pour Toi?

Comment ne m'aimerais-Tu pas? Comment ne T'aimerais-je pas?

Serait-ce au fond de l'Enfer, j'y aimerais Dieu. Il ne peut pas y avoir d'Enfer pour moi [14].

Comme Jouhandeau doit rire, et de ceux qu'il choque, et de ceux qui l'applaudissent! Cette fumée d'enfer, quel bon écran pour protéger son secret! Vous croyez l'avoir pris, avec *l'Imposteur*, dans l'engrenage profane de la notoriété? Il est au-delà, il vous échappe. Exhibitionnisme? Non, absence. Peut-être même accueille-t-il comme une humiliation méritée ce tapage grotesque fait autour de son ménage.

Ne s'est-il pas dit — dans tous les sens du mot — « le Fou de Dieu »?

14. *Algèbre*, p. 232, 235.

LA RELIGION D'ANDRÉ MALRAUX

I. — Homo religiosus.

« Comme un mille-pattes. »

Qui est Malraux? Un homme seul, face à la nuit du monde, et qui l'accuse. Un mage chaldéen obsédé par le ciel, mais qui lit dans les astres un message de néant. Un être aussi religieux qu'un moine hindou ou chrétien, mais qui refuse Dieu.

Écoutez, mieux encore que les mots, ce *ton* de contemplatif. Un détenu songe dans son cachot :

...et, dans ce calme d'armée ensevelie..., la nuit s'établissait sur l'univers tout entier... Les étoiles toujours passeraient aux mêmes lieux de ce ciel constellé de fatalité, et à jamais ces astres prisonniers tourneraient dans l'immensité prisonnière, comme les détenus dans cette cour, comme lui dans son cachot...

Le cachot où vient d'être jeté le révolutionnaire Kassner évoque pour lui une autre prison, celle du monde, où un destin aveugle fait tourner les étoiles elles-mêmes « comme les détenus dans cette cour, comme lui dans son cachot ». La conscience humaine est niée par la masse de la matière comme la dignité de cet homme par les murs qui l'enferment. Pour cet être insignifiant qu'est l'homme, pour ce « mille-pattes », nulle issue sinon, un jour, la mort, scellant l'absurdité du monde. Nous n'oserions citer Pascal, dont certains se plaignent qu'on abuse aujourd'hui, si Malraux ne le citait lui-même :

Qu'on imagine un grand nombre d'hommes dans les chaînes, et tous condamnés à la mort, dont les uns étant chaque jour égorgés

à la vue des autres, ceux qui restent voient leur propre condition
dans celle de leurs semblables... C'est l'image de la condition des
hommes.

Quelle consonance! Et jusque dans les mots : « la
condition humaine ». Mais très tôt les deux hommes se
séparent, et toute notre étude n'aboutira qu'à constater
cette divergence.

Mais n'anticipons pas. Et demandons-nous d'abord à
quelle profondeur s'insère chez Malraux l'instinct religieux.

On ne peut pas ne pas être frappé par la continuelle
présence, dans cette œuvre, de la nuit étoilée. Kassner
l'évoque dans son cachot. Les héros de *la Voie royale* ne
s'aventurent si loin de toute route tracée que pour s'offrir
le spectacle du ciel à partir d'une planète enfin désen-
combrée de tout le futile. Voltaire avouait que les
quinquets de Londres et de Paris effaçaient pour lui les
étoiles; mais Malraux n'est pas comme Voltaire un
homme de société, c'est un solitaire né, qu'attire dès
son jeune âge l'Asie contemplative. Quand Valéry cherche
querelle à Pascal, l'accusant d'avoir « tiré de soi-même le
silence éternel que ni les hommes véritablement religieux,
ni les hommes véritablement profonds n'ont jamais
observé dans l'univers », il atteint aussi bien Malraux, dont la présence parmi nous inflige par ailleurs un
démenti à Valéry disant encore : « Ce qu'on pourrait
nommer « la réaction de Pascal » peut devenir une rareté
et un objet de curiosité pour les psychologues [1]. »

Rien n'amuse, rien ne « divertit » le regard du contemplatif. « Moi et Dieu », disait sainte Thérèse. Même simplification austère chez Malraux. Il n'a pas pour les
spectacles de ce monde la curiosité complice et ravie de
la plupart des écrivains. Il ne s'abaisse pas à si petit
objet. Ni ne décrit pour décrire. Ses scènes, presque toujours sanglantes, veulent au contraire arracher l'homme

1. *Variété*, I, p. 162-163.

à la « fascination de l'insignifiant ». La fièvre qui, de l'Inde à l'Espagne, lui fait courir le monde n'est pas d'un amateur d'exotisme. Il ne collectionne pas les paysages. Pas davantage vous ne le verrez, dans ses romans, affouiller des psychologies, souligner des différences : les cent héros de son œuvre peuvent se réduire à un personnage unique dialoguant inlassablement avec lui-même, en sorte qu'on se demande si leurs répliques les plus opposées ne doivent pas être mises au compte de l'auteur. S'analyse-t-il du moins lui-même dans ce monologue à plusieurs voix? Se décrit-il? S'étale-t-il? Avons-nous affaire à un journal romancé? Non, Malraux n'a pas ce narcissisme de se peindre. Il s'oublie en tant que personne singulière. Ce romancier qu'obsède la mort ne se livre pas plus que Bossuet dans le dialogue pathétique du « Sermon sur la mort ». Nous ne savons de lui qu'une chose : il est celui qui désarme le présent de ses prestiges, et qui, au sein de l'actualité la plus brûlante, réagit en ermite et remet sans cesse l'homme distrait en présence de son drame.

Si ce n'est pas une banale curiosité qui l'attira en Orient, que voulait-il donc? Voir et palper ce qui reste d'une civilisation après quelques milliers d'années. L'aventurier de *la Voie royale* se lance dans la forêt indochinoise, et il ne retrouve plus que quelques pans de murs descellés, dévorés par les lianes d'une végétation vorace, insultés par les singes, piétinés par les troupeaux d'éléphants et de buffles. Voilà ce que le temps a fait des temples et de l'âme d'un peuple. C'est au Musée de l'Homme qu'aujourd'hui Bossuet nous conduirait. (Et nous verrons en effet que toute la recherche de Malraux s'inscrit entre le Musée de l'Homme et le Musée de l'Art.) S'il parcourt le Proche-Orient, ce cimetière de capitales écroulées, les survivants ne lui en imposent guère : « Un Islam ossifié était la seule carcasse qui maintînt debout ce peuple somnambule parmi ses ruines, entre la nudité de ses montagnes et le tremblement solennel du ciel

blanc. Partout des villes « couleur d'ossuaire ». Ren-
contre-t-il des hommes, il ne les voit pas, mais seulement
ce qui évoque la mort, « des crânes de chevaux ». Quoi
encore? « Les murs, le ciel et Dieu [2]. » Ailleurs, cette
notation qui signe ce style impérieusement simplifica-
teur : « ...une ligne d'ossements en proie aux fourmis
marque le passage des armées [3] ».

Les récents progrès de l'ethnologie ne pouvaient le
laisser indifférent. Nous avons enfin déterré toutes les
vieilles civilisations, inventorié tout l'humain. « Il y a
cent ans, remarque-t-il, on ignorait quatre continents
sur cinq; aujourd'hui, nous n'ignorons plus une seule
peuplade de quelque importance... Le bilan est déposé [4]. »
Il faut conclure : qu'est-ce que l'homme?

Ce qu'est l'homme, nous le diront peut-être aussi les
débris de tout l'art du monde rassemblés aujourd'hui
dans les vitrines d'un musée. Le XIXe siècle ne connaissait
encore que trois siècles d'art; n'importe quel étudiant
peut en connaître aujourd'hui trois millénaires, s'écriait
Malraux, le 5 mars 1948, devant des jeunes gens qui
peut-être attendaient de lui des thèmes d'exaltation
moins anachroniques. Hamlet à la Salle Pleyel! et bran-
dissant triomphalement une tête précolombienne! Du
cimetière des civilisations, ajoutait-il, nous avons suc-
cessivement ramené au jour l'art grec archaïque, ceux de
Byzance, de l'Euphrate, de la Perse, de l'Inde, du Japon;
puis ceux de l'Indochine et de Java, de l'Égypte, de l'As-
syrie, de Babylone et des Sumériens; l'art nègre enfin et
les arts préhistoriques. Voilà les seules conquêtes que
retienne cet homme d'action. Et il concluait : « Vous qui
êtes ici, vous êtes la première génération d'héritiers de la
terre entière [5]! » Héritage austère! Ne nous trompons pas

2. *La Lutte avec l'Ange*. I, *Les Noyers de l'Altenburg*, Genève, Skira,
p. 53-54.
3. *La Tentation de l'Occident*, Grasset, 1926, p. 17.
4. *Les Noyers*, p. 92.
5. « Adresse aux Intellectuels », dans *Le Cheval de Troie*, VII, 1948,
p. 975.

sur Malraux : là est son cœur. Si sa pente l'entraîne toujours plus loin en arrière vers les premiers Primitifs, c'est qu'il cherche sur la Terre nue l'Homme nu, dépouillé de ces oripeaux des civilisations qui nous abusent sur sa vraie nature.

Et nous-mêmes, ses contemporains, ce moraliste, au grand sens du mot, nous voit-il autrement que ses Primitifs? En 1940, les Allemands ont enfermé des milliers de prisonniers dans la cathédrale de Chartres; et, privés de leurs cadres sociaux, Bretons, Provençaux, Bourguignons, Sénégalais se mêlent « comme des tourbillons de feuilles », « prennent quelque chose d'éternel ». Ces voix qui crient alternativement des ordres près du Portail royal, Malraux les entend « comme des psalmodies de prophètes ». Dans le typographe parisien perce une « face gothique ». Parqués ensuite dans un camp, derrière des barbelés, ces hommes édifient des « masures babyloniennes », se creusent des tanières comme ceux de la préhistoire, se tiennent « recroquevillés comme les momies du Pérou ». Et Malraux songe :

C'est l'homme... Ceux qui m'entourent vivent au jour le jour depuis des millénaires... Écrivain, par quoi suis-je obsédé depuis dix ans, sinon par l'homme? Me voici devant la matière originelle [6].

Les voyages, l'ethnologie, l'histoire de l'art, les guerres, voilà qui arrache un homme à « cet état de distraction tout-puissant qui nous permet de vivre ». Si Malraux s'y engage avec frénésie, c'est moins pour s'insérer dans son époque que pour se libérer du temps. En sorte que, rentrant dans son propre pays après six ans de méditation orientale, il peut enfin le regarder avec le détachement d'un moine hindou contemplant l'écoulement vain des siècles. Et le bruit bariolé de Marseille lui paraît une agitation de carnaval papou sur fond d'éternité.

Jeté à quelque rive de néant ou d'éternité, il en contemplait la confuse coulée — aussi séparé d'elle que de ceux qui avaient passé,

6. *Les Noyers*, p. 23-25.

avec leurs angoisses oubliées et leurs contes perdus, dans les rues des premières dynasties de Bactres et de Babylone, dans les oasis dominées par les Tours du Silence. A travers la musique et l'odeur de pain chaud, des ménagères se hâtaient, un filet sous le bras; un marchand de couleurs posait ses volets arlequins où s'attardait un dernier rayon; la sirène d'un paquebot appelait; un commis en calotte rapportait un mannequin sur son dos à l'intérieur d'un étroit magasin plein d'ombres, — *sur la terre, vers la fin du second millénaire de l'ère chrétienne.*

Plus tard, la mort du grand-père le jette à nouveau dans l'intemporel, et il se ressouvient alors de ce soir de Marseille...

...où l'Europe lui était si étrangère, où il la regardait comme, libéré du temps, il eût regardé glisser lentement une heure d'un lointain passé, avec tout son cortège insolite. Ainsi sentait-il maintenant devenir insolite la vie tout entière; et il s'en trouvait tout à coup délivré, — mystérieusement étranger à la terre et surpris par elle, — comme il l'avait été par cette rue où les hommes de sa race retrouvée glissaient dans l'heure verte [7].

Ce que Malraux demande aux arts exhumés du plus lointain passé, c'est la même libération de son temps et de son pays. Pourquoi l'ancêtre errant des steppes nous renseignerait-il moins bien sur l'homme que le bourgeois du XIXe siècle? Or, voici que l'image de centaines de générations surgit des fouilles, hallucinante. Notre connaissance de l'homme s'élargit ainsi aux dimensions de la planète et de l'histoire. Nous voilà loin de la cuvette méditerranéenne et des trois ou quatre cents ans où nos pères faisaient tenir tout l'art du monde! Un reclassement des valeurs artistiques s'est en quelques années opéré. Toutes ces formes étranges, accueillies d'abord dans nos musées comme des curiosités et au titre humiliant de l'exotisme, ont fini par reconstituer sous nos yeux des mondes complets, clos sur eux-mêmes. Une seule sculpture polynésienne n'était pour nous qu'aberrante gaucherie, deux cents nous fascinent : ces artistes nous proposent décidément de l'homme une image qui n'a rien à faire avec

7. *Les Noyers*, p. 58 et 68.

l'homme grec. Dès lors, l'art italo-grec doit descendre de
son piédestal et cesse d'être considéré comme le modèle
inégalable, l'unique saison féconde de l'art. Les œuvres
de chaque cycle veulent être appréciées en elles-mêmes.
L'artiste polynésien n'a pas échoué à faire de l'art grec, il
a réussi à faire de l'art polynésien. La masse considérable
des statues égyptiennes permet de les comparer entre elles,
et par rapport à leur idéal commun enfin dégagé. Les
comparaisons dépréciatives ont cessé et, de négatifs (défi-
nis par ce qu'ils ne sont ni ne veulent être), ces arts sont
devenus positifs. Le chef-d'œuvre bouddhiste n'est plus
admis au Louvre dans la mesure où il se rapproche d'un
Apollon, mais parce qu'il exprime le mieux ce que cent
autres œuvres bouddhistes ont balbutié, et qui oppose
précisément l'âme religieuse de l'Asie à l'idéal apollinien.
Désormais, l'histoire de l'art n'apparaît plus comme une
pyramide aux flancs sombres sommée par un « art classique » lumineux et unique, mais comme une juxtaposi-
tion de styles aux droits égaux dont chacun possède sa
période classique. Le rassemblement dans nos musées de
toutes les créations humaines nous permet enfin de nous
dégager du style de civilisation qui fut le nôtre, et qui
occupe en réalité dans la durée une place fort exiguë :
simple parenthèse dont nous sommes déjà sortis. Car l'art
moderne, inintelligible aux fidèles de l'art italien, prend un
sens si on le situe dans la suite de l'art universel, dont il
renoue la chaîne. (En sorte qu'une exposition de Londres,
s'étendant de l'aurignacien à Picasso, en passant par les
arts dits primitifs d'Afrique, d'Amérique et d'Océanie, a
cru pouvoir prendre ce titre paradoxal : « Quarante mille
ans d'art moderne ».) Qui nous empêche d'instituer une
sorte de jugement dernier des peuples et de nous demander : *Quel témoignage l'homme porte-t-il sur lui-même* [8]?

8. *La Psychologie de l'Art* (*Le Musée imaginaire*, 1947; *La Création
artistique*, 1948; *La Monnaie de l'absolu*, 1949); *Les Voix du silence*
(1955). Parue depuis que fut écrit cet article, *La Métamorphose des*

Eh bien, avec les historiens de l'art, Malraux fait une constatation qui eût ébahi M. Taine : *Tous les grands arts du passé sont religieux* [9]. Grotte de Lascaux, reliefs sumériens, mosaïques byzantines, portails romans et masques nègres humilient l'homme devant la puissance divine et le jettent dans un saisissement horrifié ou extasié. Ici, le corps humain n'est plus qu'une loque grimaçante, agitée par les doigts invisibles du Mystère; ailleurs, l'extase agrandit et brûle les yeux, et le corps habite à peine des vêtements drapés selon une liturgie impérieuse qui solennise les attitudes. Et comme les corps se vident, les mouvements se figent. Partout l'homme baigne dans une immensité qui pétrifie ou exalte sa vie éphémère. Ce monde ne se suffisant pas à lui-même, on ne s'est jamais lassé de le déformer et recomposer selon des valeurs, non pas inhumaines, comme l'a cru notre médiocrité, mais surhumaines. Partout et toujours, si l'on excepte notre petit monde moderne, l'homme a vécu dans la fascination du Divin [10].

_____

dieux (1957) ne nous autorise pas à modifier, quant à l'essentiel, l'idée que nous pouvions nous faire de l'attitude religieuse de Malraux.

9. *Le Musée imaginaire*, p. 155.

10. Nous reviendrons plus loin sur la remarquable intelligence de l'art sacré, et en particulier de l'art chrétien, dont témoigne Malraux. C'est une heureuse révolution, et qu'il nous faut saluer ici. Le contraste est tel avec *La Philosophie de l'Art* de Taine que la lecture de cette Bible de l'art académique et du goût bourgeois en devient presque comique. Ne nous refusons pas ce plaisir.

S'il faut chercher dans l'art grec les modèles insurpassables de toute beauté, les autres périodes artistiques ne peuvent être que des « périodes d'enfance, d'altération ou de décadence » (II, 275). Voyez les mosaïques byzantines : « Les mains, les pieds sont raides et ont l'air cassés; les plis du vêtement sont de bois, les personnages semblent des mannequins, les yeux ont envahi toute la tête » (I, 20). Malraux expliquerait à Taine que ce qui « casse » ainsi l'homme byzantin, c'est le sentiment de la transcendance divine et la majesté du Pantocrator. De même les Christs sont « émaciés, étriqués, raidis..., parfois vrais squelettes dont les yeux caves..., le front rétréci, les mains fluettes et inertes donnent l'idée d'un ascète poitrinaire et idiot » (II, 302). Quelle horreur! Nous voici loin, évidemment, des voluptueuses statues grecques et des Christs athlètes de la Renaissance. Comparées au Parthénon, les cathédrales sont de colossaux « entassements de pierres » (I, 83); œuvre de barbares piqués d'on ne sait quelle furie mystique, elles attestent qu'une

Avais-je tort de voir en Malraux un contemplatif, et de la race la plus austère? Péguy allait chercher ses racines dans le moyen âge. Malraux remonte bien plus haut. Plutôt que de l'homme gothique, qu'abritait l'inébranlable

« grande crise morale » a « détraqué l'esprit humain » (I, 85). Hélas! « L'homme n'est plus ce qu'il était, et ce que peut-être il aurait bien fait de rester toujours » (II, 158). Et que dire de ces « saints étiques, martyrs disloqués, vierges à la poitrine plate, aux pieds trop longs, aux mains noueuses » (II, 303)! Tout ce qui n'a pas reçu le plein coup de soleil de la Renaissance païenne, même dans les temps modernes, reste dépourvu de grâce. Memling peint « des têtes trop grosses, aux fronts bombés », Albert Dürer « des Èves et des Adams blafards et mal dégourdis, qu'on voudrait habiller; chez presque tous (on trouve) cette forme de crâne qui rappelle les fakirs et les hydrocéphales... » (II, 303-304). Bref, si nous mettons à part le cas bien embarrassant, mais déclaré « excentrique », de Rembrandt, nous pouvons conclure que, pour ne s'être pas proposé la glorification du corps humain, l'humanité n'a connu pendant des siècles que « le plus bas degré de l'art » (II, 305-306).

Comme ces verdicts pontifiants nous paraissent étroits! Le grand coup de vent des découvertes n'a pas encore aéré le cabinet de M. Taine et son irréligion capitonnée. Personne aujourd'hui n'oserait plus laisser voir pareille inintelligence de *tous les styles historiques, moins un*.

Sera-t-il toutefois permis d'écrire qu'une grande partie du public, même chrétien, vit encore de ces idées et demeure fermé à tout art sacré *en tant que tel*? Vénérables, certes, sont les vieilles pierres de nos églises, curieuses et parfois amusantes les anecdotes des chapiteaux, touchante la gaucherie des statues, gentiment naïve la foi de nos pères. Mais enfin les réserves d'admiration ne jouent à plein qu'en certaines salles du musée, au voisinage du paradis de l'art, devant les Apollons, les Dianes et les Danaés.

Les historiens de l'art eux-mêmes n'ont été sensibles que depuis peu à ce que l'art sacré a de spécifique. Pour M. Émile Mâle, dont les beaux livres ne traitent que d'iconographie, l'art du moyen âge est religieux par les *sujets* qu'il traite, non précisément par son *style*. S'il loue parfois ce dernier, c'est avec une timidité qui tient sans doute à la persistante hégémonie des conceptions tainiennes. C'est ainsi que l'auteur de l'*Apocalypse de Saint-Sever* lui semble un artiste véritable, parce que ses anges « ressemblent presque aux dessins des vases grecs ». (*L'Art religieux en France au douzième siècle*, p. 6.) Car, pour M. Mâle, l'art grec demeure « le plus beau que les hommes aient jamais créé » (p. 361).

Il a fallu l'invasion *en bloc* des styles étrangers à l'art grec pour décider nos historiens à ne plus humilier les statues de Reims devant l'*Apollon* d'Olympie. L'un des plus récents, M. Élie Faure, a reconnu dans la derrière édition de son *Histoire de l'Art :* « Quand j'écrivais, voici de longues années, les chapitres qui précèdent, le principe profond de l'art chrétien m'était totalement étranger... Le sens réel du symbolisme chrétien m'échappait, et peut-être ne suis-je parvenu à en pénétrer depuis quelques années la vertu vivante que grâce à des contacts plus intimes et plus prolongés avec l'âme asiatique, qui ne conçoit même pas qu'on puisse envisager la vie autrement que comme une réalité

Église, il est le contemporain de l'homme de la préhistoire, sans autre toit qu'une caverne, et que travaillait l'angoisse.

Mais, prenons-y garde, une angoisse sans visage et sans nom. Dieu, les dieux, les démons, les forces cosmiques se différencient mal entre eux et d'un vague Destin. C'est la Puissance, dont on ne sait encore si elle est redoutable ou bienveillante, et dont a si bien parlé Rudolf Otto dans son livre sur *le Sacré*. C'est le *Mysterium tremendum*, le « Numineux », et ce « Fascinant » qui à la fois effraye et attire. Une expérience religieuse authentique se fait jour ici. Mais informe et barbare. Recul évident si on la compare à celle des grands âges chrétiens, mais progrès peut-être si l'on pense à la chute du monde moderne hors du « milieu » religieux où elle baignait et se nourrissait depuis toujours.

Le fait est nouveau chez nous. C'est que, jusqu'ici, les religions fournissaient la réponse avant même que surgisse la question. On venait au monde nanti de tout, pour le temps et l'éternité. Une tradition précise vous accueillait, vous enseignant d'où vient l'homme et où il va. Aujourd'hui, l'homme naît nu, jeté entre les étoiles, sur ce monde étranger, comme un poisson sur le sable. Chacun prend donc en main le problème de son salut, le pose à sa façon, le résout comme il peut.

Ajoutez qu'à tort ou à raison nous nous croyons à l'extrême lisière d'un cycle historique, et nous entendons les poètes, Claudel comme Valéry, contempler pêle-mêle « dans le vieux vent de la Terre..., dans le vent de cendre et de poussière, dans le grand vent gris de la poudre », ce qui « fut Sodome, et les Empires d'Égypte et des Perses, et Paris et Tadmor, et Babylone ». Quand la terre n'appa-

spirituelle... Je fais donc ici pleine et entière amende honorable. » (*L'Art médiéval*, 1939, p. 153-154.)

Allons! l'époque la plus systématiquement étrangère à tout sentiment religieux n'est peut-être pas la nôtre : ne serait-ce pas plutôt celle de nos grands-pères?

raît plus que comme un futur champ de ruines, la vieille plante millénaire de l'angoisse retrouve pâture au cœur de l'homme. Confrontés à l'Inconnu, nous l'interrogeons comme une personne. Et l'homme représentatif d'une époque comme la nôtre, ce ne peut plus être un Bossuet habitant une foi maçonnée et sereine, un Montaigne jouant au bilboquet avec des opinions, un Voltaire essayant ses petits rires astucieux dans les jeux de glaces d'un salon Louis XV, — car tous évoluaient dans un cadre rassurant : — c'est Malraux, grand parcoureur de la planète, présent partout où il y a des convulsions sociales et des coups de matraque, carnassier qu'attire le sang des soirs de défaite. Car alors, entre la terre où déjà règne la mort, et l'infini néant où valsent les étoiles, il n'y a plus rien, rien que son interrogation passionnée. Avec ce Mystère, une communion est-elle possible? Malraux va demander la réponse à tous les arts et à tous les temps.

II. — Dieu ou l'homme.

> « L'homme est mort, après Dieu, et vous cherchez avec angoisse celui à qui vous pourriez confier son étrange héritage. »

Est-ce parce qu'il vient de si loin qu'avant d'interroger le christianisme Malraux se tourne vers l'Orient, plus proche de l'âme primitive? Dans son premier livre, *la Tentation de l'Occident* (écrit à vingt-cinq ans, passé alors inaperçu, et que la critique néglige un peu), il fait dialoguer un Français, A. D..., et un Chinois, Ling; mais on sent que Malraux est à la fois A. D... et Ling, et qu'il dialogue en réalité avec lui-même.

L'Oriental, remarque-t-il, n'est pas un individu. Il ne *se pose pas en face* de l'univers. Toute sa sagesse consiste au contraire, se sachant simple fragment du monde, à se confondre avec lui, à participer à son rythme, un peu

comme un poisson fait partie de la mer, respire avec la
houle et, si petit qu'il soit, sent sa vie battre avec le vaste
océan. « Nous voulons, dit le Chinois, ne pas prendre
conscience de nous-mêmes en tant qu'individus. L'action
de notre esprit est d'éprouver lucidement notre qualité
fragmentaire et de tirer de cette sensation celle de l'univers... Car la suprême beauté d'une civilisation affinée,
c'est une attentive inculture du moi [11]. »

Certes, la vieille idée de transmigration a modelé la sensibilité
asiatique, comme l'idée de responsabilité a modelé la sensibilité
occidentale. Mais vous comprenez mal ce qu'est cette idée. Vous la
traduisez. Nul d'entre nous ne croit qu'*il* a été, dans une existence
antérieure à la sienne, tel ou tel personnage illustre. Pour exprimer
votre pensée avec netteté, vous êtes obligé de dire qu'il s'agit là
des demeures corporelles, successives et différentes, d'une âme
unique. Cette distinction n'exprime rien pour nous, qui ne pouvons accepter le caractère de constance que vous prêtez à ce que
vous appelez âme... Nous ne concevons pas la personnalité [12].

L'idée de la dignité humaine, qui deviendra chère à
Malraux, n'a donc aucun sens pour l'Oriental, qui cherche
au contraire à n'être qu'un mouvement impersonnel
accordé au grand mouvement du monde, à ne pas se « sin-
gulariser » dans un monde dont la valeur *est* de *n'être pas*
étroitement humain. « N'être pas » prend un sens positif,
puisqu'il s'agit pour la personne d'ouvrir tous ses sabords
à plus grand que soi, de délier tous les liens de son être,
de se dissoudre enfin comme être, mais pour se confondre
avec l'Être.

Eurythmie donc avec l'univers, et communion. Eurythmie plutôt que communion, car celle-ci suppose deux
personnes qui s'unissent, l'homme et Dieu, et il n'y a ici
ni Dieu ni homme, puisque l'homme s'est évanoui par
l'extase et que l'univers n'est pas une personne.

Attitude authentiquement religieuse que celle de l'Oriental, mais dont, nous dit Malraux, un fils de l'Occident ne
pourra jamais se satisfaire.

11. *La Tentation de l'Occident*, p. 103.
12. *Idem*, p. 142.

L'Occident refuse précisément cette « désagrégation de l'âme au sein de la lumière éternelle ». Son idéal, incarné dans l'art grec, n'est pas la dissolution, mais au contraire *l'affirmation* décidée de l'homme devant l'univers et tout l'inhumain qu'il recèle. Qu'est-ce en effet que ce jeune sourire qui, premier depuis des millénaires, fleurit aux lèvres de *la Tête d'Éphèse* et de *la Fille d'Eutidikos*, et diffère tant des images angoissées des arts primitifs et de la béatitude évanescente et renoncée de l'Asie? L'homme vient de naître. Il s'est dissocié de l'univers, s'est tiré lui-même de l'argile. Et devant ce dieu, la terre désolée devient paradis : voyez le mouvement reparaître, les formes se gonfler, et, sous l'olivier, la joie reverdir que décourageait la monotonie du sable babylonien.

Certes, Malraux salue cette victoire comme la sienne propre. Mais s'il pavoise, ce n'est pas très gaiement ni sans murmurer intérieurement bien des réserves. Pour se penser lui-même, l'homme était bien obligé d'écarter de son front le pesant Destin des Primitifs et de sa vie le Grand Tout de l'Orient, mais n'a-t-il pas déchiré ainsi l'unité sacrale du monde? Pour pétrifier le vieux Sphinx, il a suffi à Œdipe de se dresser devant lui, mais, en se libérant de ce qui l'opprime, ne s'est-il pas retranché de ce qui le dépasse? Le Grec ne voit plus l'inquiétante, la religieuse nuit; il découpe dans l'étoffe du ciel des divinités inoffensives, cernées comme des citoyens d'Athènes, des égaux humains avec lesquels il dialogue dans ses poèmes, et qu'il mêle à ses jeux. Voilà le fascinant Mystère apprivoisé. L'ordre inflexible des astres n'est plus subi, mais pensé : il devient un cosmos harmonieux dont l'homme lui-même est le centre et la mesure. *L'Occidental, c'est l'homme peu à peu coupé du Divin*, « l'homme réduit à l'homme ». L'art grec, dit Malraux, est « le premier qui nous semble profane ». Ce qui ne le grandit pas à nos yeux [13].

Mais si la Grèce a formé l'âme *occidentale*, le christia-

13. *Le Musée imaginaire*, p. 89-91.

nisme est responsable de l'âme *moderne*. Incroyants, nous
le portons dans l'os de nos os. Le Christ mourant pour
tous les hommes, c'était sa propre destinée remise aux
mains de chacun, c'était tout individu prenant soudain
une valeur infinie, c'était la vie divine intériorisée et mul-
tipliée. Le christianisme nous a arrachés à la servitude de
la cité grecque. Si, avec Œdipe, l'Humanité s'éveille, c'est
le Christ qui donne naissance à la personne.

Seulement, à en croire Malraux (et si je le comprends
bien), le Christ a précipité, sans le vouloir, la défaite
du Divin. Enseigner à la personne sa dignité, c'était
encourager ses prétentions, c'était déposer dans la pâte
humaine, avec le ferment de l'individualisme, celui de la
révolte et par conséquent de l'athéisme. Il était dangereux pour Dieu d'apprendre à l'homme qu'il est libre. Il
s'est lié les mains, il ne contiendra plus cette liberté une
fois déchaînée. De quel droit interviendrait-il pour limiter
cette autonomie dont il nous a fait don?

Au XVIᵉ siècle, l'homme sort ébloui et grandi de son
long commerce avec Dieu, mais il s'avise qu'il n'a fait
que la moitié du chemin : pourquoi mendier à la « grâce »
d'un autre sa propre grandeur? Si le Fils de l'Homme a
brisé par son berceau l'implacable ciel de Chaldée, nous
libérant ainsi des astres, s'il a doté chacun de nous d'une
vie divine, pourquoi fait-il encore apparaître, à travers
les déchirures du ciel, cet autre visage du vieux Destin
qu'est un Dieu personnel? Pourquoi s'obstine-t-il à nous
humilier devant un « Père céleste » ? Assimilé aux puissances cosmiques, à tout ce qui menace ou mesure la
liberté, Dieu doit être rejeté au nom de la dignité humaine.
Accéder au divin, devenir des dieux, cet espoir qui dor-
mait en nous et que le Christ a rallumé est devenu incendie. « Volonté de déité : tout homme rêve d'être dieu »,
écrit Malraux [14]. Et le Renaissant noue alliance avec l'antique revendication grecque individualisée. Ainsi l'explo-

_____
14. *La Condition humaine*, Gallimard, 1933, p. 271.

sif apporté par le christianisme l'a brisé à son tour. La personne chrétienne est devenue l'individu moderne.

En résumé, l'âme primitive et orientale mêlait inextricablement l'homme au Divin; le chrétien dit : Dieu *et* l'homme; mais le moderne veut choisir : Dieu *ou* l'homme? Il choisit l'homme. « Au destin de l'homme, l'homme commence, et le destin finit [15]. » Y avons-nous gagné?

« A la fin du XIXᵉ siècle, la voix de Nietzsche reprit la phrase antique entendue sur l'archipel : « Dieu est mort! » et redonna à cette phrase tout son accent tragique. On savait très bien ce que cela voulait dire : cela voulait dire qu'on attendait la royauté de l'homme. » On entendait « faire éclater la condition de l'homme avec des moyens humains [16] ». Le christianisme céda la place aux mythes de la dignité humaine, de la science, du progrès. Une ère grisante s'ouvrait, avec des espoirs infinis. L'héritage de Dieu n'était-il pas vacant? Il n'y avait plus qu'à s'en emparer.

Hélas! dignité humaine, science, progrès, ce ne sont plus pour nous que des mots. Que voyons-nous, en effet? La mort de l'homme a suivi de près celle de Dieu. Où est cette foi en lui-même, cette volonté de se créer dont lui faisait un devoir son refus de tout secours? A la tension vers Dieu aurait dû succéder la tension de l'homme vers lui-même et son propre dépassement. C'est un aplatissement que nous constatons. On se couche dans le plaisir. Voyez notre art : cessant d'être obsédé par Dieu, il ne devait pas pour autant déserter le sacré, puisque la foi en l'homme prenait la relève de la foi en Dieu. Or, l'évolution de l'art italien reproduit celle de l'homme moderne. Art optimiste. Art non plus de conquête, mais d'acceptation. L'homme ne se cherche plus, il se constate. Il n'est plus en marche vers son propre royaume, il est arrivé. Il

15. « L'Homme et la Culture artistique », dans *Les Conférences de l'U. N. E. S. C. O.*, éditions de la revue *Fontaine*, 1947, p. 88.
16. *Les Conférences de l'U. N. E. S. C. O.*, p. 75 et 88.

se contente de copier une nature dont il fait son paradis définitif. La peinture n'est plus la création d'un autre monde plus digne de nous, mais l'imitation de celui-ci. A l'image du saint inséré dans le rayonnement de Dieu succède celle du bourgeois satisfait. L'heure est venue où, n'ayant plus à détrôner Dieu, Prométhée se contente d'être un homme. De ses désirs, il a fait des valeurs. C'est le même abâtardissement que nous constatons dans l'art grec dès qu'il n'a plus à vaincre les religions primitives et dans l'art italien dès qu'il a triomphé du moyen âge. Les premiers artistes, tous plus ou moins mystiques, hantaient le palais du Roi; ceux qui les suivirent s'affrontaient du moins à un Roi. Aujourd'hui, toute relation avec le Divin, soumise ou insurrectionnelle, a cessé, et l'homme a fait connaissance avec son néant. « La réalité absolue, dit Malraux, a été pour vous Dieu, puis l'homme; mais *l'homme est mort* après Dieu, et vous cherchez avec angoisse celui à qui vous pourriez confier son étrange héritage. Vos petits essais de structure pour des nihilismes modérés ne semblent pas destinés à une longue existence [17]. »

Cette prophétie, qui date de 1926, et qui annonçait aussi notre entrée aux « royaumes métalliques de l'absurdité [18] », s'est révélée vraie dès les années 30.

Cependant, nous nous sentons intérieurement divisés. Car si, entraîné à lutter contre toute foi, et devenu contestation pure, notre esprit a fini par corroder l'âme en nous, il nous reste trop d'âme pour nous satisfaire des jeux de l'esprit. « L'âme profonde », reine autrefois, aujourd'hui refoulée, proteste sourdement. *Animus* « tourne à vide, belle machine que tachent quelques gouttes de sang », le sang d'*Anima*. L'esprit et l'âme se disent l'un à l'autre : « Tu es mensonge. » Et l'homme déchiré n'a plus à savourer que le néant. Ce qui oblige à conclure :

17. *La Tentation de l'Occident*, p. 166.
18. *Idem*, p. 198.

Pour détruire Dieu, et après l'avoir détruit, l'esprit européen a anéanti tout ce qui pouvait s'opposer à l'homme : parvenu au terme de ses efforts, comme Rancé devant le corps de sa maîtresse, il ne trouve que la mort. Avec son image enfin atteinte, il découvre qu'il ne peut plus se passionner pour elle. Et jamais il ne fit d'aussi inquiétante découverte [19].

Malraux, nous semble-t-il, n'a jamais pris son parti de voir laïcisé un être aussi essentiellement religieux que l'homme. Entre l'Orient et l'Occident, l'âme et l'esprit, le sacré et le profane, le divin et l'humain, il n'a jamais choisi, *ne peut pas choisir*. Il est, il se veut l'un et l'autre. Et il gémit : « Quels sacrifices, quels héroïsmes injustifiés dorment en nous [20]! »

Il nous faudrait une foi.

III. — MALRAUX ET LE CHRISTIANISME.

« Que faire d'une âme s'il n'y
a ni Dieu ni Christ? »

François Mauriac évoque quelque part ce temps de la jeunesse de Malraux où, dit-il, « ce jeune rapace hérissé, à l'œil magnifique, venait se poser au bord de ma table, sous ma lampe », pour parler du christianisme. « Pas plus en public, aujourd'hui, qu'autrefois dans nos conversations privées, ajoute Mauriac, Malraux ne traite la religion avec dédain. Il hait, peut-être, mais il ne méprise pas. Déjà, à dix-huit ans, quand il parlait du Christ, ce réfractaire savait de qui il parlait. Rien ne rappelle en lui cette horrible espèce de vieux radicaux maçons qui s'attendrissent sur le doux vagabond de Judée; Malraux connaît le Christ : ce doux vagabond est toujours son dur adversaire [21]. »

Son éducation religieuse? Nous l'ignorons. Il nous parle

19. *La Tentation de l'Occident*, p. 203.
20. *Idem*, p. 204.
21. *Journal*, II, Grasset, 1937, p. 220.

de son père qui « avait attendu une première communion
fervente, arrêtant le curé de Reichbach chargé de l'hostie
pour s'accuser d'un péché oublié à la confession de la
veille; au lieu d'un bouleversement, il n'avait trouvé que
son attente ». Alors, il s'était senti libre, « d'une liberté
poignante [22] ». Quant à Tchen, un des héros de *la Condition humaine*, d'abord chrétien, son appétit de vie excluait
tout partage. Il ne s'agissait pas pour lui de s'humilier
devant une valeur existante, fût-elle Dieu lui-même, mais
de *faire exister* la sienne propre. « Pour vivre, il fallait
qu'il échappât au christianisme. » La foi l'avait seulement « habitué à se séparer du monde au lieu de se soumettre à lui ». Elle avait été une « initiation au sens
héroïque ». Il lui devait son élan farouche, indirectement
sa foi révolutionnaire, tout ce qui faisait de lui un être
dangereux. Mais « quand, au christianisme, son nouveau
maître avait opposé *non des arguments*, mais d'autres
formes de grandeur, la foi avait coulé entre les doigts de
Tchen, peu à peu, sans crise, comme du sable [23] ».

« Non des arguments » (nous avons souligné ce mot qui
est bien d'aujourd'hui), mais une option. Pour nos contemporains, Dieu est moins un problème qu'on discute qu'une
présence qu'on écarte. Si l'homme est dieu, Dieu n'a pas
le droit d'exister. Ce n'est plus, comme aux siècles derniers, l'intelligence qui prétend décider, mais la volonté.
Haine donc, plutôt que négation. En affectant la négation pure et simple, Sartre se donne des airs de petit jeune
homme évolué dans une famille restée « vieux jeu ». La
famille, c'est, si vous voulez, le grand-père Nietzsche,
c'est Kafka, c'est Georges Bataille, c'est Camus, c'est
Malraux surtout dont il parle comme un frère. « Il y a
des hommes, raille-t-il, qu'on pourrait appeler des survivants. Ils ont perdu, de bonne heure, un être cher, un
père, un ami, une maîtresse, et leur vie n'est plus que le

22. *Les Noyers*, p. 59.
23. *La Condition humaine*, p. 77-78.

morne lendemain de cette mort [24]. » En deuil de Dieu?
Mais, répondrons-nous, les « survivants » peuvent d'autant moins oublier Dieu que ce sont eux qui l'ont tué, qui
doivent le retuer tragiquement chaque jour, car le sens
religieux est en eux fort vivace. Mais le sens religieux n'incommode pas Sartre, et c'est avec un argument qu'il se
débarrasse de Dieu. Pour un peu, il parlerait de superstition : voyez les Mouches! En quoi il nous paraît plus apparenté à la pensée encyclopédique qu'à l'angoisse contemporaine.

Malraux parle assez souvent de « la mort de Dieu »,
jamais de ce ton dégagé. En assassin plutôt. Ses allusions
sont zigzagantes et instantanées, éclairs de défi qui veulent
rayer du ciel un Dieu toujours reparaissant. « Je ne l'accepterai jamais; je ne m'abaisserai pas à lui demander
l'apaisement auquel ma faiblesse m'appelle [25]. »

C'est que, depuis Nietzsche, cette ration de bonheur qui
vous tombe du ciel toute préparée paraît « bonheur de
ruminant »; et, depuis Baudelaire, il est entendu que le
fidèle est un être hébété, anesthésié par l'encens, engourdi
par la domestication divine. Le pauvre d'aujourd'hui
trouve meilleur goût à son pain sec qu'à la cuisine du
châtelain. Et les mains ouvertes du Seigneur sont, certes,
bien touchantes, « mais le damné répond : Je ne veux
pas! » L'image de l'Insoumis séduit tous ceux qui ne
peuvent vivre ni avec Dieu ni sans Dieu. Toute la splendeur de la création se réfugie, à leurs yeux, dans Satan,
l'archange qu'auréole le feu de son supplice. C'est là un
symbole dont il ne faut pas sourire, malgré le soufre et
les ingrédients littéraires dont l'a barbouillé le romantisme. A défaut de la simplicité, il garde la grandeur des
premières pages de la Genèse illustrant d'un mot le conflit
de l'homme et de Dieu. Et il faut avouer que cette irréligion des « poètes maudits » est encore religieuse. Tandis

24. Situations, I, p. 152. Sartre parle encore de Malraux dans L'Être
et le Néant, p. 625, et dans Situations, II, p. 326.
25. La Tentation de l'Occident, p. 204.

que la foule a coulé comme la boue au-dessous du sacré, eux restent dressés, fascinés par Dieu. Ils appartiennent au monde biblique. Les prophètes les reconnaîtraient.

Mais quoi! la Bible ne s'arrête pas à la Genèse, et tandis que nous en tournons les pages, la figure du Médiateur se dessine et s'incarne. Tentante comme un plaisir de mauvais garçons quand elle s'exerce contre un Maître inaccessible, la révolte devient gênante devant ce frère à la voix humaine. Devant le Christ, la gêne de Malraux nous paraît en effet très sensible.

Car enfin que veut-il? Que l'homme devienne *dieu* sans cesser d'être une *personne*. Ces deux exigences contradictoires se trouvent exaucées dans le christianisme, et dans le christianisme seul. Les religions primitives et le bouddhisme sacrifient l'individu au divin; le monde moderne, le divin à l'individu. Mais l'Homme-Dieu n'a pas choisi entre ses deux natures; et en même temps qu'il éveille en chacun la fierté de sa condition humaine (une oraison chante la *dignitas conditionis humanae* [26]), il l'appelle à rien de moins que la conquête de Dieu.

Mais n'attendez pas de Malraux qu'il se mesure directement avec la pensée chrétienne. Plus volontiers que devant des idées, il réagit devant des styles, où ce que l'âme d'un peuple avait de plus haut s'est inscrit pour toujours [27]. Or, son embarras nous semble grand devant l'art chrétien, qu'il admire, et qui n'est pourtant que l'expression irrécusablement authentique d'un dogme qu'il n'admet pas. Il paraît y voir un point d'équilibre jamais atteint avant ni depuis. C'est que cet art, s'il traduit dans ses portails et ses vitraux la terreur sacrée qu'inspire toute présence divine, n'anéantit pas l'homme devant Dieu comme les arts primitifs, mais lui donne toute sa taille.

---

26. Jeudi de la Passion.
27. Même s'il est contesté par les historiens de l'art, l'exposé que nous donnons de l'évolution artistique d'après Malraux garde l'intérêt — qui suffit à notre propos — de nous faire connaître la position de l'auteur de *La Condition humaine* devant le problème religieux.

Tout de même, reconnaît-il, ces artistes ont refusé, comme lui-même, ce que voulait en eux la bête. Rien n'a pu les réconcilier avec ce qui vaut moins que l'homme. L'art byzantin ou gothique arrachait notre vie à la médiocrité, la transposait dans un « style » grandiose où l'homme supportait le regard de Dieu, où le soleil de la mort ne faisait pas honteusement baisser les yeux. Jamais vaincu, le démon fournissait l'aiguillon dont nos vies ont besoin pour ne pas s'amollir. Le mal et la souffrance n'étaient pas pudiquement voilés, comme dans le monde bourgeois, par un oubli ou des théories hypocrites, mais fournissaient assez de notes graves et de couleurs sombres pour que ne se laisse jamais oublier, jusque dans la splendeur des transfigurations promises, le tragique de notre existence. Voilà des traits que Malraux a soulignés plus que personne avant lui.

En contrepartie, et autant que de cette fidélité au sacré, il loue l'art chrétien d'avoir fait apparaître les premiers visages individuels. C'est que, nous l'avons déjà remarqué, pour la première fois depuis que le monde est monde, Dieu a une biographie, il est descendu dans l'histoire, il a éveillé les consciences, une à une, à la responsabilité de leur propre destin. Et l'évolution de la statuaire reproduit cette marche de Dieu vers la pâte humaine pour l'individualiser. « Du chapiteau primitif jusqu'au verger rémois, l'art devient un patient effort pour contraindre toute forme à révéler ce qu'elle cache du Christ. » Et des mufles gallo-romains partagés entre la bestialité et la peur sacrée, le sculpteur roman tire des fils de Dieu. C'est pourquoi, tandis que l'art bouddhique est « ivre d'unité », tandis que l'âme gréco-romaine se décharge sur certaines vies, sur Œdipe par exemple, du poids du destin commun, et ne sculpte que des symboles anonymes, « lorsque, dans un musée, nous arrivons aux salles gothiques, il nous semble rencontrer les premiers hommes vrais ».

Si Rome voit dans la constance, le bouddhisme dans la méditation, la seule victoire sur les forces entraînées à travers l'éternité dans un mouvement d'astres, pour le chrétien il n'est pas de force plus impérieuse que lui-même, sinon la Grâce. Le visage de chaque homme porte sa propre trace du péché originel; la forme de la sagesse était unique, mais celles du péché ont la multiplicité infinie des créatures : chaque face chrétienne est sculptée par une expérience pathétique, et les plus belles bouches gothiques semblent les cicatrices d'une vie.

Époque privilégiée, où l'art et la vie ne font qu'un; où l'artiste voit sortir de ses mains, non une pièce de musée, mais l'image de Celui qui est mort pour lui; où Dieu, jusque-là isolé dans sa transcendance, vient occuper le centre de chaque vie et de l'histoire entière pour leur donner un sens, et les envelopper dans l'auréole de sa Majesté.

A Moissac, à Autun, à Vézelay (le Christ) domine le tympan par sa dimension, par son lieu, par la fascination qu'il semble exercer sur chaque ligne, mais avant tout parce qu'il est le sens même des prophètes, des vivants et des morts qui l'entourent et le contemplent, de ces signes du Zodiaque qui ne seraient sans lui que des astres absurdes [28].

L'art grec se trouve ici doublement dépassé : par en haut, parce que l'art chrétien ne perd pas l'obsession du Mystère; par en bas, puisque chaque âme entretient avec ce Mystère des relations inaliénables et qui demeurent pour toute autre un secret. Un chrétien est à lui seul un monde, et un monde divin.

Hélas! trop courte est la saison où le christianisme donne sa fleur! Le merveilleux équilibre se balance un instant, aux XIIᵉ et XIIIᵉ siècles, sur ce sommet d'une longue attente, puis se rompt. Emporté par une évolution irrésistible, l'art s'humanise si bien qu'il devient tout profane. Et le Christ, cessant d'être ce Médiateur qui a réalisé, une seule fois dans l'histoire, « l'accord de l'homme avec ce qui le dépasse [29] », n'est plus que l'introducteur involontaire d'un humanisme désacralisé.

Les yeux de Malraux sont étonnamment habiles à discerner, dès la fin du roman, les premiers indices du

28. *La Création artistique*, p. 61, 65, 73.
29. *Ibid.*, p. 80.

sournois avènement de l'homme moderne. Au début, remarque-t-il, la Genèse et l'Apocalypse encadrent l'Évangile. Le Christ est encore engagé dans son Père. Mais voici que peu à peu le Fils de Dieu devient surtout fils de l'homme...

...et le sang de ses mains trouées fera lever de l'ardente abstraction des Genèses une moisson familière de métiers humains; les vignerons et les cordonniers des verrières de Chartres prendront la place des damnés d'Autun, des vieillards de Moissac; à Amiens, les forgerons feront des socs de l'acier des épées. Mais alors le grand éclat lyrique commencera de s'éteindre; de Senlis à Amiens, d'Amiens à Reims, de Reims en Ombrie, l'homme va grandir jusqu'à faire éclater ces verrières qui ne sont pas encore à sa taille, et qui ne sont plus à la taille de Dieu.

Le sourire reparaît à Reims, et au xvi⁰ siècle enfin le monde chrétien se délivre de l'obsession de l'enfer.

De ce christianisme qu'avait chargé tant d'angoisse, bientôt n'allait plus rester à l'homme qu'une promesse de paradis. L'art byzantin n'avait su dessiner que des anges annonciateurs du Jugement dernier...; l'Angelico ne sut plus dessiner les démons. Le jour où Nicolas de Cusa écrivit « le Christ est l'homme parfait », un cycle chrétien se ferma en même temps que les portes de l'enfer; les formes de Raphaël purent naître. L'homme était passé de l'enfer au paradis à travers le Christ, dans le Christ; la solitude irrémédiable qui nourrit les arts hiératiques disparaissait avec l'angoisse. De Chartres à Reims et de Reims à Assise, en ces lieux où, sous les mains ouvertes du Médiateur, le monde du printemps et des moissons avait envahi, avec les bas-reliefs des mois, la vie intérieure jadis peuplée de Dieu seul, chaque artiste avait cherché les formes d'un monde réconcilié [30].

On peint Dieu, non plus dans sa solitude, mais dans ses créatures.

Le Christ-Roi qui couronne la Vierge prend place à côté du Crucifié. Dans la possession du monde occidental douleur par douleur, métier par métier, dans l'assemblée où chaque saint apporte sa province de charité, la Vierge dont l'ombre compatissante ne cesse de s'étendre sur l'Europe introduit les femmes. Les cathédrales d'alors lui sont presque toutes dédiées; le motif de son couronnement devient de plus en plus important; et le Christ qui la couronne est de moins en moins le Seigneur et de plus en plus le Roi [31].

30. *Le Musée imaginaire*, p. 47 et 94.
31. *La Création artistique*, p. 74 et 77.

C'en est fait. La marche irréversible de l'histoire a substitué l'homme à Dieu. Sur les toiles de Raphaël et de Rubens, le Christ figure encore, mais attaché au char de l'homme. Non plus présence réelle et fascinante, mais symbole, décor et « utilité ». Puis on l'oublie.

Les sentiments de Malraux à l'égard du christianisme ne sont pas simples. Regrets d'abord : au moyen âge, semble-t-il, il eût été ce chevalier de nos cathédrales qui communie debout, sanglé dans l'armure de sa foi. Il ne pardonne pas à l'Église d'avoir laissé l'âme de l'Europe et son art — à commencer par l'art chrétien — glisser au profane. Et il faut bien reconnaître avec lui que, s'il y a encore des artistes religieux, il n'y a plus d'art sacré, de même que si l'on trouve toujours des chrétiens, on ne peut plus parler de chrétienté. Mais on ne renverse pas, semble-t-il dire, le cours de l'histoire, et le christianisme lui paraît aujourd'hui dévitalisé comme ferment civilisateur et inspirateur de l'art.

Mais parce que cette nostalgie s'exprime dans le dernier ouvrage de Malraux, ne nous pressons pas trop d'y voir une modification de ses attitudes antérieures. Je crains que l'originalité du christianisme ne lui ait échappé. Comme beaucoup de nos écrivains depuis le romantisme, il pose au Christ une question absurde : ou Dieu ou homme. Si le Christ s'identifie avec le Dieu antique, tout transcendant, nous ne voulons pas le connaître; s'il est homme, alors « le Christ avec nous » dans notre combat humain [32]. Or le Christ, Dieu et homme, est précisément

---

32. Depuis le romantisme, avons-nous dit, et surtout, probablement, le romantisme allemand. Dans *Le Christ aux Oliviers* de Gérard de Nerval, c'est le Christ lui-même qui, « entre un monde qui meurt et l'autre renaissant », se fait le prophète des temps modernes, en criant aux hommes : « Non, Dieu n'existe pas! »

> *... Mes amis, savez-vous* la nouvelle?
> *Frères, je vous trompais...*
> *Le Dieu manque à l'autel où je suis la victime.*
> *Dieu n'est pas! Dieu n'est plus!*

venu sur terre pour briser ce dilemme. Malraux n'a pas compris l'Incarnation. Elle signifie pour lui victoire de l'homme sur Dieu, alors qu'elle est *inséparablement* gloire de Dieu et salut des hommes, entrée des hommes dans la gloire de Dieu. (Et c'est pourquoi il n'a pas pénétré la tentative de l'art « baroque », dont les intentions ne se révèlent qu'aujourd'hui, avec l'œuvre de Claudel.) Sa belle étude sur l'art chrétien semble indiquer cette idée bizarre d'une ambiguïté foncière du christianisme. Obligé de choisir, le moderne qu'il est ne peut plus entendre dans l'Évangile qu'un appel à la liberté individuelle.

Mais, redisons-le : non sans regrets! Après avoir reconnu qu'aujourd'hui « il n'est pas d'idéal auquel nous puissions nous sacrifier », et que « patrie, justice, grandeur, vérité » ne sont que des fois décidément trop humaines pour éveiller en nous autre chose qu'une « ironie triste », il ajoute :

Certes, il est une foi plus haute : celle que proposent toutes les croix des villages, et ces mêmes croix qui dominent nos morts. Elle est amour, et l'apaisement est en elle. Je ne l'accepterai jamais...

Voilà un refus qui ressemble à un corps à corps. « Dieu et (l'homme moderne) sont désormais attachés l'un à l'autre, et le monde n'est plus rien que le vain décor de leur conflit. »

Ou à un déchirement. L'Orient, qui n'a pas connu le Christ, dort dans sa paix stupéfiée; mais nous nous sommes arrachés à Dieu comme à une part de nous-mêmes, la plus intime et la plus haute. Entre le ciel et la terre, le sang coule. De là notre « angoisse » et nos « gestes d'aveugles [33] ».

« Que faire d'une âme, écrit Malraux, s'il n'y a ni Dieu ni Christ [34]? »

33. *La Tentation de l'Occident*, p. 36, 65 et 204.
34. *La Condition humaine*, p. 78.

IV. — Batir la cathédrale.

> « Il faut que l'usine, qui n'est
> encore qu'une espèce d'église des
> catacombes, devienne ce que fut
> la cathédrale... »

Que faire d'une âme qui a entendu le Christ et l'a quitté avec tristesse? — Mais un homme, tout simplement!

Non, la réponse n'est pas aussi simple. Car il s'agit de ne rien rabattre des ambitions chrétiennes et de se faire « dieux » — sans le secours de Dieu. Paradoxale obligation que celle de faire éclater *nous-mêmes* notre propre nature. « L'homme passe infiniment l'homme » : ce mot de Pascal retentit au point de rupture de deux civilisations; le monde moderne le dérobe au monde chrétien pour en faire sa devise... désespérée.

Voilà l'homme intérieurement distendu — comme le chrétien — entre ce qu'il est et ce qu'il veut être, mais sans le lien de l'espérance qui est anticipation vécue d'éternité. Bien plus : si une faille s'ouvre à l'intérieur de chaque personne, une autre menace de ruiner l'espèce. Pour le christianisme, avons-nous dit, un homme est un monde, mais qui communie avec tous les autres dans le Corps mystique. Au contraire, cet absolu, ce dieu, qui ne consent à tenir sa déification que de soi-même, ne se connaît pas de « semblables ». L'aséité ne se partage pas. A la fraternité chrétienne succéderont des solitudes murées.

Ame religieuse, Malraux ne se résigne pas à habiter ce monde doublement cassé. Il ne perd jamais de vue la chrétienté. Or celle-ci nous a laissé de sa réussite une preuve indiscutable, en créant « une figure de l'homme... que l'homme pouvait regarder en face [35] ». C'est la cathédrale. Réunir tout un peuple chantant, dans un édifice qui en exprime l'âme et qui lui survive, voilà ce que doit

35. *Les Conférences de l'U. N. E. S. C. O.*, p. 78.

pouvoir faire, à son tour et aussi bien, l'homme moderne.

D'abord unir les hommes. L'amour est un ciment dont le secret est perdu. Reste la révolte collective. La révolte, c'est l'âme à l'état de plaie ouverte, ouverte comme une prière que personne n'entendra, mais qui refuse du moins la médiocrité. La révolte sociale, c'est une communion ébauchée de tous les hommes luttant coude à coude contre les mêmes servitudes. Une nouvelle Église : voilà ce que Malraux a cherché un moment dans le communisme. Tout au long de *l'Espoir*, sous la bigarrure de récits cahotiques, une comparaison court, qui fait l'unité du livre, entre la foi nouvelle et celle du moyen âge. Les meetings espagnols lui rappellent les appels aux croisades : « Ces sermons, se dit-il, étaient écoutés par des hommes plus ignorants que ceux qui combattent avec moi... Les hommes unis à la fois par l'espoir et par l'action accèdent, comme les hommes unis par l'amour, à des domaines où ils n'accéderaient pas seuls [36]. » « Il est difficile d'être un homme, mais pas plus de le devenir en approfondissant sa communion qu'en cultivant sa différence. » C'est le temps où Malraux dénonce dans l'individualisme « l'agonie de la fraternité virile ». Et quand il déclare se tourner vers le communisme parce qu' « il restitue à l'individu sa *fertilité* », il se réfère expressément au passé chrétien : « La personne chrétienne existait autant que l'individu moderne, et une âme vaut bien une différence [37]. » A quoi bon rappeler les deux ou trois scènes les plus prenantes de son œuvre ? Ce sont des actes de charité [38].

Quoi qu'on ait pu prétendre, Malraux n'a donc pas le

36. *L'Espoir*, Gallimard, 1937, p. 233.
37. *Le Temps du Mépris*, préface.
38. Par exemple, à la fin de *La Condition humaine*, Katow partageant son cyanure avec ses camarades; dans *L'Espoir*, les paysans transportent sur des civières les aviateurs blessés; dans *Les Noyers*, Vincent Berger ramenant vers les lignes allemandes le corps du Russe. Et il y a ce mot de Thirard dans *Les Noyers* (p. 83) : « Je ne suis pas un très bon chrétien, mais je crois que la charité du cœur nous permet de connaître... plus de l'homme que tous les livres qui m'entourent ici. »

goût de la solitude. Mais ce qu'il faut ajouter aussitôt,
c'est qu'il y est condamné.

Comment s'en étonner? Ses héros n'ont en commun que
leur révolte. Ce qui permet une camaraderie de combat,
non pas une communion des âmes. Pourquoi, dans *la
Voie royale*, le vieux Vannec, cet « Ecclésiaste inculte,
mais qui ne craignait pas le Seigneur », accueille-t-il chez
lui sa belle-fille qu'il n'aime guère? Uniquement parce
que, « femme abandonnée, obsédée par son âge jusqu'à
la torture, certaine de sa déchéance, elle considérait la
vie avec une indifférence désespérée ». Elle « était, comme
lui, séparée de la communauté des hommes [39] ».

Étrange Église que celle des « séparés » ! Et pourtant
cet homme vertical n'admettra jamais pour les hommes
d'autre abri qu'une église. Entre les communistes et lui,
il y eut toujours malentendu. Il se battait pour faire des
révoltés; eux, pour construire une « société meilleure »,
horizontale, je veux dire attachée à satisfaire des appétits.
Une telle société ne pourrait être pour lui qu'une geôle.
S'il s'insurge contre Dieu, ce n'est certes pas pour se soumettre à des hommes. « Ces termites vivent dans leur
termitière, soumis à leur termitière. Je ne veux pas être
soumis [40]. » On ne mettra pas facilement la main sur
Malraux. Il s'est évadé de la cage communiste. Il s'échap-
pera à point nommé de toutes les formules sociales où on
prétendra l'enfermer. Et il fait dire à Garine :

> Je ne tiens pas la société pour mauvaise, pour susceptible d'être
> améliorée; je la tiens pour absurde... Qu'on la transforme, cette
> société, ne m'intéresse pas. Ce n'est pas l'absence de justice en
> elle qui m'atteint, mais quelque chose de plus profond, l'impossi-
> bilité de donner à une forme sociale, quelle qu'elle soit, mon
> adhésion. Je suis a-social, comme je suis athée, et de la même
> façon... Je sais que tout le long de ma vie je trouverai à mon côté
> l'ordre social, et que je ne pourrai jamais l'accepter sans renoncer
> à tout ce que je suis.

Et c'est ce qui fera toujours de Malraux un compagnon

39. *La Voie royale*, p. 29 et 30.
40. *Ibid.*, p. 158.

peu sûr. Prométhée joue son jeu, son grand jeu, et il dépasse sans cesse vers lui-même les buts politiques et sociaux de ses camarades de combat.

Si je me suis lié si facilement à la révolution, c'est que ses résultats sont lointains et toujours en changement. Au fond, je suis un joueur; et je ne pense qu'à mon jeu, avec entêtement et avec force.

Il sera séparé des hommes comme de Dieu, « et de la même façon ». Déjà, en plein combat, il se sent seul. « Je sais si bien qu'ils deviendraient abjects dès que nous aurions triomphé ensemble. » Mais, la victoire acquise, la joie folle de ceux qui s'en contentent et s'y installent, et le défilé naïf des vainqueurs lui font dire :

Jamais je n'ai éprouvé aussi fortement qu'aujourd'hui l'isolement dont me parlait Garine, la solitude dans laquelle nous sommes, la distance qui sépare ce qu'il y a en nous de profond des mouvements de cette foule, et même de son enthousiasme [41].

Ce n'est donc pas Malraux qui bâtira la cathédrale sociale. Et l'autre, l'artistique, s'avère du coup irréalisable, qui n'en peut être que l'expression. A quoi bon d'ailleurs élever un chœur qui ne recueillerait pas une âme unanime, qui resterait vide? *La Psychologie de l'Art* semble enregistrer ce double échec, et c'est pourquoi ce livre, le plus étincelant d'idées personnelles, paraît aussi le plus sombre. Ici et là, de superbes fusées verbales montent, mais d'une nappe de tristesse, et l'exposent soudain à tous les yeux dans un aveu incompressible.

Au moyen âge, c'est avec une vitalité en quelque sorte végétale que les monuments sacrés poussaient sur une terre et dans un climat sacrés. Mais aujourd'hui, loin de s'incorporer à son peuple pour en traduire l'âme, l'artiste ne devra-t-il pas s'en dissocier, si ce peuple n'a plus d'âme? Le souci de s'accorder à un tel public a produit l'art académique et conventionnel qui a prolongé interminablement l'agonie de l'art italien et qui ne reflète plus une

41. *Les Conquérants*, Grasset, 1928, p. 92, 99, 242 et 248.

insatisfaction indomptable, mais les plaisirs d'une société
bourgeoise et conformiste. Au siècle du pommadin, la statue est léchée. Quand on est si content de soi, et qu'on se
moque bien de se dépasser, les têtes deviennent ressem-
blantes comme des figurines de coiffeurs. C'est un fait
qu'avec l'humanisme laïc, Dieu s'efface, mais l'homme
s'effondre. Et c'est le deuil de l'homme que portent ces
bons messieurs funèbrement vêtus qui, sur leurs socles,
président à la circulation des rues. Cet homme d'aujour-
d'hui, Malraux le vomit autant que Péguy. Il enveloppe
dans un mépris plus vaste encore que celui de Péguy,
parce qu'il remonte plus haut, ce monde de larves satis-
faites, chez qui la blague a remplacé la louange et l'épopée.
Il salue comme des compagnons tous les hommes de foi,
quelle que soit cette foi. Il se sent plus près d'un mosaïste
de Byzance et d'un verrier de Chartres que d'Anatole
France et de Barrès, ces sceptiques et ces dilettantes.

A chacun donc de créer son propre climat et de pousser
son œuvre hors de soi, comme il peut. Retranché d'une
société dont il désespère, qu'il n'exprime pas, et qui ne se
reconnaîtra pas dans son œuvre, l'artiste sera le séparé,
l' « original », le fou. Il tentera de réaliser un art sacré
purement humain et strictement individuel. Le génie est
« une différence conquise [42] », conquise sur les œuvres déjà
existantes, une affirmation d'unicité. La révolte contre
tout et contre tous sera sa foi, moins rassasiante que les
croyances antérieures, mais non moins fervente et susci-
tatrice de chefs-d'œuvre. Et ce sera le retour à l'art sacré,
puisque, comme le faisaient les artistes religieux, il
essayera de « s'ordonner en fonction de ce qu'il reconnaît
comme sa part divine [43] ».

Voici déjà que, brisant avec l'humanisme, l'art moderne
est revenu au vrai. Il ne peint plus ce que nous sommes :
des bourgeois béats; mais ce que nous devons être : des
insatisfaits; ou encore ce que nous sommes sans nous

42. *Le Cheval de Troie*, VII, p. 995.
43. *Les Conférences de l'U. N. E. S. C. O.*, p. 78.

l'avouer : des êtres absurdes. (C'est ainsi que Picasso prend un méchant plaisir à extérioriser notre grinçante contradiction intime.) A l'optimisme raphaëlesque — tout mensonge et convention, puisque ce monde n'est pas humain, — l'artiste d'aujourd'hui oppose le fétiche et l'objet surréaliste, les effigies précolombiennes et les masques nègres, qui traduisent l'effarement devant le mystère : accusations hurlantes, comme le braiment des sirènes sur une ville en danger. Au temps où le démoniaque fait parmi nous une irruption plus indiscrète que jamais, où le destin nous investit par la guerre, où le feu secret des complexes freudiens répond en nous au brasier des villes en flammes, le rôle de l'art n'est plus de nous endormir, mais de nous éveiller; ni de dessiner de fausses vierges botticelliennes, mais ces monstres qui peuplent notre horizon.

Et dessiner ces mufles, c'est les souffleter. C'est marquer la matière de notre signe, comme on imprime un chiffre au front des bêtes. Toutes ces forces cosmiques qui nous assiègent et qui nous tueront, nous nous rions d'elles comme fait le chrétien. Cézanne ne se laisse pas absorber par un paysage : il se l'annexe, le contraignant à parler de lui, comme le maçon roman la pierre à chanter Dieu. Van Gogh s'empare d'un objet quelconque, d'une chaise, mais ce que nous lisons sur sa toile n'est plus que la signature impérieuse, l'idéogramme de Van Gogh, c'est-à-dire d'un homme qui, avec la souveraine indépendance d'un Dieu, tire une chose du néant pour lui imprimer sa ressemblance. Et qu'est-ce que ces étranges chevelures de feu sur une de ses toiles? C'est une nuit d'aujourd'hui dans l'univers d'Einstein. Tous les repères fuient et se dérobent, mais ne cherchez pas où est le centre du monde : il est ici, dans les doigts de ce désespéré. De même que le Christ des portails voyait tourner autour de lui les signes du Zodiaque, le peintre emprisonne dans son carré d'étoffe les nébuleuses spirales, dominant ainsi le domaine de la nécessité. Il a pris la place du Pantocrator.

Et comme le chrétien dévalorisait la matière au regard
de Dieu, l'artiste moderne l'humilie devant la dignité
humaine. L'un et l'autre accuse ce monde d'insuffisance.
L'artiste, répète Malraux, n'a pas à se soumettre au
monde par un enregistrement servile. Il n'en est pas le
transcripteur, mais le rival. Qu'il le violente au contraire,
lui, le maître, et qu'avec ses débris il fasse naître un sur-
monde! Qu'il « déforme » comme l'art religieux stylisait!
A la Création divine, qu'il oppose sa création! Et si vous
ne reconnaissez pas ce qui sort de ses mains, c'est qu'en
effet cela ne veut ressembler à rien de connu, de fait par
un autre.

En définitive, l'art moderne, c'est l'art sacré de tous les
temps, mais devenu conscient de sa fonction propre. L'art
se croyait autrefois au service de Dieu, mais déjà il était
ce qu'il se sait être aujourd'hui : le besoin d'affirmation
d'un pauvre homme suspendu entre le vide de ce monde
et le vide du ciel, et pressé de lancer son cri, d'imprimer
sa marque propre avant d'être repris par le néant. Et
c'est pourquoi « le Musée est un des lieux qui donnent la
plus haute idée de l'homme [44] ».

Nous avons laissé parler Malraux. Nous n'objectons
rien. Mais quelle déception! Dans cette réussite de
quelques « divins » artistes, nous reconnaissons mal cette
victoire de tous les hommes qu'on nous faisait contempler
d'avance comme une aigrette de défi au pinacle du futur
monument. Il n'y aura donc pas plus de cathédrale artistique que sociale. Bien pis : si l'artiste n'a pas de frères
dans le présent, pourquoi l'avenir lui en réserverait-il?
Le génie méconnu en appelait autrefois des contemporains
à la postérité; et à défaut d'une autre vie pour lui-même,
l'incroyant du XIXe siècle en espérait une pour ses livres
et ses toiles. Mais Malraux croit les générations aussi
étrangères l'une à l'autre que les individus. Personne,

44. *Le Musée imaginaire*, p. 16.

dans la suite des temps, ne regardera une œuvre avec les yeux de son auteur. La vie profonde d'un Égyptien ou d'un Gothique nous reste à jamais impénétrable [45].

Malraux souffre de cet échec, soyez-en sûrs. C'est contre la solitude qu'il se débat dans ses livres sur l'art, plus émouvants encore, à ce titre, que ses grands romans. Il n'anime plus de personnages, il parle tout seul. Et nous le voyons arpenter nerveusement les salles du Musée de l'Homme *(les Noyers de l'Altenburg)*, puis celles du Musée de l'Art *(la Psychologie de l'Art)*, ces nécropoles, suppliant tous ces débris des civilisations passées de parler une langue commune, comme le font les myriades de l'Apocalypse chrétienne. Mais puisqu'il ne peut plus croire au progrès, — la seule idée qui ait tenté de relayer l'idée chrétienne de communion universelle, — voici ce que Malraux nous propose : chaque artiste qui vient au monde donne un sens nouveau, impose son âme à lui aux œuvres mortes du passé. Grâce à lui, *elles ressuscitent*, quoique métamorphosées. C'est ainsi qu'un crucifix gothique ne soulève plus l'amour, c'est une pièce de musée : qu'importe, si un artiste d'aujourd'hui s'en inspire pour son œuvre personnelle! La mort « contraint le génie au silence », convenons-en, et jamais plus il ne parlera « son langage initial »; mais dans ces contresens qui lèveront de son œuvre, pourquoi ne pas reconnaître encore son cri? C'est « comme un écho qui répondrait aux siècles avec leurs voix successives [46] ».

Belle phrase! Mais qui ondule trop longuement, et que nous avons dû morceler. Malraux adhère-t-il vraiment à une solution aussi cérébrale? Quand le désespoir ne jaillit pas chez lui comme un cri, il se drape dans un style somptueux qui ne trompe personne. Écoutez ces cadences : je

---

45. *La Psychologie de l'Art*, *passim*. Cf. *Les Noyers*, p. 103 : « Sur l'essentiel, Platon et saint Paul ne peuvent ni s'accorder ni se convaincre : ils ne peuvent que se convertir. »
46. *La Création artistique*, p. 211.

les emprunte aux *Noyers*, mais vous croiriez entendre encore Kassner parlant dans son cachot :

> Dans la prison dont parle Pascal, les hommes sont parvenus à tirer d'eux-mêmes une réponse qui envahit, si j'ose dire, d'immortalité ceux qui en sont dignes,... et quelquefois... — je dis seulement : quelquefois — les millénaires du ciel étoilé m'ont semblé aussi effacés par l'homme que nos destins individuels sont effacés par le ciel étoilé.
>
> Le plus grand mystère n'est pas que nous soyons jetés au hasard entre la profusion de la matière et celle des astres, c'est que, dans cette prison, nous tirions de nous-mêmes des images assez puissantes pour nier notre néant [47].

Il arrive à certaines nobles pensées d'être un peu creuses. Maigre pâture, pour l'espoir humain, que cette belle attitude! Et il nous paraît vain que, devenue poussière sur une planète morte, notre race oppose encore ces affirmations de son génie, quelques pierres sculptées, aux puissances aveugles qui en auront eu raison. Mais ne répondez pas à Malraux que toutes les statues de pierre ne valent pas pour nous un cœur vivant [48], que sa solution confine à l'esthétisme... Car déjà il s'objecte à lui-même :

> Sans doute, un jour, devant des étendues arides ou reconquises par la forêt, nul ne devinera plus ce que l'homme avait imposé d'intelligence aux formes de la terre en dressant les pierres de Florence dans le grand balancement des oliviers toscans. Il ne restera rien de ces palais qui virent passer Michel-Ange exaspéré par Raphaël, ni des petits cafés de Paris où Renoir s'asseyait avec Cézanne, Van Gogh avec Gauguin. L'Éternel de la solitude n'est pas moins vainqueur des rêves que des armées...

Et il n'a pas oublié la joie de Pascal :

> Sans doute, pour un croyant, ce long dialogue des métamorphoses et des résurrections s'unit-il en l'une des voix divines [49]...

---

47. *Les Noyers*, p. 71 et 72.
48. « Que les dieux, au jour du jugement, dressent en face des formes vivantes le peuple des statues!... Il n'y eut jamais sur terre qu'un seul peuple chrétien sans péché, et ce fut un peuple de statues. » (*La Création artistique*, p. 212.)
49. *La Création artistique*, p. 215 et 216.

Et la douleur? Et la mort d'un être aimé?

L'art est peu de chose en face de la douleur, et, malheureusement, aucun tableau ne tient en face de taches de sang.
Ce privilège (de l'artiste), qu'il était plus puissant contre le ciel
étoilé que contre la douleur! Et peut-être eût-il eu raison d'un
visage d'homme mort, si ce visage n'eût été un visage aimé [50].

Un visage aimé? Il y a chez Malraux de ces heureuses
inconséquences.

V. — MALRAUX SEUL.

> « ...le désespoir, vieux maître
> de la solitude. »

Le drame de l'homme moderne, c'est qu'ayant appris
du christianisme la valeur infinie de son âme, il ne sait
plus qu'en faire. Voyez-les tous : Nietzsche, Sartre, Malraux. Comme ces furieux demeurent avarement crispés
sur eux-mêmes! Et pourtant, comme ils souffrent de garder pour eux seuls un tel trésor! Comme ils appellent une
impossible communication avec « l'autre » ! Impossible,
car l'autre demeure totalement autre, séparé d'eux par
un abîme. En s'ouvrant, ils craindraient de se perdre. Ils
ne savent pas aimer. Pour que je puisse me donner à lui,
il faudrait que j'eusse quelque chose de commun avec
l'autre, qu'il fût encore moi, en quelque façon, ou mieux,
comme dit Claudel traduisant saint Augustin, « quelqu'un qui soit en moi plus moi-même que moi ». Il faudrait un Médiateur à qui rien ne fût étranger, et résu-
mant dans sa personne l'immanent et le transcendant,
Dieu, les hommes et les choses. Il semble bien que Pascal
ait très exactement situé le problème religieux pour les
temps modernes : c'est celui du Médiateur. Un lien
manque, et le chapelet de la terre et des cieux se brise en

---

50. *L'Espoir*, p. 231. *Les Noyers*, p. 73.

mille joyaux absurdes. Ces atomes divins souffrent l'enfer
de la solitude.

Ce n'est donc pas un hasard si, ayant fait le tour du
monde et de ses promesses, Malraux se trouve seul. Chez
lui, l'attitude métaphysique commande tout, même la
frénésie de l'action, et l'échappée vers l'aventure, et l'érotisme, sujets parcourus en tous sens par la critique, et
jusqu'à nous donner la nausée. Ce ne sont pourtant là que
les traits les plus lisibles d'un visage, non le mal foncier
d'une âme. Ils ne méritent pas le gros plan, et nous n'y
insisterons pas. En situant ces données dans des perspectives religieuses, nous espérons leur avoir procuré leur
véritable éclairage.

Il nous faut toutefois observer jusqu'à son terme cette
dialectique du refus prométhéen. Quelle est devant la
mort l'attitude de Malraux?

Le moine clunisien qui croyait méditer sur la mort
méditait en réalité sur la vie; mais Malraux est ce contemplatif qu'une vie éventée aux quatre coins du monde ne
parvient pas à distraire un seul instant d'une mort noire,
doublement absurde pour qui se veut dieu. Pourquoi,
dans cette maison de passe de *la Condition humaine*,
cette ironique peinture thibétaine représentant « deux
squelettes exactement semblables (qui) s'étreignaient en
transe [51] » ? L'obsession de Malraux! La mort résume
l'absurdité de notre condition, ce « destin limité, irréfu-
table, qui tombe sur vous comme un règlement de prisonnier ». Les autres fatalités n'en sont que les masques
et les approches, ce temps, par exemple, qui nous ronge
« comme un cancer [52] ».

Devant la mort perpétuellement évoquée, Malraux fait
cent fois le bilan de son existence. L'action révolutionnaire? L'occasion d'imprimer sur ce monde une « cica-
trice » rageuse [53]. La femme? Un simple moyen : moyen

51. *La Condition humaine*, p. 275.
52. *La Voie royale*, p. 55 et 85.
53. *Les Noyers*, p. 49.

de s'affirmer, dans une volonté sadique de puissance, d'être enfin ce « fou », ce « monstre incomparable, préférable à tout, que tout être est pour soi-même et qu'il choie dans son cœur [54] ». Car Prométhée ne peut pas aimer. Sa volonté ne se maintient vivante qu'en réduisant à l'état d'objet, en pétrifiant tout ce qu'elle atteint. L'art? Tient-il devant la souffrance? Reste « la menaçante majesté de la nuit ». Eh bien, exister *contre elle*. Contre elle maintenir allumée sa révolte, comme le Primitif entretenait un feu contre les bêtes. Bien mourir, comme disent les chrétiens; mais, tandis qu'il s'agit pour eux d'exhaler ce *Oui* qui résume l'oblation de toute une vie, « mourir le plus haut possible », c'est, pour Malraux, se concentrer dans un *Non* plus furieux. Donc, attendre de pied ferme le vieil ennemi et le vaincre en lui imposant un sens qu'il refuse : de cette dernière fatalité faire un acte libre. « Il s'agit de savoir si je pense : je me détruis, ou : j'agis. La vie est une matière, il s'agit de savoir ce qu'on en fait, bien qu'on n'en fasse jamais rien. » Ne pas manquer sa mort. Et les derniers mots de Perken encerclé par la forêt, les feux des Moïs et les étoiles de Dieu, sont en effet : « Il n'y a pas... de mort... Il y a seulement *moi*..., *moi*... qui vais mourir [55]. » Ultime affirmation de soi, crachat à la face de l'absurde. « Je ne veux pas être soumis. »

Mais qu'est-ce que tout cela, sinon l'enfer?

Mais Malraux finit par sentir que tant de rage sonore et spectaculaire risque fort de tourner au ridicule, s'en prenant à la simple matière et au ciel vide. Seule la présence de Dieu pourrait donner sens et grandeur à son refus. N'est-ce pas la contradiction intime du prométhéisme moderne que de se vouloir révolté contre Dieu? S'il ne croit pas à Dieu, Prométhée se bat contre des moulins. Il est de fait que certain donquichottisme de ton et de gestes gâte aujourd'hui l'attitude de beaucoup de révoltés. Mais une position aussi fausse tient difficile-

54. *La Condition humaine*, p. 66.
55. *La Voie royale*, p. 158, 159 et 266.

ment jusqu'au bout, et nous voyons enfin Malraux supplier Dieu d'exister, pour que son enfer soit le vrai, pour
que sa révolte ne soit pas, comme le reste, insensée.

Une idée idiote le secouait : les peines de l'enfer choisies pour
l'orgueil — les membres rompus et retournés, la tête retombée sur
le dos comme un sac, le pieu du corps à jamais planté en terre —
et le désir forcené que tout cela existât pour qu'un homme, enfin,
pût cracher à la face de la torture, en toute conscience et en toute
volonté, même en hurlant. Il éprouvait si furieusement l'exaltation de jouer plus que sa mort, elle devenait à tel point sa revanche
contre l'univers, sa libération de l'état humain, qu'il se sentit
lutter contre une folie fascinante, une sorte d'illumination.

Cet éclatement de la condition humaine se transcendant elle-même, il l'a manqué toute sa vie, mais il pense
l'atteindre enfin dans cette folie-illumination, dans un
affrontement direct avec Dieu :

Ah! qu'il en existât (des dieux) pour pouvoir, au prix des
peines éternelles, hurler comme ces chiens..., *pour échapper à la
vanité de... hurler au calme absolu du jour* [56]...

Il est superflu de conclure. L'échec d'une telle tentative
n'est-il pas évident [57]? C'est au nom de la liberté que
Prométhée a refusé Dieu, mais ce rocher où il se déchire
lui-même passera difficilement pour l'image de la parfaite
liberté.

Il semblait d'autre part qu'ayant donné congé à Dieu, et

56. *La Voie royale*, p. 192 et 268.
57. Peut-être nous reprochera-t-on de n'avoir pas tenu compte de
certaine échappée vers la joie qui a tant étonné dans le dernier chapitre
des *Noyers*. Mais nous n'avons retenu que les constantes de Malraux.
Et ce n'est pas, nous semble-t-il, parce qu'au lendemain d'une bataille
un homme se sent revivre dans un frais matin biblique qu'on peut parler d'une « réconciliation féconde de l'homme et de la destinée ». (Gaëtan Picon, *André Malraux*, Gallimard, 1945, p. 89.) Cet appel de la
joie se retrouve d'ailleurs ici et là dans le reste de l'œuvre, toujours
aussi furtif. Il prouve seulement que Malraux échappe parfois, fort heureusement, à sa construction trop volontaire. Sur ce point, Gaëtan
Picon *(op. cit.)* et Claude Mauriac (*Malraux ou le Mal du héros*, Grasset,
1946) nous semblent avoir touché moins juste que Cl.-Edm. Magny.
(*Esprit*, octobre 1948.)

demeuré seul devant la nature, l'homme dût plus facilement se rapprocher d'elle; mais, paradoxe étrange, il la voit s'éloigner, car le viol de l'univers — artistique ou autre — ne nous livre pas son âme. Il faut donc enfin l'avouer : la communion avec le Mystère est manquée.

Nous n'avons voulu qu'exposer une pensée, non la discuter. A quoi bon? Chacun ne sent-il pas que cet homme sans amour et sans frères a fait fausse route? que l'amer plaisir distillé par l'enfer est une satisfaction mauvaise et stérile? que la communion avec les choses est un secret à trouver, mais qui réclame d'abord une conversion de nos cœurs faussés? Tout cela, le plus humble d'entre nous le sent et le sait.

Peut-être Malraux le sait-il mieux que nous.

« L'HOMME RÉVOLTÉ »
D'ALBERT CAMUS [1]

1. Gallimard, 1951.

Albert Camus, on le sait, est athée, mais c'est un athée de chez nous. Sa négation de Dieu ne nous arrive pas d'Allemagne, traduite plus ou moins bien, de Hegel : conçue en français, elle s'exprime en bon français. De là la netteté d'allure, sympathique en somme, de Camus; de là aussi ses limites : certaine simplicité « bien française » n'évite pas toujours le simplisme.

C'est très simple, en effet : quiconque dispose d'un peu de fierté se cabre, nuque raidie, devant un abus de pouvoir. Or les hommes souffrent et meurent : ils n'ont pas mérité cela. Français (espagnol par sa mère), Albert Camus se révolte contre ce qui lui semble une injustice. Essayez de le faire plier, il se raidira davantage. Nous n'essayerons pas.

Disons-lui plutôt que sa façon de résumer le problème de l'existence nous met en fraternité avec lui. Un chrétien n'a nul besoin de peiner sur *la Phénoménologie de l'Esprit*, il lui suffit de lire la Bible pour comprendre que l'histoire du monde est bien en effet celle de « l'homme révolté ». Seulement, où nous déplorons un péché, Camus exalte un sursaut de la dignité humaine. Nous demandons la grâce, il la refuse. Voilà touché déjà le point douloureux. Mettons que nous sommes de ces frères ennemis qui peuvent encore causer.

Ajoutons que Camus ne joue pas du scandale, ne s'abaisse pas à la propagande, et que la faune louche des existentialistes de cafés n'aurait pas l'idée de se réclamer de lui. Albert Camus mérite qu'on l'écoute.

De « l'Homme absurde » a « l'Homme révolté »

Imaginons Barrès — dont l'influence sur Camus, comme sur Montherlant et Malraux, paraît indéniable — vivant assez longtemps pour être témoin de la débâcle et de l'occupation. « La Lorraine », « la terre et les morts », un raz de marée emporte ces digues fragiles, laborieusement édifiées pour se voiler à soi-même un profond scepticisme métaphysique. Chez le Camus de 1942, l'amertume secrète de Barrès remonte en surface, ainsi que son obsession de la mort. Le monde n'a décidément aucun sens, il reste impénétrable à notre esprit. Nous sommes condamnés à vivre devant ce sphinx qui ne laisse filtrer aucune certitude, si ce n'est qu'il nous dévorera un jour. L'évasion philosophique ou religieuse? Remède lâche. Barrès distinguait mal la religion de la poésie, mais l'heure allemande impose la lucidité : « chercher ce qui est vrai n'est pas chercher ce qui est souhaitable ».

N'allons pas croire que le sentiment de l'absurde ait rien d'exceptionnel. *L'Étranger* et *Caligula* témoignent à jamais de l'horreur alors vécue par tous. Les « étrangers », c'étaient ces millions de combattants ahuris, jetés les uns contre les autres dans un quiproquo gigantesque, et se livrant à leur tâche de tueurs avec une indifférence glacée. Si les condamnés à mort ne peuvent savoir ni pourquoi ils vont mourir, ni même pourquoi ils auront vécu, alors il n'y a ni bien ni mal, tout est permis, tout est indifférent. Pourquoi ne pas s'amuser à tout massacrer autour de soi, comme le fait Caligula-Hitler? « Et qui oserait condamner Caligula dans ce monde sans juge? » Libre à chacun, d'ailleurs, de quitter cette vie peu ragoûtante. « Il n'y a qu'un problème philosophique vraiment sérieux : c'est le suicide. »

Le premier mérite d'Albert Camus est d'avoir discerné qu'une vision « absurde » du monde appelle le suicide, individuel et collectif. Mais son second mérite est de s'être cabré devant cette conséquence : il nous fait un devoir de vivre. Au nom de quoi? Ici apparaît la révolte.

Je supplie le lecteur de ne pas crier trop vite à la fragilité de la morale qu'on va nous proposer. Dans l'absence de toute foi et l'universel glissement, voici un homme qui se débat, s'agrippe, cherche un terrain ferme où assurer son pas, où asseoir une raison de vivre. Ses gestes sont maladroits; et parfois sa logique, comme celle de Sganarelle, se casse le nez. Je ne vois pas qu'il y ait lieu de rire.

Un peu comme le doute méthodique, le sentiment absurde me rejette sur moi-même : c'est le temps du reflux lucide. Mais aussitôt je proteste contre une condition « injuste et incompréhensible ». « Je crie que je ne crois à rien et que tout est absurde, mais *je ne puis douter de mon cri.* » Ma révolte, voilà ma première évidence, sorte de *cogito* sur lequel je vais tenter de fonder une morale.

Et d'abord mon devoir de vivre. Ma révolte me donne à la fois la conscience de moi-même et celle de ce monde auquel je suis scellé « comme la haine seule peut river les êtres ». Affronté à mon destin, je le tiens en respect. Vigilante, sans résignation et sans espoir, la révolte impose un sens au non-sens. Se tuer serait éteindre la seule valeur qui puisse luire en ce monde. C'est ainsi qu'en 1942, au bruit des fusillades d'otages, Camus jugeait le suicide interdit.

Le suicide était alors *la* question. Aujourd'hui, c'est le meurtre. En cinquante ans, dit Camus, on a déraciné, asservi ou tué soixante-dix millions d'hommes. Or, la révolte est ce juge que nous cherchions pour condamner Caligula. Il n'est que de l'analyser. Elle implique un *non* et un *oui.* Le révolté dit non à celui qui empiète sur ses droits, mais par le fait même il dit oui à ces droits. Contre une intrusion jugée intolérable il affirme l'existence d'un domaine sacré. Et s'il meurt pour le défendre, c'est que, débordant sa vie éphémère, ce bien est commun à tous les hommes. Ainsi l'homme absurde échappe-t-il à la solitude. La révolte n'est donc pas, comme le ressentiment avec lequel Scheler l'a confondue, négative et égoïste : positive, elle nous révèle le bien suprême qui mérite qu'on meure pour lui, et elle fonde la fraternité humaine. « Je me révolte, donc nous sommes. »

Que vaut cette métaphysique? Nous y reviendrons. Mais, après tout, la révolte n'est pas une abstraction. Ne voyons-nous pas, au cours des deux ou trois derniers siècles, les pionniers de la pensée et ceux de la politique s'efforcer d'écarter Dieu de l'horizon humain? Puisque la révolte se déploie dans l'histoire, nous allons pouvoir, avec Camus lui-même, la juger sur des faits.

La révolte dans l'histoire.

C'est au Dieu personnel et non à un vague destin que le révolté occidental — Caïn plutôt que Prométhée — demande personnellement des comptes [2]. Littérateurs et poètes commencent par blasphémer Dieu, puis, le trai-

---

2. Dans sa *Remarque sur la Révolte* (*L'Existence*, 1945), Camus affirmait que l'homme ne s'insurge pas contre Dieu, mais contre la condition humaine. « L'idée, plus tardive (?), que celle-ci a pu lui être « faite » (par Dieu) rentre dans un système d'explications et d'hypothèses... qu'on ne peut confronter à l'expérience. » Camus n'aurait-il pas abandonné cette position? Il dénonce aujourd'hui en Dieu « le père de la mort et le suprême scandale ». « La révolte, après tout, ne s'imagine que contre quelqu'un. La notion du dieu personnel, créateur et donc responsable de toutes choses, donne seule son sens à la protestation humaine. »

Mais alors surgit une difficulté nouvelle : *peut-on être à la fois athée et révolté contre Dieu?* C'est poser Dieu que de s'opposer à lui. Camus admet maintenant que la révolte n'est pas toujours, n'est pas d'abord athée; mais elle le devient, puisque, soumettant Dieu au jugement humain, elle finit par le traiter comme un égal. Dès lors, Dieu n'est plus transcendant, il n'est plus Dieu. Et la révolte perd tout objet. Il faut donc bien choisir entre la révolte et l'athéisme. Averti par Sancho Pança que le prétendu géant est un moulin à vent, don Quichotte n'a plus qu'à délacer sa cuirasse. Si Dieu est un mythe, la révolte est une folie qu'il faut soigner.

La position de Malraux prête à la même critique. Parmi les révoltés contemporains, Marcel Jouhandeau nous semble seul logique, qui s'affronte à Dieu, mais affirme hautement son existence.

tant d'égal à égal, le citent devant la justice humaine,
enfin le déclarent déchu, le condamnent à mort. Premier
théoricien de la révolte absolue, Sade oppose à Dieu le
buisson ardent de ses instincts. Baudelaire joue les Satans
romantiques, mais Dieu l'obsède encore et il le craint.
Avec le froid Ivan Karamazov, de Dostoïevski, le cou-
peret tombe : un Dieu qui fait souffrir les petits enfants
n'est pas digne de vivre. « Dieu est mort », constate
Nietzsche, qui s'acharne contre ce qui reste de Dieu dans
la conscience des hommes : la morale. La place est-elle
nette, et sommes-nous seuls enfin, et libres? Non, car la
création elle-même nous rappelle le Créateur : Lautréamont, Rimbaud, les surréalistes, ces « spécialistes de la
révolte », mettent une rage inouïe à confondre ciel et
terre, à en pulvériser les éléments, à faire fuser et fleurir
le bouquet des rêves humains. Il s'agit de créer un monde
spirituel qui ne doive rien à Dieu. Si, en effet, portant
notre humanité à l'incandescence, nous la réalisons
pleinement sans la grâce, si « la merveille » transfigure
toutes nos heures, alors le feu du ciel est vraiment parmi
nous. Dieu devient inutile. Tout se passe comme s'il
n'existait pas, il n'existe *pratiquement* plus.

Il s'agit seulement de savoir si ce pari babélique peut
être tenu. Camus constate qu'il ne l'a pas été. Cet immense
effort littéraire et poétique, qui s'étend sur deux siècles
et demi, n'est certes pas risible, il est tragique dans son
intention. Mais pourquoi ne pas oser dire très haut ce
que tout le monde aujourd'hui pense tout bas? Il est
dérisoire dans ses résultats. A la Bastille, Sade a *rêvé* qu'il
jouissait d'une liberté divine. « L'écrivain, bien entendu,
n'a rien à se refuser », dit Camus. Mais les blasphèmes de
Sade l'ont étouffé lui-même sans tuer Dieu autrement
qu'en effigie. Quant aux surréalistes, ils avaient juré de
n'être pas des « littérateurs »; ils ne fabriqueraient pas,
comme les confrères, un monde en papier, mais un univers
à la fois aussi éblouissant que celui de l'Apocalypse et
aussi présent que le nôtre. Mais cette transmutation de

l'homme a fait long feu. Ils n'ont écrit, eux aussi, que le roman de la mort de Dieu, fiction d'hommes de lettres totalement dépourvue de crédibilité. Réussite littéraire, mais échec métaphysique. Avec le surréalisme, le spectaculaire élan de révolte des « poètes maudits » retombe aujourd'hui sur lui-même, solitaire et stérile. Le combat contre Dieu n'est pas commencé.

Il commence avec la révolution politique. La liberté ne se rêve pas, elle se prend. Pour se prouver à eux-mêmes qu'ils peuvent vivre sans Dieu, les hommes vont s'organiser en une force cimentée qui pourra se suffire et défier le Ciel. Il s'agit de « réunir enfin la communauté humaine sur les débris de la communauté divine ». Dieu mort, « il faut bâtir l'histoire », « tenter de donner à l'homme son règne dans le temps ». On le voit, « la révolution n'est que la suite logique de la révolte métaphysique », « une croisade métaphysique démesurée ». Plus de repos! Depuis 1789 jusqu'à nos jours, un remous puissant soulève et brasse les peuples, libérés de l'obéissance à Dieu et impatients de réaliser par leurs propres forces l'équivalent de ce que leur promettait le corps mystique : l'union de tous les hommes dans l'innocence, la justice, le bonheur. « Comment vivre sans la grâce, écrit Camus, c'est la question qui domine le xixe siècle. »

Il ne peut être question de suivre avec Camus la marche de la révolution, depuis les naïfs régicides de 1789 qui croyaient instaurer l'âge d'or, jusqu'au régime stalinien. Un panorama qui s'étend de Saint-Just à Lénine, en passant par Hegel, Feuerbach, Auguste Comte, les terroristes russes, Mussolini et Hitler, peut présenter des détails contestables, l'impression d'ensemble s'impose. Or, le bilan dressé par Albert Camus n'est pas seulement déficitaire, il est catastrophique : la révolte historique a fait faillite.

On s'était insurgé contre Dieu au nom de l'innocence humaine et en protestation contre la mort, et voici que

tout le monde tue ou laisse tuer. Les contraintes religieuses abattues, on s'en est créé d'autres, intolérables.
On se disait trop fier pour se courber devant Dieu, et on
s'incline devant des dictateurs, « Jéhovahs bottés ». Les
passionnés de la révolte se ruent à la servitude [3]. On a
refusé la religion de l'éternité, ce fut pour entrer dans
celle de l'histoire [4] : à l'Avenir déifié on immole non seulement des corps, mais des âmes aussi, qu'on asphyxie
savamment, que l'on réduit au social, à l'économique, à
la quantité, car une vie intérieure quelconque permettrait
encore une respiration dans l'éternel, un appel au transcendant, une prière. On ne gouverne plus des personnes,
on administre des choses. La solitude de ces fantômes
d'hommes interchangeables n'a jamais été plus profonde.
Et les esclaves ne peuvent plus en appeler contre les
maîtres à un Juge céleste. Prométhée a libéré les hommes
de toute sujétion à Dieu, puis, s'étant fait Dieu, dieu
humain, il traîne derrière lui les multitudes muettes.
Tout ceci est bien connu. L'originalité des analyses que
je résume à regret est dans le lien qu'elles établissent
entre la révolte métaphysique et la révolte historique,
dans la comparaison qu'elles permettent entre le rêve et
la réalité.

Tout autre que le théoricien de la révolte conclurait
que les fruits jugent l'arbre, que la révolte a fait ses

3. Camus avait déjà signalé cette pente à l'acceptation, parfois même
au conformisme, chez des poètes et théoriciens comme Lautréamont,
Rimbaud, Nietzsche.
4. Le christianisme, nous dit Camus, n'est pas sans responsabilité
dans cette catastrophe. N'a-t-il pas, le premier, « mis l'accent sur l'histoire » ? Détachant l'homme du présent, il l'a orienté vers une divinisation future. Vue très sommaire, car le christianisme n'est pas « *pure
tension vers le royaume à venir* ». Il ne sacrifie nullement le présent,
comme le marxisme. C'est même parce qu'il est ancré dans l'éternité
présente que le chrétien peut échapper au vertige de l'histoire.
Camus nous semble ici assez gêné. Il prétend bien, nous le verrons,
se tenir lui-même entre l'éternité et l'histoire, et, sans appui sur Dieu,
ne pas se laisser happer par les « religions horizontales de notre temps ».
Mais n'est-ce pas lui qui a écrit : « L'avenir est la seule transcendance
des hommes sans dieu »?

preuves, qu'il est grand temps de nous en détourner. Mais Camus ne veut pas se dédire. Bonne dans son principe, la révolte, dit-il, a seulement dévié en cours de route. Dieu déchu, l'homme s'est divinisé. Fait pour le relatif, il a ambitionné l'absolu. De là tant de démesure et de sang. *Il faut refuser d'être dieu.* Et Camus, en fin de compte, se rallie à un humanisme « méditerranéen » qui part du « peu d'être que nous découvrons en nous », insiste sur les limites de l'homme, et, renonçant à une impossible innocence, se résigne à une culpabilité mitigée. L'idéal nouveau culmine dans l'œuvre d'art, donnée comme exemple, assez peu convaincant, de révolte. Finalement, le bon révolté, c'est Ulysse à la charrue. Revenu de bien des folies, il parie pour un pauvre bonheur. Retour à Ithaque.

Albert Camus nous permettra-t-il d'avouer notre déception? Car enfin il faut choisir. Ou bien son humanisme est un divertissement au sens pascalien : Ulysse, en modelant de beaux vases, se distrait comme il peut de l'injure que lui fait le destin. Sa morale n'est qu'une commodité, un astucieux art de vivre. Comment l'épopée prométhéenne a-t-elle pu aboutir aux coteaux modérés chers à Anatole France? Si Ulysse, réconcilié avec la vie, n'est plus qu'un médaillé de la révolte, pourquoi tout ce fracas métaphysique?

Ou bien Ulysse reste un militant. Il entend mourir « irréconcilié » avec cette existence absurde. Mais, je le demande, comment cet état violent, ce déchirement toujours à vif qu'est la révolte est-il compatible avec le plus chétif bonheur? Si Ulysse demeure fasciné par l'inutilité finale de tout effort humain, il est ce forçat aux yeux crevés dont parle Malraux : ce n'est que sous le fouet que vous le déciderez à tourner la meule. Ulysse redevient Sisyphe. « Il faut imaginer Sisyphe heureux? » On peut en effet « imaginer » tout ce qu'on veut. Mais peut-on *penser* Sisyphe heureux?

Ithaque, j'en conviens, vaut mieux que Berchtesgaden

ou Moscou, et la sagesse que la folie. Camus a bien raison de ne pas renoncer au bonheur, mais ne lui faudra-t-il pas pour cela renoncer à la révolte, attitude dont son enquête à travers l'histoire a illustré, comme l'eût fait un film aux images gigantesques, le caractère inviable et l'incohérence?

QUELQUES RÉFLEXIONS SUR LA RÉVOLTE.

Non, la révolte n'a pas dévié. La mise à mort de Dieu dans la conscience des hommes est une entreprise qui vise l'absolu puisqu'elle le met en question. Elle a pour contrepartie la divinisation de l'homme et toute la démesure qui en résulte. Chacun s'adjuge à la fois la toute-puissance et l'innocence de Dieu. Chacun tue dans l'innocence et s'érige en juge dernier de ses actes. La Genèse l'avait dit : Ils voudront être « comme des dieux ».

N'y a-t-il pas quelque naïveté à s'étonner que des révoltés métaphysiques manquent de « sagesse »? La volonté de puissance, qui se trouve à l'origine de cette « expédition démesurée contre le Ciel », ne doit pas, normalement, développer des réflexes de mesure. « Pour être, écrit Camus, l'homme doit se révolter, mais sa révolte doit respecter la limite qu'elle trouve en elle-même. » On peut précisément se demander si la révolte est, de soi, limitée. Comment serait-elle à la fois un moteur et un frein? « L'histoire prodigieuse qui est évoquée ici, gémit Camus, est l'histoire de l'orgueil européen. » Mais n'est-ce pas lui qui a écrit dans *le Mythe* : « Le spectacle de l'orgueil humain est inégalable? » Qui sème le vent récolte la tempête.

Mais il est temps d'examiner la formule où Camus a concentré tout son espoir. Le « Je me révolte, donc nous sommes » est-il d'une solidité cartésienne? Les révoltés sont en effet tombés dans les bras les uns des autres, comme prévu, mais ce fut pour s'égorger. Est-ce pur accident? Ce qui les unit, dites-vous, c'est l'humanité commune que chacun défend pour tous. Mais, ou bien l'insurgé combat pour que cette humanité se réalise un jour, et vous sacrifiez, comme les marxistes, l'individu et le présent à l'avenir; ou bien — et c'est, semble-t-il, votre pensée — cette unité organique des hommes n'est qu'une chimère : mais alors l'humanité n'est qu'une abstraction. Je crains que, vous qui vous montrez si sévère pour les mythes, vous ne nous engagiez là sur la voie des mystifications.

Disons plus simplement que la révolte peut unir les hommes en apparence et pour un temps, elle les divise en réalité et pour toujours. Elle les tourne *contre* l'ennemi commun, non pas les uns *vers* les autres. Le pain qu'ils se partagent, c'est le pain de la haine, non celui de l'amour. Vienne la « libération » : le virus de la révolte continue d'agir, et les alliés deviennent ennemis. Et la révolte n'est jamais aussi dissolvante que là où elle inspire tout un régime. Les fascistes et les staliniens, excités comme des chiens par leurs maîtres contre les Juifs ou les capitalistes, présentent à peu près la cohérence d'une meute. L'enrégimentement n'est pas la communion, ni la surveillance policière l'amour. Mais la pire des aventures pour un régime révolté, ce serait la victoire totale : la curée ferait se dévorer la meute. Il faudrait bien vite susciter un autre ennemi, une autre guerre. Donner la révolte comme ferment spirituel à l'humanité, c'est instituer les guerres en chaîne.

Les révoltés, qui ont simplifié la vie religieuse jusqu'à n'y voir que des relations de Maître à esclaves, soumettent les relations humaines à la même simplification. « L'esclave commence par réclamer justice et finit par vouloir le royaume. Il lui faut dominer à son tour », écrit Camus. Cette dialectique, exercée d'abord par tous contre Dieu, l'est ensuite par chacun contre tout autre. Comment s'étonner de trouver le meurtre à la fin puisqu'on le trouve au début? Il est devenu endémique. Après la communauté divine, on a rompu la communauté humaine. En voulant du sang dans le ciel, on a pris le goût du sang, et le sang couvre la terre.

Que reste-t-il du « Je me révolte, donc nous sommes » ? Rien. Camus ajoute, logique : « Si nous ne sommes pas, je ne suis pas. » Dieu exclu, qui seul pouvait nous unir, parce qu'il est à la fois transcendant et plus intime à chacun que lui-même, les hommes se trouvent privés de toute intériorité au niveau de l'*être*, et ne peuvent plus que se disputer des *avoirs*. Il est donc bien dangereux de nous dire que nous devons maintenir la révolte allumée en nous comme une passion, « la plus déchirante de toutes », en garder la « conscience perpétuelle, toujours renouvelée, toujours tendue ». Car, alors, cette petite flamme — légitime, nécessaire en son ordre : Péguy et Bernanos nous en ont donné sous nos yeux des exemples chrétiens — devient un incendie qui consume tout l'homme. Identifier l'Être avec l'injustice, refuser toute grâce, et d'abord la plus élémentaire qui est le don de l'être, c'est scier la branche sur laquelle on est assis. C'est travailler à ce nihilisme que l'on abhorre. C'est une attitude contradictoire.

Pourquoi Albert Camus, qui a analysé avec tant d'honnêteté les développements de la révolte, ne soumettrait-il pas à la même critique la révolte elle-même ? Il s'y refuse. Sujet tabou pour lui, semble-t-il, c'est-à-dire sacré. Son cœur est là. Et certes, nous le comprenons : enlevez-lui cela, que lui restera-t-il ? Pourtant, il en appelle trop souvent à la lucidité : à qui fera-t-on croire que la révolte s'impose à tout esprit lucide comme la première évidence ? Non, rien ici du *cogito*. Il s'agit d'un choix passionné, toujours suspect de déraison.

Camus est crispé, jusque dans son style. Il parle de retranchements à élever contre Dieu, de forteresses, de casemates. Si bien barricadé, comment pouvez-vous accuser, après Vigny, « le silence éternel de la divinité » ? — Je ne veux pas « tricher ». Mais qui triche, celui qui s'enquiert des signes divins, ou celui qui, de parti pris, refuse

de les examiner? Est-ce là une attitude de recherche
désintéressée? On en vient à penser que, loin d'être inti-
midant par sa logique, le révolté est bien plutôt quelqu'un qui, comme on dit, « ne veut rien savoir ». Pourquoi écarte-t-il Dieu? — Je ne veux pas « m'incliner ».
Orgueilleux, non pour lui-même, mais pour l'humanité,
Camus ne supporte rien au-dessus d'elle : il faut qu'elle
soit la valeur suprême. — Et si, sans Dieu, l'homme se
trouve privé de son accomplissement? Je refuse toute
« grâce ». Comment discuter une position philosophique
où semble entrer plus de passion que de lucidité?

Et peut-être aussi quelque complaisance! Le révolté,
tout à la fois, crée sa solitude, la déplore et la savoure.
Noblesse d'un être «sans consolation » ! L'homme absurde,
reconnaît Camus (mais c'est aussi vrai du révolté), « vit
devant un miroir... La plaie qu'on gratte avec tant de
sollicitude finit par donner du plaisir ». Voilà le révolté
obligé en même temps de s'insurger contre le Maître, et
d'appeler sur lui une oppression qui lui permet une attitude si belle, si indispensable à la dignité humaine! La
révolte ne s'imposerait-elle pas au révolté à peu près
comme la bouderie à l'enfant boudeur?

Si notre hypothèse est fondée, il y a tout à parier
que, pour légitimer à leurs propres yeux leur rébellion,
nos contemporains ont noirci à plaisir le tableau de l'existence et défiguré le Dieu chrétien. « Je me présente pour
défendre l'homme », dit Lautréamont. Qui l'attaque?
« L'horrible Éternel à la figure de vipère », « le rusé ban-
dit » qu'on voit « embraser des incendies où périssent les
vieillards et les enfants ». Pour Baudelaire, c'est ce...

> *...tyran gorgé de viandes et de vins*
> *(Qui) s'endort au doux bruit de nos affreux blasphèmes.*

Les révoltés imaginent difficilement notre stupéfaction
devant une conception religieuse aussi puérile. Est-ce
dans la Bible qu'ils ont trouvé ce tyran, ce monstre, ce
vampire? On ne rappellerait pas ces caricatures insanes si

André Breton ne les rabâchait encore de nos jours. Ce romantisme de la révolte n'a pas reçu tout le discrédit qu'il mérite. Camus en est-il tout à fait exempt? Je ne sais s'il écrirait aujourd'hui que « le christianisme est *d'abord* une philosophie de l'injustice », mais la révolte, qu'il n'a pas cessé de préconiser, n'implique-t-elle pas que Dieu est l'Oppresseur, celui qui, sans justification possible, nous inflige la souffrance et la mort? Les révoltés se montrent gênés par le Christ, venu sur terre pour assumer dans l'amour le scandale très réel de la souffrance : ils trouvent plus expédient d'ignorer Celui sans lequel le christianisme n'est rien. Qu'ils sachent que le visage de Dieu s'est précisé pour nous dans les traits du Christ, que notre Dieu est mort pour nous et avec nous, et qu'il s'est défini « l'Amour ».

L'Accusé, en somme, était condamné d'avance. On a écarté certaines pièces du procès. Et l'on n'a retenu que les désordres du monde, qui apparaissent ainsi comme des crimes. La cause de Dieu devenait indéfendable, et c'est pourquoi, dans Dostoïevski, le Christ se tait devant le Grand Inquisiteur. Un procès — l'actualité ne nous en fournit que trop d'exemples — est d'autant plus spectaculaire et bruyant que plus truqué. Tout fait penser que les juges de Dieu n'ont pas la conscience tranquille. La tranquillité, le révolté ne l'obtient, nous le voyons aujourd'hui, que par la mort de sa conscience, soit qu'il cherche l'oubli dans l'action, soit qu'il mime l'obéissance à Dieu par la soumission inconditionnée à un dictateur, soit qu'il généralise le crime en sorte que la culpabilité devienne du moins la chose du monde la mieux partagée. Non, la révolte contre Dieu n'a pas été un acte innocent; et si le monde où nous vivons se montre impuissant à fonder une morale, c'est qu'il a les mains sanglantes, et que sur un premier crime on ne peut fonder que des crimes.

Conclusion.

Pourquoi ne pas avouer que l'humanité s'est engagée sur une fausse route? Non, Camus ne faussera pas compagnie à ses contemporains. « Les foules au travail, lassées de souffrir et de mourir, sont des foules sans dieu. Notre place est dès lors à leur côté... » Mais Camus écrit-il pour suivre la foule, ou pour lui indiquer son chemin? Il prend sur lui de combattre le nihilisme de notre époque, il lui reste à remettre en question la révolte elle-même d'où ce nihilisme est issu. Celui qui a dénoncé un jour dans l'absurde « un mal de l'esprit » pourrait peut-être aussi nous en guérir.

Nous le voyons d'ailleurs aujourd'hui invoquer beaucoup moins des abstractions reconnues meurtrières, comme la liberté, la fraternité ou la justice, que ces humbles valeurs vivantes que sont l'amour, le devoir quotidien, la beauté enfin telle que nous pouvons la créer en nous et dans les objets qui nous entourent. Tout effort pour rattacher ces valeurs à la révolte est voué à l'échec.

La révolte est refus crispé; l'amour sous toutes ses formes est acceptation, détente, rayonnement. Sous le soleil noir du révolté, quelle fleur pourrait germer, et quelle surtout s'épanouir? La révolte est suffisance raisonneuse et hermétique; l'amour nous initie à un mystère profond, et il peut nous ouvrir, de proche en proche, les portes merveilleuses de tous les mystères. La révolte est orgueil; le Camus d'aujourd'hui semble mieux connaître ses limites. Au nom de l'humanité, il se targuait, face à Dieu, d'une innocence qu'il estime aujourd'hui mensongère. Ainsi la vie se charge-t-elle d'apprendre à chacun de nous qu'il est pécheur, et que, loin d'être en droit d'exiger de Dieu des comptes, c'est à lui peut-être à chercher, dans un monde désormais vide de Dieu, quelqu'un à qui l'on puisse demander pardon.

Quelques lecteurs ont cru apercevoir dans ces pages une condamnation de toute espèce de révolte. Ils ont cru devoir me rappeler qu'il existe une révolte chrétienne : contre le mal, l'oppression, l'injustice. Que la résignation à la souffrance des autres ne soit pas chrétienne, c'est tellement évident qu'une simple allusion m'avait paru suffisante. Au reste, mon sujet n'était pas « La révolte » en général, mais *l'Homme révolté*, livre dans lequel Albert Camus s'efforce de fonder toute attitude humaine digne de ce nom sur la révolte *métaphysique*, c'est-à-dire, en définitive, sur la révolte contre Dieu.

Certes, le Christ s'est révolté contre un destin aveugle, contre une Fatalité sans visage et sans amour, contre toutes les servitudes extérieures et intérieures. Et sa révolte nous a rendus libres. Mais, obéissant lui-même jusqu'à la mort et la mort de la croix, il nous a montré dans l'adoration aimante du Père, l'exercice suprême de notre liberté retrouvée. C'est cela précisément que Camus refuse; c'est contre cela que se dresse sa révolte.

Il ne faudrait pas qu'à la faveur d'un mot ambigu les chrétiens se croient d'accord avec Camus. Lui-même a tout fait pour que soit écartée une confusion qui répugnerait à sa lucidité comme à sa loyauté.

COMMENT JEAN-PAUL SARTRE
SE REPRÉSENTE LE DIABLE
ET LE BON DIEU

Pourquoi ne pas le dire tout de suite? Jean-Paul Sartre vient de nous décevoir. L'existentialisme sartrien avait secoué les vieux cadres rationalistes. Mieux qu'une position arrêtée, c'était une promesse de renouveau. *La Nausée*, s'adossant à *l'Être et le Néant*, et débouchant dans *les Mouches*, drame un peu scolaire mais plein de verdeur, porche ouvert sur l'avenir : voilà bien, cette fois, disions-nous, une pensée en marche! Un Français, fût-il catholique, se défendait mal d'une certaine fierté devant ce philosophe romancier et dramaturge qui entrait dans la carrière avec l'allure cavalière d'un Descartes. *Les Chemins de la Liberté* nous déçurent par leur indécision : pourquoi ce retour à la mare natale? Avec *les Mains sales*, d'une franchise bouleversante, un secret nous était soudain dévoilé : celui d'un homme qui ne trouvait plus sa voie, qui ne savait plus comment avancer. Un silence suivit, de plusieurs années, qui aviva notre attente. Enfin, annoncé par toutes les trompes de la renommée comme la réplique athée du *Soulier de Satin*, voici *le Diable et le bon Dieu*, « pièce aux dimensions gigantesques », dit le programme, auquel j'emprunte les détails suivants, un peu naïfs : 104 techniciens, 90 costumes, 10 décors, 600 mètres de câbles, 300 kilos de clous, une tonne de peinture... La pièce « géante » dure quatre heures. Si J.-P. Sartre agite ce miroir aux alouettes qu'est une pièce « à grand spectacle », c'est qu'il veut se faire l'annonciateur et le propagandiste d'une nouvelle qui intéresse tous les hommes. Dieu n'existe pas. Dieu n'est qu'un

rêve dont il est grand temps que les hommes s'éveillent,
pour prendre en main — misérablement, glorieusement
seuls — leur destinée.

Parvenu à la maturité, J.-P. Sartre semble avoir voulu,
avec cette pièce, risquer son va-tout. Il a perdu.

Nous sommes au XVIᵉ siècle, en pleine révolte religieuse
et sociale. La ville de Worms est assiégée par les troupes
d'un archevêque commandées par Gœtz. Va-t-on se soumettre? C'est évidemment ce qu'enjoint au pauvre peuple
l'évêque du lieu, à grand renfort d'anathèmes. Ou résister
en appelant à la rescousse le reste de l'Allemagne? C'est
ce que voudrait un luthérien teinté de marxisme, nommé
Nasty. Courant d'un parti à l'autre, excommunié par tous
parce qu'il s'est assigné la tâche impossible d'être à la
fois pour l'Église et pour le peuple, un pauvre petit prêtre
à la soutane verdie : Heinrich. Mais il a beau aimer les
pauvres, un curé reste un curé, et sa vocation est de
trahir le peuple : le curé Heinrich livre donc à Gœtz
l'entrée de la ville.

Voici Gœtz. (C'est Pierre Brasseur. On l'attendait.
Acclamations.) Gœtz n'est pas seulement le reître classique qui tue, viole, incendie; il fait le mal pour le mal,
parce que Dieu est le Bien, et qu'il veut offenser Dieu.
Dieu l'empêchera-t-il de brûler Worms et ses habitants?
Il l'en défie bien! Mais quoi de plus banal que le mal?
lui fait remarquer Heinrich. Tout le monde fait le mal!
L'enfer est une foire! Ce n'est pas le mal qui est impossible, c'est le bien, parce que Dieu se l'est réservé. Gœtz
parie donc de faire le bien. « C'est encore la meilleure
façon d'être seul... Je parie d'être un saint. » Tope! Dans
un an et un jour, Heinrich lui-même jugera si le pari a
été tenu.

Gœtz épargne la ville, congédie son armée, distribue
ses terres, renvoie sa catin, endosse une robe de moine.

Le saint homme! Mais d'où vient que le peuple se méfie et lui refuse la confiance qu'il accorde aux saints? Comment l'Église s'y prend-elle donc pour séduire les foules? Rien de plus simple. Voici le moine Tetzel, marchand d'indulgences, personnage d'ailleurs historique, et c'est une scène bouffonne des plus réjouissantes. Gœtz tient maintenant le secret de la sainteté; il sait avec quelles supercheries se forge une auréole. Au besoin, il fera des miracles. Sa maîtresse abandonnée va mourir dans le désespoir, parce qu'aucun prêtre n'est là pour l'entendre, et que le peuple reste assez sot pour préférer un prêtre à un saint. Gœtz somme le grand christ en bois qui domine le décor de faire un miracle. Le christ en bois demeure sourd et muet comme une bûche. On s'y attendait. Alors, avec sa dague, Gœtz se blesse la paume des mains : stigmatisé! Cette fois, la foule acclame l'homme de Dieu. « Je les ai eus », lâche Gœtz en aparté. Est-ce un canular? La salle rit de bon cœur. Nous sommes au Grand-Guignol, et nous nous amusons comme des enfants. Gare au gendarme, Gœtz! Mais non, toute l'ambition de la pièce est justement de nous amener à croire qu'il n'y a pas de Dieu-gendarme. Gœtz s'enfonce de plus en plus dans la sainteté. Échec partout. Le village neutraliste chrétien fondé par lui est détruit par la guerre. Toute action se révélant impossible, Gœtz tâte de la contemplation. Désert, cruche, discipline. L'ascète complet bat ses propres records. Toutefois, cet ermitage si classique comporte un accessoire insolite : Hilda, symbole de l'amour humain. D'où de rudes tentations. Cependant, un an et un jour se sont écoulés, et devant Heinrich fidèle au rendez-vous Gœtz reconnaît qu'il a perdu son pari : sa sainteté a fait aux autres plus de mal que de bien. Mais, me direz-vous, quand sera-t-il enfin question de l'existence de Dieu? Patience : au baisser du rideau. Nasty vient supplier Gœtz de prendre la tête de l'armée du peuple, et Gœtz retrouve sa bonne vieille nature de soldat. Puisque Dieu ne répond pas, puisque le Bien et le Mal

sont également impossibles, prenons nous-mêmes en main
notre destinée. Décrétons que Dieu est mort. « Je reste-
rai seul avec ce ciel vide au-dessus de ma tête, puisque je
n'ai pas d'autre manière d'être avec tous. » Et Gœtz
inaugure solennellement l'ère nouvelle en poignardant
ceux qui n'adoptent pas assez vite... la philosophie de
J.-P. Sartre.

Bric-à-brac historique à la manière d'Alexandre Dumas,
simplifications audacieuses qu'explique le prosélytisme
joint à une conviction touchante, répliques tombant
comme des masses d'armes sur l'adversaire assommé,
prières et blasphèmes à discrétion et, pour finir, rappel
des bons principes : que manque-t-il pour que *le Diable et
le bon Dieu* réponde à l'idée qu'on se fait d'une pièce de
patronage? Je vous défie même d'en trouver une seule où
Dieu soit aussi souvent nommé. On m'opposera les gros
mots. Mais le genre exige la couleur locale, et il faut
bien dire que sur ce point Sartre ne se montre pas spécialement brillant. Si doué qu'il soit pour la langue verte,
il reste piteusement au-dessous de Rabelais et de Luther,
et quelque philologue nous apprendra sans doute un jour
que son vocabulaire n'excède pas en audace celui des
enfants de chœur du XVIᵉ siècle [1].

Mais comme tous les genres littéraires, la pièce de
patronage a ses embûches. Elle ne convainc que les
convaincus. Trop simplette, elle peut faire se cabrer des

---

1. Dans le *Figaro littéraire* du 30 juin 1951, J.-P. Sartre a cité ses
auteurs, en particulier Clément VII. « Tu es un bâtard. — Oui, répond
Goetz, comme Jésus-Christ. « Je l'ai pris à Clément VII. » Nous
avons demandé à J.-P. Sartre la référence de ce texte, et n'avons
pas obtenu de réponse. Tout fait penser que l'anecdote a été copiée
tout simplement dans les *Propos de Table* de Luther, source historique des plus suspectes, comme chacun sait.
Notre hypothèse paraît confirmée par une précision due à Claude
Brulé : « En amassant des documents pour sa préface aux *Œuvres
complètes* de Jean Genet (Sartre) avait « redécouvert » les fameux *Propos de table* de Luther. Immédiatement, il décida que la pièce serait
située en Allemagne, aux premiers temps de la Réforme... » (« L'Histoire
d'une pièce », dans *Théâtre de France*, I, p. 72.)

esprits exigeants qui, entrés fidèles, sortent incrédules. Dans ce cas, rien d'aussi équivoque qu'un « succès d'hilarité », et il ne faudrait pas que J.-P. Sartre se fasse trop d'illusions sur certains rires : ils saluent chacune de ses énormités. Tout compte fait, Henri de Bornier — en vers, il est vrai, — obtenait d'autres résultats!

Mais Pierre Brasseur sauve tout. Harnaché comme un cheval de cirque, il s'est débarrassé, dès l'entrée en piste, de son cavalier J.-P. Sartre. Et c'est une exhibition, un peu vulgaire peut-être, mais étonnante de virtuosité, de présence, de contentement de soi. Il caracole, hennit, décoche un regard noir, fait des effets de croupe et, son numéro fini, salue. Bravo! Le succès personnel de Brasseur masque brillamment l'échec de Sartre.

On a prétendu que cette pièce est une mécanique sans âme. C'est injuste. Pour qu'un drame soit un vrai drame, et pas seulement une thèse en images, il faut et il suffit qu'il nous montre un personnage vivant. Or *le Diable et le bon Dieu* comporte un (pas deux, nous le verrons bientôt) personnage vivant, Gœtz, auquel Sartre a prêté quelque chose de sa vie propre. *Le Diable et le bon Dieu*, c'est un éclair de magnésium illuminant les profondeurs d'une âme d'athée, d'athée d'aujourd'hui, de Sartre lui-même. Voilà qui pour nous le rend émouvant. L'impression de froideur s'explique par une transposition historique manquée. Atteint de gigantisme littéraire, Sartre s'empêtre dans l'armure de Saül... ou de Claudel. On l'y reconnaît mal. Mais sous cette affabulation prétentieuse, c'est bien lui qui se cache et qui souffre, et qui, comme tout écrivain, sous le fracas des mots, se confesse à voix basse. Écoutons-le.

Le drame de Gœtz, c'est la solitude. Une solitude voulue, mais qui lui pèse. Cherchez quelles passions l'agitent. L'ambition? L'amour? Non, car les autres hommes

n'existent pas pour lui, au sens où il dira enfin que Dieu
lui-même n'existe pas, c'est-à-dire ne compte pas pour
lui. Voyez-le évoluer au milieu de ces fantômes : son
mépris les écrase comme des punaises, les vide, les nie.
Il leur accorde tout juste assez d'existence pour être ses
instruments, pas assez pour être ses témoins. Solitude
intolérable. L'Unique a besoin d'une « galerie ». « Cabotin, que feras-tu sans public? » lui dit Heinrich. Dieu!
voilà le seul « public » digne de lui. Et Dieu devient son
obsession. Le paradoxe du surhomme, c'est que, son
orgueil ayant fait de la terre un désert, force lui est de
scruter le ciel pour y mendier un regard de Dieu. Regard
d'amour? Non pas. « Qu'ai-je à faire d'être aimé! » D'admiration. Gœtz est un Gœring qui pose devant Dieu. Pour
attirer son attention, que ne ferait-il pas? Défis, blasphèmes, tout est bon. Il s'étonne, non sans candeur : Dieu
ne répond pas! Pour le provoquer, il voudrait inventer
dans ce domaine déjà trop exploré qu'est le mal. La foudre
tombant sur le surhomme, quelle victoire! C'est que Dieu
aurait tenu compte de lui! Tout vaudrait mieux que ce
silence méprisant. « C'est Dieu que je crucifierai cette
nuit... En ce moment, il a peur... tout comme s'il n'était
qu'un homme. » Silence de Dieu. Il y a peut-être une
explication, c'est que justement Dieu n'est pas un homme.
« Je suis assez haut pour la foudre », criait déjà Zara-
thoustra. Mais bien trop petit pour Dieu. N'espérez pas
qu'il s'abaisse jusqu'à votre orgueil. La vie spirituelle ne
ressemble que d'assez loin à un règlement de comptes
dans un tripot.

J'ai entendu dans mon enfance cette histoire d'un
conférencier anticlérical qui, juché sur un tréteau, accordait cinq minutes à Dieu pour le foudroyer. « Vous voyez
bien que Dieu n'existe pas », disait-il en remettant sa
montre au gousset. Et l'on se souvient qu'interrompu à
la Chambre par un lourdaud qui objectait : « Dieu? Je
ne l'ai jamais vu », Barrès ironisait : « Peut-être pour-
riez-vous lui donner rendez-vous au Café du Commerce? »

Pourquoi faut-il que la théologie de J.-P. Sartre nous ramène à ce niveau?

S'en étonne qui voudra. L'attitude de l'athée moderne n'est pas simple. S'il appelle le regard de Dieu, il le redoute aussi. Entre eux, c'est une épreuve de force. Si Gœtz ne tient pas Dieu en respect, c'est le regard de Dieu qui va le clouer au sol. D'où la tentation de le diminuer. « Dieu est le seul ennemi digne de moi », dit Gœtz, mais il faut que ce soit un ennemi dont la majesté ne l'écrase pas, un rival taillé à sa mesure, que son bras puisse frapper et ses injures meurtrir. Si Dieu n'existait pas, il l'inventerait; il l'invente, mais tel qu'en sa présence lui-même ne fasse pas trop piteuse figure. A cet adversaire rêvé il donne le nom traditionnel de Dieu. C'est plus flatteur. Mais qu'est-ce que ce Dieu qu'un fier-à-bras pourrait faire descendre sur les planches à force de roulements de biceps et de défis vers les cintres? (Descends si tu es un homme!) Qu'est-ce que ce Dieu qui doit penser comme nous le problème du mal, sous peine de ne pas être « reconnu » par nous? (Si tu ne penses pas comme nous, tu n'existes pas.) Qu'est-ce que ce Dieu exclusivement ravitailleur (« Tu crois que ça se mange, le crucifix? ») et social, auquel Gœtz « converti » veut bien accorder un petit rôle dans la société? Est-ce qu'une idée de Dieu aussi utilitaire et anthropocentrique n'équivaut pas déjà à un athéisme?

Disons-le tranquillement : si Dieu n'est que cela, s'il ne satisfait pas *d'abord* les besoins profonds de l'âme, il ne nous est rien, il n'est rien. Imaginons que ce « Dieu » ait docilement répondu à Gœtz. Nous, chrétiens, ne le reconnaîtrions pas pour notre Dieu puisqu'il ignorerait le message du Christ. Serait-il du moins le « Dieu des philosophes et des savants »? Pas même, car, tout entier au service des hommes qui pourraient exiger des comptes de sa gestion, perméable à la raison, sans ressources infinies, sans mystère, il ne serait plus l'Absolu. Que ferions-nous d'un homme de plus? Et quel philosophe a jamais cru à un Dieu pareil? Enfin, si ce Dieu, nous manœuvrant comme des pantins, ne respectait ni notre liberté ni notre dignité d'hommes, s'il nous empêchait d'être des hommes, notre premier devoir en sa présence serait l'insurrection.

Mais ce cauchemar est propre à J.-P. Sartre. Hanté par la politique, il conçoit Dieu comme un Führer ou un « Père des peuples », dressé au-dessus de nos vies avec la schlague d'une main et la pâtée de l'autre : un dictateur céleste. Ne serait-ce pas là une forme renouvelée de cette vieille peur du destin dont l'avènement du christianisme a libéré les hommes? Ne craignons rien : les vociférations d'un acteur ne feront pas taire la Voix, douce comme une confidence, dure comme le diamant, qui nous dit toujours : « Vous n'êtes pas mes esclaves, mais mes amis. » Non, le christianisme n'a pas écrasé l'homme, il l'a redressé face aux puissances inférieures. Il a fait fleurir en terre champenoise cette victoire humaine, le sourire de Reims. Cela, l'athée Malraux a su le reconnaître. Sartre, lui, s'acharne contre une idole préchrétienne. Il est en retard de deux mille ans.

Il nous faut donc enfin l'avertir qu'il s'est attaqué à un Dieu qui n'est pas notre Dieu, qui n'est pas Dieu. Il a cru transpercer le Dieu d'Abraham, d'Isaac et de Jacob : il a fait un carton. Ses blasphèmes sont certes pénibles à entendre, puisqu'ils visent Dieu et l'Église, mais ils les manquent. Blasphémer n'est pas à la portée de tout le monde.

Il faut voir·Pierre Brasseur, transformé en moniteur d'existentialisme, vous soulever à bout de bras des alternatives. La principale n'apparaît qu'à la fin : c'est le clou du programme. Ou Dieu, ou l'homme. Tel est le résumé, réservé au spectateur intelligent, de la démonstration que nous avons eu l'honneur de faire devant vous. Et d'abord « si Dieu existe, l'homme n'existe pas ». Sur ce point, pas de difficulté : ces chrétiens terrorisés par un « croquemitaine [2] », tous ces cancrelats aplatis sur le sol par le regard

2. *Les Mouches, Théâtre*, I, p. 27.

de Dieu, ce ne sont plus des hommes? D'accord. Nous approchons du dénouement. Encore un effort. Bon spectateur, suis-moi bien. Ici, une ride creuse le visage d'un Brasseur peu entraîné à ces performances. « Mais si l'homme existe, alors c'est Dieu qui n'existe pas. » Hélas! vos haltères sont en bois, et nous ne croyons pas une minute à vos alternatives. Je le vois maintenant : vous situez Dieu dans l'espace, il fait nombre avec le monde, son être est taillé dans la même étoffe d'être que le monde, en sorte que, s'il est tout-puissant, je ne suis plus libre; s'il est partout, je suis refoulé de partout; s'il est tout, je ne suis rien. Mais ce sont là d'assez grossières imaginations. La coexistence du fini et de l'Infini n'est pas facile à penser, mais, parmi toutes les solutions proposées, celle de Sartre se distingue par son élégance. Elle consiste à supprimer le problème en escamotant l'un des termes, l'Infini. Sartre n'est certes pas un pense-petit : il pense gros.

Si, pour finir, il conclut que Dieu est un mythe, c'est qu'il a commencé par en faire un personnage de la mythologie, un dieu, un demi-dieu, un quart de dieu, un génie du ciel qui doit faire des miracles au commandement, jouer aux dés avec un hâbleur, et, morbleu! répondre quand on lui parle! Il se tait? La preuve est faite.

Dieu est mort, n'entendons pas par là qu'il n'existe pas, ni même qu'il n'existe plus... Il nous parlait et il se tait...

Lisant naguère ce constat funèbre dans *Situations* [3], nous lui avions prêté d'intimidantes profondeurs métaphysiques. Mais ce gros naïf de Gœtz a vendu la mèche. Déjà, dans *les Mouches*, Jupiter se promenait bourgeoisement sur la scène, et on l'avait doté d'une barbe superbe pour faire penser, n'est-ce pas, à Dieu le Père. J'aimais mieux cela. Prévenons seulement J.-P. Sartre que tirer le diable par la queue et Dieu par la barbe n'est peut-être

3. *Situations*, I, p. 153.

pas le plus sûr moyen d'entrer en contact avec eux.
Gœtz n'est pas devenu athée, il l'a toujours été.

Mais avez-vous vraiment épuisé tous les moyens de
connaître Dieu? C'est sans doute pour pouvoir répondre
honnêtement à cette question que Gœtz se décide à une
embardée vers la sainteté qui, faite dans les conditions
que l'on sait, ne pouvait être que drolatique. Car il s'agit
d'une sainteté sans Dieu. Ou plutôt, Dieu n'étant pas
encore officiellement congédié, on le « prie » de collaborer
à l'œuvre de Gœtz : la fondation d'une société parfaite.
Il se chargera des miracles : c'est sa spécialité. Une telle
conversion — je verrais d'ailleurs ici une conversion de
Dieu au marxisme plutôt que de Gœtz à Dieu — n'a rien
d'intérieur, il va sans dire. Singe de Dieu et de l'Église,
couvert de médailles et de signes de croix, Gœtz reste
fidèle à lui-même.

Pareille inintelligence de la sainteté, — qui n'est pas
seulement engagement total au service des hommes, mais
communion à Dieu, — dénonce chez Sartre une absence
de sens religieux tout à fait rare. Mais ne jouons pas
l'étonnement. Celui qui a pris sur lui de donner un sens
nouveau aux mots « Dieu » et « transcendant » se doit
d'accaparer avec la même désinvolture le mot « sainteté ».
Et c'est tout l'univers chrétien qui prend chez lui un
éclairage bizarre. Gœtz parle des choses saintes à peu
près comme un obsédé de l'érotisme parle de l'amour.
Ce sont les mêmes mots, mais devenus méconnaissables
en passant par sa bouche. Et cette comparaison pourrait être poussée assez loin. Tous les chrétiens qui circulent
dans la pièce sont des aliénés au sens marxiste et au sens
médical, des maniaques agités d'impulsions et de phobies,
confisqués par leur idée fixe, en tout comparables à des
érotomanes, car ils éprouvent une étrange jouissance soit
à flageller Dieu, soit au contraire à se faire battre par
lui, à le servir « à quatre pattes ». Le sadisme et le maso-
chisme, que Sartre voit partout, il les transporte jusque

dans les relations avec Dieu. Que lui répondre quand,
fier de ses bonnes lectures, il nous cite saint Jean de la
Croix? Rien. On ne discute pas avec un délire. Rien,
sinon que certains domaines lui sont interdits.

Après cela, Gœtz-Sartre n'est peut-être pas très qua-
lifié pour nous dire ce qui est possible à un chrétien et ce
qui ne l'est pas. Impossible, dites-vous, d'appartenir à
la fois à l'Église et au peuple, de se révolter contre les
injustices sociales si l'on consent aux vouloirs divins. A
quoi bon discuter? Que l'on puisse aimer à la fois Dieu
et les hommes, deux mille ans de christianisme l'ont
prouvé. Le moindre acte de charité — qui est indivisible-
ment amour de Dieu et des hommes — brise vos dilemmes
et devrait vous faire tomber la craie des mains. Mais non,
un professeur a toujours tendance à croire qu'il y a plus
de vérité sur son tableau noir que dans l'univers réel.
Pourquoi ouvrirait-il sa fenêtre? Ne lui parlez pas des
prêtres compagnons des lépreux, des religieuses, par centaines de mille, qui consacrent leur vie aux pauvres :
pour cet existentialiste, qu'est-ce qu'une existence devant
une idée? Il est écrit (dans son cours) qu'un évêque est
un exploiteur, un prêtre un traître, et un syndicaliste
chrétien un résigné [4]. Et c'est pourquoi ce ne sont pas
des personnages vivants qui grouillent dans sa pièce,
mais la Peur en procession, la Fourberie mitrée, la Félo-
nie en soutane : des abstractions costumées, des essences.

On a fait remarquer que la démonstration de Sartre
est truquée, puisqu'en face de sa thèse l'antithèse n'est
pas défendue, puisqu'il ne s'est pas donné de contradicteurs, sinon disqualifiés. Pour avoir raison du christianisme, c'est saint Thomas et Pascal, saint Augustin et
saint Vincent de Paul qu'il fallait affronter, non des
imbéciles et des pleutres. Corneille opposant Sévère à
Polyeucte, Claudel Amalric à Mesa, se sont montrés plus
généreux pour l'adversaire. *Le Diable et le bon Dieu* rap-

4. *L'Existentialisme est un humanisme*, p. 26.

pelle ces procès des pays totalitaires où l'accusé, préala-
blement assommé, vient proclamer à la barre qu'il a tous
les torts. Le chrétien de Sartre ne paraît en scène que
dûment usiné, laminé. Comme à Berlin, Prague ou Moscou, le prêtre (Heinrich) trahit à la fois son peuple et
son Église, et n'est plus qu'une loque pitoyable (Jean
Vilar est un inoubliable névropathe gigotant). Et Dieu
lui-même se montre si bête qu'il n'a vraiment plus droit
à l'existence. On connaissait déjà ces conférences de propagande où l'orateur fait lui-même les demandes et les
réponses, et parle à perdre haleine pour ne laisser aucun
interstice à la contradiction. Mais on vient d'inventer le
théâtre de propagande, où les contradicteurs, habillés en
preuves par neuf, viennent « librement » défendre la thèse
de leur adversaire.

Mauvaise foi? Non pas : certains professeurs sont can-
didement totalitaires.

Dieu est mort. Soit! Sa disparition va permettre la
naissance d'un sentiment ignoré (paraît-il) jusqu'à nous :
maintenant que nous n'avons plus de Père, nous allons
enfin pouvoir nous aimer comme des frères. Soit! Gœtz,
ce cœur de pierre (« l'enfer, c'est les autres »), va s'atten-
drir, et s'ouvrir, et forcer du côté des hommes les barreaux de sa solitude. Soit! Trompettes, annoncez l'ère
nouvelle!

Seulement, je n'aperçois pas le plus petit commencement de réalisation. Quand, à la fin, Gœtz poignarde un
de ses contradicteurs pour l'amour de l'humanité, il ne
nous administre pas encore une preuve très convaincante
de cet amour de l'humanité. Et comme c'est là-dessus
que le rideau tombe, nous en sommes réduits à attendre
la prochaine pièce. C'est déjà sur cette promesse que se
terminaient *les Mouches*. Nous piétinons. Le théâtre de

J.-P. Sartre rappelle ces opéras où une foule chante sur tous les tons : « Marchons! Marchons! », sans avancer d'un pas. Nous attendons le premier pas de J.-P. Sartre dans l'ère nouvelle.

Le drame de Sartre reste celui de Nietzsche. Comme l'a remarqué Jaspers, l'athée moderne ne réussit pas à s'évader de l'univers chrétien. Il se tient sur l'extrême bord, il annonce un large espace de possibles. Mais pour dépasser le christianisme, il est bien obligé de prendre appui sur une valeur chrétienne, la liberté par exemple; et le malheur veut que la liberté n'ait tout son sens que dans le christianisme. Il y est donc toujours ramené. Il en est prisonnier. Qu'il quitte cette terre ferme et, comme dit Jaspers, « il tombe dans un trou ». Un pied dans le christianisme, l'autre dans le vide, la position n'a rien de confortable. L'âme de l'athée moderne est donc faite partie de rancune, partie de nihilisme. Il abhorre ce qu'il est, il n'est pas ce qu'il voudrait être. Ne pouvant faire le saut dans le néant, il se sert des valeurs chrétiennes pour injurier ce christianisme qui lui tient à la peau, dont il se nourrit, avec lequel il respire, sans lequel il ne serait rien; il écrit un drame qui est une bordée de blasphèmes, et il le termine par une promesse de bonimenteur. La haine est d'aujourd'hui, l'amour est toujours pour demain. Et c'est pourquoi la « mort de Dieu » ne sera jamais un fait acquis, passé, dépassé, comme on voudrait nous le faire accroire.

Dans l'acharnement antithéiste de Sartre, certains ont cru discerner un reste d'inquiétude. Un homme tranquillement athée, a-t-on dit, parlerait moins de Dieu, et avec plus de sang-froid. Mais il y a inquiétude et inquiétude. Il y a l'inquiétude de celui qui cherche en gémissant, ne sachant quel parti prendre; et l'inquiétude de celui qui, ayant opté contre Dieu, ne parvient pas à se libérer des pensées chrétiennes : c'est encore avec elles qu'il pense contre elles. Le problème que posent les drames de Sartre est moins métaphysique que psycho logique : Jean-Paul réussira-t-il à oublier qu'il est chrétien, à sauter hors de l'ère chrétienne?

Le Diable et le bon Dieu nous rend un grand service. Il nous montre par quel itinéraire spirituel l'homme moderne est arrivé à l'athéisme. Tout au long de la pièce, des noms sont évoqués : Luther, Nietzsche, Comte, Marx, avant qu'on arrive à Sartre lui-même. Gœtz est un personnage composite, dont le costume devrait aller de certain froc jeté aux orties à la chemise de Saint-Germain-des-Prés. Mais si *le Diable et le bon Dieu* est, en partie du moins, un montage artificiel où les anachronismes ne manquent pas, c'est à coup sûr une bonne classe d'histoire, où éclate, aux feux de la rampe, la contradiction intime de l'athéisme occidental quand il prétend tirer du ferment chrétien une fermentation antichrétienne, et du dépassement chrétien un dépassement du christianisme. Que lui reste-t-il que de s'évader dans le jeu des surréalistes, de s'agripper à un fanatisme quelconque comme le communisme ou le nazisme, ou de se déchirer lui-même dans une violence vaine? Si tant d'athées savourent aujourd'hui le désespoir, c'est qu'ils s'efforcent de donner une valeur absolue au seul sentiment qui habite encore leur désert intérieur.

Remercions J.-P. Sartre d'avoir établi avec une telle conscience le bilan de l'athéisme. Nous nous en doutions un peu, mais on vient de nous le montrer avec un luxe inouï (600 mètres de câbles, 300 kilos de clous, une tonne de peinture, etc.) : l'athéisme est une impasse. Les athées n'en auront jamais fini avec Dieu.

LA QUERELLE SARTRE-CAMUS

C'est leur affaire, dira-t-on, si Sartre et Camus, comme autrefois Jammes et Gide, se brouillent à mort du jour où leur admiration mutuelle baisse d'un degré. De quoi s'agit-il en effet? Dans un article signé Francis Jeanson, la revue de Jean-Paul Sartre, *les Temps modernes*, se montre assez sévère pour *l'Homme révolté* d'Albert Camus. Camus réplique à Sartre. Qui lui réplique[1]. Grêle de gros mots : mauvaise foi, chantage, faiblesse de pensée. Voilà brisée une amitié de dix ans. La galerie s'amuse et compte les coups. Écoutez Sartre :

> Mon cher Camus, notre amitié n'était pas facile, mais je la regretterai... J'eusse préféré que notre différend actuel portât sur le fond et que ne s'y mêlât pas je ne sais quel relent de vanité blessée. Qui l'eût dit, qui l'eût cru que tout s'achèverait entre nous par une querelle d'auteur où vous joueriez les Trissotin et moi les Vadius? Je ne voulais pas répondre : qui convaincrais-je? Vos ennemis, à coup sûr, peut-être mes amis. Et vous, qui pensez-vous convaincre? Vos amis et mes ennemis. A nos ennemis communs, qui sont légion, nous prêterons l'un et l'autre à rire : voilà qui est certain. Malheureusement, vous m'avez mis si délibérément en cause et sur un ton si déplaisant que je ne puis garder le silence sans perdre la face. Je répondrai donc : sans aucune colère mais, pour la première fois, sans ménagements. Un mélange de suffisance sombre et de vulnérabilité a toujours découragé de vous dire des vérités entières... Tôt ou tard, quelqu'un vous l'eût dit : autant que ce soit moi.

Ce que chacun vous dirait, s'il osait, c'est que votre suffisance devient proprement intolérable.

1. Francis Jeanson, *Albert Camus ou l'Ame révoltée* (*Les Temps modernes*, mai 1952). — Albert Camus, *Lettre au Directeur des « Temps modernes »*. — J.-P. Sartre, *Réponse à Albert Camus*. — Francis Jeanson, *Pour tout vous dire...* (*Les Temps modernes*, août 1952).

Votre propos est d'*enseigner*. Dans le souci louable et didactique
d'édifier les lecteurs des *Temps modernes*, vous prenez l'article de
Jeanson, où vous voyez un symptôme du mal qui ronge nos
sociétés, et vous en faites le sujet d'une leçon magistrale de patho-
logie. Je crois voir le tableau de Rembrandt : vous en médecin,
Jeanson en mort; du doigt vous désignez ses plaies au public
étonné... En nous faisant l'honneur d'entrer dans ce numéro des
Temps modernes, vous y amenez un piédestal portatif... Mais
dites-moi, Camus, par quel mystère ne peut-on discuter vos
œuvres sans ôter ses raisons de vivre à l'humanité? Par quel
miracle les objections que l'on vous fait se changent-elles sur
l'heure en sacrilèges?... Mais je vous le demande, Camus, *qui*
êtes-vous pour prendre de telles distances? et qu'est-ce qui vous
donne le droit d'affecter sur Jeanson une supériorité que *personne*
ne vous reconnaît?

Lequel se montre le plus piqué? Le sérieux ou le badin?
Camus, qui a pris d'un peu haut les objections d'un critique, ou Sartre qui met tout son talent de polémiste à
ridiculiser, à disqualifier son adversaire?

Mon Dieu! Camus, que vous êtes *sérieux* et, pour employer un
de vos mots, que vous êtes frivole! Et si vous vous étiez trompé?
Et si votre livre témoignait simplement de votre incompétence
philosophique? S'il était fait de connaissances ramassées à la
hâte et de seconde main? ... Et si vous ne raisonniez pas très juste?
Si vos pensées étaient vagues et banales? Et si Jeanson, tout simplement, avait été frappé par leur indigence? Si, loin d'obscurcir
vos radieuses évidences, il avait été obligé d'allumer des lanternes
pour distinguer le contour d'idées faibles et brouillées?

Mais derrière des vanités blessées, on aperçoit vite un
dissentiment autrement grave, de nature politique; derrière la politique la philosophie, j'allais même dire la religion. Si une religion est une doctrine qui prétend expliquer, engager tout l'homme, qui fait appel à tous les
hommes et les groupe dans une Église, le communisme
athée est une religion, l'athéisme de Sartre en veut être
une autre, celui de Camus — bon gré, mal gré — une troisième. Soit, trois sectes athées. Simplement, la religion de
chacun de nos deux leaders français est jusqu'ici une
religion sans Église, ou une Église sans fidèles. Ce qui
fait espérer que cette petite guerre de religion — car
c'en est une, comme vous voyez — sera du moins pas
trop sanglante.

En bref, ce que Sartre reproche à Camus, c'est justement sa solitude. « Seul vous êtes, lui dit-il, seul vous resterez. Orgueilleusement pure, votre doctrine ne fait rien, ne peut rien pour les malheureux d'aujourd'hui. Elle a les mains propres, mais elle n'a pas de mains. — La vôtre est moins regardante, répond Camus, et c'est sans trop de scrupule que vous vous salissez au contact d'une secte impie : menacé, vous aussi, d'une solitude définitive, ne vous voit-on pas lorgner du côté des communistes et leur sacrifier vos convictions premières? »

Témoins de la dispute, les communistes s'égaient. Ils constatent qu'on ne peut, ni se rallier à eux sans se renier, ni se passer d'eux sans mourir. Ni avec eux ni sans eux : voilà le drame.

Les trois sectes sont aux prises. Regardons de plus près.

I

Qu'est-ce que Sartre peut bien incriminer chez son confrère en athéisme? Camus, tout à la fois, n'est pas assez athée et il l'est trop.

Il ne l'est pas assez. On le soupçonne même, figurez-vous, de croire à l'existence de Dieu. A peine ose-t-on articuler une accusation aussi grave. Mais enfin les textes sont là. La condition humaine, lui dit-on, vous semble absurde, et vous prêchez inlassablement la révolte contre son Auteur : il faut bien que pour vous cet Auteur existe. Camus répondra-t-il que Dieu est pour lui un pur symbole, la personnification commode et poétique de l'odieuse condition qui nous est faite? Il ne sera pas lavé de toute suspicion, car enfin depuis quand, à moins d'être un enfant, s'insurge-t-on contre le meuble méchant qui vous a blessé, contre le vent et la pluie, contre des *faits* innocents? « Mais nous avons à faire la preuve, dit Camus, que nous ne méritons pas tant d'injustice. C'est la tâche que nous nous sommes fixée... » « Paroles énergiques,

certes, viriles et presque martiales », remarque Jeanson
après Sartre, mais paroles qui « perdent tout de même
un peu de leur prestige dès l'instant qu'on les soupçonne
de n'avoir aucun sens. Cette condition humaine, au regard
de *quelle Justice* apparaît-elle frappée de « tant d'injustice » ? Et cette « preuve », devant *qui* s'agit-il de la
faire? Et c'est l'accusation formelle : Camus n'est « pas
athée... Il ne nie pas Dieu puisqu'il l'accuse d'injustice ».
Le bon sens, il faut l'avouer, est ici du côté de Sartre.
Invectiver contre un ciel vide, c'est donner à penser qu'on
ne le croit pas tellement vide.

Et tout à coup nous comprenons : si Camus n'est
pas assez athée, c'est pour vouloir l'être trop. Dieu est
mort, laissons-le tranquille. Pourquoi s'acharner contre un
mort? Voilà un zèle, non seulement suspect, mais maladroit, il faut même dire dangereux. Suspect, car Camus
semble prendre assez mal son parti de la mort de Dieu :
ne diriez-vous pas qu'il a « perdu un être cher »? De là,
peut-être, cette pensée en deuil, ce style sombre et tendu,
cet air inconsolable. Zèle maladroit : pourquoi évoquer
sans cesse une question que, d'un commun accord, nous
disions dépassée? « J'entends bien, remarque Sartre, que
vous déclarez Dieu inexistant. Mais vous y mettez une
telle insistance, vous lui adressez de si constants reproches
et vous semblez si soucieux de n'en être point la dupe,
que l'on dirait à la fois que vous lui en voulez d'être mort
et que vous redoutez en lui quelque Diable vivant. »
Tout cela paraît, ma foi, fort bien vu. Mais puisque ce
cas intéresse J.-P. Sartre, j'en sais un tout pareil qu'il me
permettra de lui signaler : c'est celui d'un certain Gœtz
qui, dans certaine pièce récente, intitulée d'ailleurs *le
Diable et le bon Dieu*, donne tous les signes d'une obsession de Dieu autrement rageuse et non moins suspecte.

Mais venons au reproche capital : ce beau zèle est infiniment dangereux. Dieu mort, effacée de l'horizon cette
terrifiante image fantôme, il nous faut relever l'homme, le
faire accéder enfin à l'existence libre. Or, dit Sartre,

Dieu vous occupe infiniment plus que les hommes. Votre révolte est diversion. Elle nous éloigne de nos vraies tâches. Tandis que vos injures « se perdent » dans le ciel, vous oubliez de lutter contre les injustices qui nous entourent. Dans cette « vaine plainte contre inconnu », que d'ostentation et de théâtre! « Jeu de prince » que ce défi à Dieu! Seul un privilégié a la liberté d'esprit suffisante pour s'offrir cette belle attitude. Quand des ouvriers meurent de faim, il ne s'agit pas de décocher des flèches contre les nuages, mais d'entrer en guerre contre des oppresseurs bien réels. Mais Camus, dit Sartre, se tient en dehors et au-dessus de ces pauvres histoires. Méfiant, il ne s'engage pas dans l'action. « Tout comme la fillette qui tâte l'eau de l'orteil en demandant : « Est-elle chaude? », il ne se mouille pas, n'est pas dans le bain. »

Ce n'est pas tout. Non content de ne rien faire, Camus décourage l'action des autres. Si *l'Homme révolté* entreprend le récit des révolutions qui, de 1789 à 1917, ont tenté de substituer au règne de Dieu celui de l'Homme, c'est pour les condamner. Dirigée d'abord contre Dieu, responsable de la mort, la révolte de Camus le dresse maintenant contre les révolutionnaires aux mains nécessairement sanglantes. Toujours les mains propres! Ayant voulu se faire dieux, dit-il, ils ont hérité des crimes divins. Encore et toujours l'obsession théologique! Écœuré, Camus ne voit plus dans l'histoire des hommes qu'un lac de boue. Il en retire ses pieds. Isolé sur son tribunal aérien, ce juge souverain des enfers et du ciel remâche son mot amer : « Il n'est pas facile d'être un homme, moins encore d'être un homme pur. » Après tout, l'échec a du moins ceci de bon qu'il justifie un peu plus son diagnostic d'absurdité universelle et son attitude révoltée. « Je ne vois pas ce que l'inutilité ôte à ma révolte, et je sens bien ce qu'elle lui ajoute. » Il est pur. Il est seul.

Sartre noircit le tableau, et nous verrons bientôt pourquoi. Déjà le communiste de désir laisse passer un bout d'oreille. Quand il donne à Camus— non sans commisé-

ration, comme à l'usage d'un dernier de classe — une
petite leçon de sartrisme, nous sommes avec Camus contre
lui. A la différence de Sartre, Camus croit à une « nature »
humaine, à une essence où il lit nos droits et nos devoirs.
C'est notre devoir de condamner le meurtre. Il y a un
bien et un mal, et on ne libère pas l'homme avec le mal.
La débauche de moralisme qu'on nous signale chez Camus
ne nous fera pas avaler l'immoralisme de Sartre.

Seulement, ne rattachant pas au Dieu vivant, comme le
font les chrétiens, la nature humaine et l'absolu qu'elle
exige, Camus les laisse en l'air, sans justification dernière.
(Et Sartre se gausse de cet athée peu « cohérent » : si
Dieu n'existe pas, qui donc a « conçu » votre nature
humaine? Et si le ciel est vide, pourquoi continuer d'y
lire des devoirs et des droits?) Comment, dès lors, la présence de l'absolu au sein du relatif ne paraîtrait-elle pas
absurde? Absurde, et finalement vaine, devient aussi
l'action des hommes, cette « interminable défaite ».

Il faut l'avouer : cachée par une abstraction qui dévore
ses livres comme une lèpre, l'ardente pitié de Camus pour
les hommes passe de moins en moins jusqu'à nous. Un
âcre parfum, un souffle glacial s'élèvent du fond de cette
pensée où gîtent l'échec et la mort. Camus, je le crains,
échouera toujours à nous donner le goût de la vie.

C'est vrai, nous dit-on, mais quelle prose parfaite et
quelle sincérité dans l'accent! Cela, oui. Seulement, le
cas de Gide (par ailleurs tout différent) nous a rendus
méfiants : nous ne sommes plus assez frivoles pour tout
concéder à une sincérité qui écrit bien. Reste l'attitude,
celle d'une statue de stoïque, raide, sans grâce, mais non
sans grandeur. Mettons que Camus enrichit notre musée
esthétique d'un type inoubliable : celui d'un grand tragique de l'existence. Mais le musée n'est pas la vie.

II

Si nous passions à Jean-Paul Sartre? *Tragediante*, a-t-il dit (ou à peu près) d'Albert Camus. Mais d'où vient que nous avons toujours quelque peine à le prendre, lui, au sérieux? D'où vient que devant son Gœtz vociférant, chacun murmure : *Commediante?*

Demandons-nous d'abord pourquoi son ami Camus est tout à coup devenu pour Sartre un penseur pitoyable, un idéaliste planant au-dessus des misères de son temps, un rêveur-pêcheur de lune? Oui, pourquoi *l'Homme révolté* est-il un si méchant livre? C'est qu'il décrit la dictature stalinienne, ainsi que la monumentale supercherie, l'étonnant tour de passe-passe qui ont permis d'asservir des millions d'hommes sous couleur de les libérer. Ce qui a excité la verve et la rage et la férocité de Sartre, ce n'est pas tellement, semble-t-il, certaine petite note, en effet bien dédaigneuse, sur l'existentialisme athée, mais le chapitre sur « le terrorisme d'État ». Passage inexpiable qui décide Sartre à examiner de plus près des œuvres qu'il avait louées : c'est ainsi que *la Peste* lui paraît maintenant grouillante de microbes antihistoriques. Camus ne fait rien pour les victimes de ce monde puisqu'il se prononce contre le seul parti qui offre au prolétariat un espoir de salut.

Camus s'étonne, et nous aussi. Nous croyions Sartre existentialiste : serait-il marxiste? Il faut bien qu'il le soit, puisqu'il se fait maintenant le chien de garde du communisme. Si tous les journaux français moins un sont hérétiques, c'est apparemment que Sartre s'est rallié à une orthodoxie. Mais alors, qu'il le dise franchement, et ne se contente pas, en néophyte candide, de nous opposer des citations de Marx comme on allègue des textes canoniques.

Existentialiste ou marxiste? Nous savions — nous l'a-t-on assez dit! — qu'un existentialiste *doit s'engager*. N'importe comment, pourvu que ce soit dans le sens de la plus grande liberté. N'importe où, pourvu que ce ne soit pas *contre la liberté* (la liberté étant, dans la pensée de Sartre, la donnée centrale sur laquelle il ne saurait transiger sans se renier). Comment hésiter? La révolution étant le seul moyen de faire accéder les hommes à la liberté, Sartre sera révolutionnaire. Mais sous quelle forme précise, et dans quel parti? Ici l'embarras commence. Car si le parti communiste est seul capable de faire sauter la société capitaliste, son matérialisme ne laisse aucune place à la liberté sartrienne. Cruel dilemme! D'un côté un révolutionnaire impatient de s'engager, de l'autre un parti gâté par une mauvaise philosophie (et qui d'ailleurs le repousse). L'âme d'un côté, le corps de l'autre, J.-P. Sartre désespère de se rejoindre jamais. Et c'est pourquoi nous le voyons osciller, selon les jours et les années, entre sa doctrine et le parti.

Quand le mouvement pendulaire (c'était hier) le ramène à sa philosophie, voyons de quel regard étranger, implacable... et pourtant nostalgique il juge le parti. Les seuls révolutionnaires *efficaces*, dit-il alors, ce sont les ouvriers communistes. Mais on les empoisonne de matérialisme, alors que leur action même postule ma philosophie. Que de sartriens qui s'ignorent! Comment les libérer d'une doctrine que repoussent leurs vœux inconscients? Pour les convertir, il faudrait les atteindre.

Malheureusement, de ces hommes à qui nous *devons* parler, un rideau de fer nous sépare dans notre pays : ils n'entendront pas un mot de ce que nous leur dirons. La majorité du prolétariat, corsetée par un parti unique, encerclée par une propagande qui l'isole, forme une société fermée, sans portes ni fenêtres. Une seule voie d'accès, fort étroite, le P. C. Est-il souhaitable que l'écrivain s'y engage?

Tentation. Repoussons-la, car « la politique du communisme stalinien est incompatible avec l'exercice honnête du métier littéraire ». D'ailleurs le pauvre écrivain y est toujours tenu pour un suspect... Un intellectuel communiste porte en lui cette tare originelle : il est entré *librement* au parti... Cela fait preuve d'une indépendance qui ne sent pas bon. Il est entré au parti par un libre choix; donc il peut en sortir. Il y est entré pour avoir critiqué la politique de sa classe d'origine, donc il pourra critiquer celle des représentants de sa classe d'adoption ²...

On me dit que tout cela (le droit de libre critique) nous sera rendu plus tard, mais c'est sans preuve : comment pourrais-je croire à une promesse qui m'est faite au nom de principes qui se détruisent eux-mêmes? Je ne sais qu'une chose : c'est qu'il faut aujourd'hui même que ma pensée se démette ³.

Bref, « puisque nous sommes encore libres, nous n'irons pas rejoindre les chiens de garde du P. C. ⁴ ». Mais cette virile résolution ne saurait être le dernier mot d'un débat cornélien. D'un côté l'honneur, sans doute, et la vérité; mais de l'autre la Chimène communiste. Entendez ces plaintes. Infortunés jeunes gens d'aujourd'hui!

Ils ne sont plus disponibles et pourtant ne peuvent s'engager; ils demeurent à la porte du communisme sans oser entrer ni s'éloigner...
Suis-je tombé dans ce dilemme inacceptable : trahir le prolétariat pour servir la vérité, ou trahir la vérité au nom du prolétariat ⁵?

Nous n'avons pas fini d'entendre les stances du *Cid!* Ou s'engager, mais se soumettre au parti; ou rester libre, et ne servir à rien. Puisque enfin il nous faut choisir, choisissons de ne pas choisir. On nous fait observer

que notre choix est inefficace et abstrait, que c'est un jeu d'intellectuel s'il ne s'accompagne pas de notre adhésion à un parti révolutionnaire : *je ne le nie pas*, mais ce n'est pas notre faute si le P. C. n'est plus un parti révolutionnaire...
Bourgeois en rupture de classe, mais restés de mœurs bourgeoises, séparés du prolétariat par l'écran communiste, dépris de l'illusion aristocratique, *nous restons en l'air.*
... Nous sommes tombés *en dehors de l'histoire*, et nous parlons dans le désert ⁶.

2. *Situations*, II, p. 277, 280-284.
3. *Ibid.*, III, p. 173.
4. *Ibid.*, II, p. 287.
5. *Ibid.*, III, p. 137 et 173.
6. *Ibid.*, II, p. 287, 288, 289. (C'est nous qui soulignons.)

Ces curieux textes de *Situations* ont paru d'abord dans *les Temps modernes*. Camus aurait pu les rappeler, pour opposer au Sartre d'aujourd'hui celui d'hier et sans doute de demain. A quoi bon? Ne paraît-il pas évident qu'entre sa doctrine et ses tendances politiques, Sartre, jamais, ne pourra se décider? Réduit au triste choix, ou de trahir sa flamme, ou de vivre en infâme, des deux côtés son mal est infini. A certaines heures, vous le croiriez décidé à pourfendre le parti, mais qu'un quidam, sur sa route, conteste les mérites de la belle, c'est lui qui est pourfendu. Camus en sait quelque chose.

Dans un dernier souffle, toutefois, Camus retourne à Sartre ses reproches. Je ne parviens pas à m'engager? Et vous? La fillette au bain, ce tableau que vous accrochez dans mon appartement ferait assez bien dans le vôtre : depuis combien d'années ne tâtez-vous pas de l'orteil le parti communiste sans vous décider au plongeon! Le sens de l'histoire? Je suis fatigué de recevoir des « leçons d'efficacité de la part de censeurs qui n'ont jamais placé que leur fauteuil dans le sens de l'histoire ». Les opprimés? Leur souffrance, qui devrait nous être à tous « une croix », n'est pour certains qu' « un sujet de thèse ». Et tel qui se dit leur frère est tout au plus leur avocat.

Mais ce dernier mot, Sartre le lui fait rentrer dans la gorge :

> Si vous êtes le frère des misérables, comment donc l'êtes-vous devenu? Par la condition?... Vous êtes un bourgeois, comme Jeanson et comme moi. Par le dévouement, alors?... Vous ressemblez d'assez loin à saint Vincent de Paul et à une « sœur » des pauvres. Leur frère? Non. Vous êtes un avocat qui dit : « Ce sont mes frères... » J'ai trop entendu, voyez-vous, de discours paternalistes : souffrez que je me méfie de ce fraternalisme-là.

C'est le moment où les deux adversaires se lancent à la tête, pêle-mêle, « Indochinois, Algériens, Malgaches et mineurs de fond ». Écartons-nous de la bagarre.

Nous nous serions, certes, bien passé de cette exhibition peu ragoûtante où deux amis d'hier se sont défigurés.

(On aura compris, je pense, que tous les vilains coups venaient du même côté.) Mais à quelque chose malheur est bon. Ce qui oppose ces deux hommes, ce sont deux conceptions de l'existence qui ont exercé sur la jeunesse, depuis la Libération, un vif attrait. Nous les devinions l'une et l'autre, quoique inégalement, erronées. Tout cela pourtant n'était pas clair. Ces penseurs profonds qui ouvrent une ère nouvelle ont bien droit à quelques nuages. Mais voici que, renonçant aux formules abstruses, aux mots traduits de l'allemand, ils s'expliquent en vocables ronds, drus, bien français. Cette fois, nous avons compris. Subissant déjà l'épreuve du temps, les idéologies nouvelles sont dans l'impasse. Pour prouver qu'une vie vraiment humaine est possible sans Dieu, il eût fallu unir la pureté (hélas inefficace) de Camus à l'efficacité (malheureusement immorale) du marxisme. Situé entre les deux, Sartre allait, pensait-on, inventer la solution et concilier l'inconciliable. Mais sa trouvaille est plutôt inattendue : c'est l'immoralisme inefficace.

Certes, l'exigence morale de Camus, la liberté sartrienne et l'action communiste composeraient un puissant ensemble..., si elles étaient compatibles. Mais, séparées, elles sont incomplètes; et rapprochées, antinomiques. Aux feux d'artifice de la Libération, on avait cru voir apparaître un nouveau corps de doctrine : ce n'était qu'un monstre, la Chimère de la fable. La pauvre bête n'était pas viable. Elle vient de crever sous nos yeux.

LE SOURIRE
DE FRANÇOISE SAGAN

Qu'elle sourie, à vingt ans, ce n'est pas merveille. Le sourire aime la joue des jeunes filles. On pense à Clara d'Ellébeuse, à ce visage poli comme un galet des torrents pyrénéens, à des yeux qui boivent le soleil. « Un *certain* sourire », précise Françoise Sagan. L'intérêt de ses deux romans, c'est qu'ils sont vraiment d'une jeune fille, mais d'une jeune fille qui rompt si tranquillement avec le type traditionnel que nous en avons le souffle coupé. Tant pis. Ou tant mieux. Sur une certaine jeunesse d'aujourd'hui, peut-être Françoise Sagan a-t-elle quelque chose à nous apprendre [1].

Mais quelles situations! Voici celle de *Bonjour tristesse*. Cécile, dix-sept ans, se trouve placée entre un bon camarade : son père, et de multiples amies, les maîtresses de celui-ci. Pour le père, veuf joyeux, la vie, c'est l'amour; et l'amour, c'est une succession d'aventures, violentes et passagères. Cécile aime tout de cette existence, qui lui paraît la nature même, et qui s'accorde, en tout cas, avec sa propre nature. Sous l'œil complaisant du père, la jeune chatte s'essaie elle-même à ces jeux. Le partenaire importe assez peu. Que sont les autres, sinon des occasions de plaisir? On n'aime pas quelqu'un, mais l'amour, mais ses propres sensations, fruits cueillis à aucun arbre. Cécile est au jardin des Hespérides. Vie radieuse, en vacances, sur la Côte d'Azur. L'âme n'est rien de plus que la conscience d'un corps heureux, d'un corps fondu dans le plaisir ou dans l'eau bleue. Survient une dame après tant

1. *Bonjour tristesse*, 1954; *Un certain sourire*, 1956, Julliard, éditeur.

d'autres, mais qui tranche sur toutes les autres, et dont
Cécile, généreuse, ne nous cache pas la noblesse. Pour
Anne, l'amour n'admet pas le partage et doit durer toujours; l'amour délibérément provisoire lui paraît, non pas
immoral (qui parle encore de morale?), mais vulgaire et
même répugnant. Cécile voit une ennemie dans cette
Anne, qui introduit en elle la pointe d'une exigence impor-
tune, qui met en question une vie menée jusque-là en
toute innocence. « Elle me forçait à me juger », dira-t-elle.
Que faire? L'éloigner, par tous les moyens. Le moyen
choisi par Cécile est si odieux, ou si maladroit, qu'Anne
se suicide. Dès lors, pour la jeune fille, le cristal des jours
heureux est, sinon brisé, du moins rayé. Remords? Non.
Mais tristesse. Cécile observe la montée de ce sentiment
inconnu. Il n'est pas sans charme pour qui s'aime, pour
qui est bien décidé à tout aimer de soi-même, à n'admettre
en soi aucune division gênante. Accueillons-le, cueillons-le
comme le reste. Bonjour, tristesse!

   Et voici le second roman. D'une poussée moins
impatiente, me semble-t-il, et qui laisse apparaître un
curieux désarroi. L'approfondissement ne fait aucun
doute. L'éclairage aussi a changé : non plus le soleil qui
sculpte et brunit, mais les tubes de néon, cet éclat indiscret, qui vous dévêt, qui traverse des corps d'insectes
aux têtes vides. Cécile s'appelle maintenant Dominique.
Et nous la retrouvons étudiante à Paris, petite chose
légère, ailée, mouvante à tous les souffles et butinant de
bar en bar, — avide moins de rosée que de whiskies. Ce
Paris-là lui va. « Paris appartenait aux sans scrupules,
aux désinvoltes... Je me sentais jeune, ridiculement
jeune. » Elle va vieillir, et c'est le sujet du roman. Sa
vie se détache maintenant sur fond d'ennui. Sur fond de
néant? Françoise Sagan est trop jeune, tout de même,
pour écrire un mot pareil; elle a trop de goût aussi pour
user d'un vocable pédant. Mais, sinon le mot, le sentiment est là. Que s'est-il passé? La pensée de la mort est
apparue. Le jardin des Hespérides n'est plus qu'un décor,

et son éternité n'est qu'apparence. Les beaux fruits pour-
riront. Hâtons-nous de les cueillir.

Le premier s'appellera Bertrand, garçon parfait pour
le plaisir. Insipide, au demeurant : il croit, le sot, à ses
cours de Sorbonne, à l'amour, à des tas de choses. Mais
voici Luc, oncle de Bertrand, quadragénaire averti : il
sait, lui, ce qu'on peut, ce qu'il ne faut pas attendre de
la vie. Leurs lucidités s'attirent, celle du vieil enfant, celle
de l'enfant blasée. Leur liaison sera « délibérément provisoire » — deux semaines — dans le style de *Bonjour
tristesse*. Mais voici l'inattendu, voici que parle l'incoercible nature : les deux semaines écoulées, la jeune fille
est passée du plaisir à l'amour. Elle voudrait maintenant
retenir Luc, pour elle seule, pour toujours. Décidément,
note-t-elle avec dérision, « la vie ratifie les conventions
romanesques ». Elle souffre. C'est par trop ridicule. Non,
non, elle ne se montera pas la tête, elle ne se laissera pas
emberlificoter dans « ces stupides petits conflits de jeune
fille », dans le méli-mélo des complications sentimentales.
Ne savait-elle pas qu'une fille qui fréquente un homme
risque d'attraper l'amour, ou un enfant? Il y a des
moyens de faire passer l'un comme l'autre. Elle n'a pas
pris assez de précautions; mais on traite une maladie,
une excroissance s'opère. Dominique analyse froidement
son amour, le dissèque, le tue à coups de petites pensées
stérilisées et pointues. Ce sera l'affaire de quelques jours,
un peu durs, c'est vrai, mais on n'est pas une mauviette,
et que ne ferait-on pas pour recouvrer le confort intérieur?
Délivrée, nous la voyons rendue aux bars, aux whiskies,
aux amants provisoires. « Seule, seule », de nouveau.
Surtout, ne pas « pleurnicher ». Pas un pleur, en effet.
A peine un gros soupir. « Mais enfin, quoi? J'étais une
femme qui avait aimé un homme. C'était une histoire
simple; il n'y avait pas de quoi faire des grimaces. » C'est
alors qu'apparaît, sur ces lèvres encore fraîches, mais
définitivement désabusées, « un certain sourire ».

*
* *

Quelle conception de la vie! Et d'abord de l'amour!

Non pas que Françoise Sagan cultive l'obscénité pro-
vocante. Chez elle, aucun cynisme, quoi qu'on ait dit. Le
symptôme que révèlent ses livres n'en est que plus alar-
mant. Car le cynisme est combatif : bravant les obliga-
tions morales, il en reconnaît du moins l'existence. Françoise Sagan ne défie personne, ni ne paraît supposer qu'elle
puisse choquer qui que ce soit. Ses héroïnes savent-elles
seulement que leur conduite a nom dévergondage? La
vérité, c'est qu'elles franchissent certaines limites sans
même les voir. Ne parlons pas de pudeur, mais de sens
moral. Une génération témoin de bouleversements inouïs
aurait-elle lié les convenances à tant de choses qui se
sont révélées caduques, et le sens moral à de simples
convenances? Bien décidée à n'être pas dupe d'une société
qui, estime-t-elle, a fait ses preuves d'hypocrisie et de
mensonge, elle a tout jeté par-dessus bord, sans discer-
nement, l'éternel comme le transitoire. Dans tout ce qui
porte l'estampille de la tradition, elle n'a su voir que
conventions et interdits arbitraires. Aussi est-ce dans une
totale solitude que chacun va faire son expérience de la
vie. La lucidité, une lucidité corrosive et toujours éveillée,
telle est la seule vertu que reconnaissent ces orphelins
moraux. Mais le mot vertu a bien vieilli : ils préfèrent
parler d'honnêteté, de respect de soi.

N'accablons pas sous nos pierres, sans essayer de la
comprendre, une jeunesse déjà malheureuse. L'amour?
Chez Françoise Sagan, l'amour ne respecte aucune des
conventions littéraires. Où sont les fureurs classiques, les
extases romantiques? Neiges d'antan. Mais est-ce bien
cela qu'il faut regretter? Chez les romanciers et les poètes,
l'amour est pur spectacle, je parle de l'amour amplifié
pour les besoins de la scène, stylisé, porté par le feu des
mots à une incandescence tout à la fois mortelle et splen-

dide. Amour inoffensif, parce que situé hors du temps :
sur son bûcher fabuleux Didon ne cesse pas de mourir, et
chaque année Hermione renaît de ses cendres, aussi enra-
gée que jamais. Amour plus beau que nature? Ne vous
plaignez pas : on le conçut tout exprès pour vous faire
oublier la prose de l'existence. Il a sa vérité, cet amour
flamboyant. Ce n'est pas celle de nos vies. Transportez
dans votre vie cet amour spectaculaire, cet amour *fait
pour être admiré*. Devenez Tristan, ou Mme de Mortsauf,
ou Ysé : quelle amplification théâtrale, quelle naïveté
dans le mimétisme, quelle complaisance dans l'illusion!
Sans parler des ravages. La littérature n'est pas transpo-
sable dans la vie. Que de victimes a faites ce miroir aux
alouettes! Déjà Flaubert avait percé à jour la part de
l'imitation dans les sentiments exaltés, dans des déses-
poirs si beaux qu'on s'y mire et admire. Qui ne sent ce
qu'il y a de niaisement littéraire dans les amours des
grands romantiques? (Amours non moins « provisoires »
que celles de *Bonjour tristesse*, mais on « ne voulait pas
le savoir »). Comprenons une génération soucieuse de
stricte sincérité et exercée à démasquer les ruses de l'inconscient, lorsqu'elle répugne à des transports qui vont
rarement, en effet, sans quelque comédie donnée aux
autres et d'abord à soi-même. Allons-nous aussi regretter,
chez les jeunes filles, la disparition de la coquetterie, des
mines affectées, des caprices, toutes choses que les hommes
ont longtemps cultivées chez la femme, non sans dédain
pour elle? Cet abandon des fanfreluches psychologiques,
cette nudité de l'âme, voilà qui est peut-être de simple
hygiène. Si voir clair en soi est honnêteté, la lucidité fait
partie des devoirs. Elle exige parfois un certain courage.

***

Mais la lucidité est-elle *le tout* de la vie morale? Telle
est précisément la question que les romans impudiques
de Françoise Sagan posent avec insistance.

Ses héroïnes affichent leur scepticisme. C'est même leur seule affectation. C'est là aussi qu'est la blessure. Religion? Morale? Vieilles lunes, disparues à l'horizon. On laisse volontiers les athées militants, nouveaux Don Quichottes, gesticuler contre un ciel vide. Que Gide est donc loin déjà, avec ses trémolos religieux et son immoralisme prédicant! Repris par tous entre les deux guerres, ses couplets contre les contraintes morales sont aujourd'hui démodés. Gide? Un pasteur manqué, un grand-père mal libéré des bandelettes religieuses et un tantinet scrupuleux.

Serait-elle donc existentialiste, la « petite bande » à laquelle Dominique s'est agrégée? (Et qui ne représente certes pas *tout* le Quartier latin : l'un des pires dangers d'*Un certain sourire* est de le laisser croire.) Dominique n'a certainement pas coupé les pages de *l'Être et le Néant*. D'un existentialisme d'ores et déjà éventé, elle n'a retenu que ce qu'on peut encore en respirer dans certains bars estudiantins, où il va de soi qu'on ne saurait, sans mauvaise foi, soumettre sa vie à des principes. Chacun doit se créer sa propre vérité. Que ce ne soit pas chose facile, Sartre lui-même en donne la preuve, qui reste un pied en l'air, depuis tant d'années, depuis *les Mouches*, depuis certain claironnant appel à la croisade. Ce qui frappe, en lisant Françoise Sagan, c'est le peu d'emprise exercé par Sartre sur la jeunesse, j'entends sur cette partie de la jeunesse qui lui paraissait d'avance acquise. Où trouvez-vous, chez Françoise Sagan, la responsabilité assumée au-delà du désespoir lucide? Nul désespoir. Encore moins de responsabilité. Seule persiste la lucidité, petite lueur impitoyable éclairant une vie dépourvue de sens et d'orientation, stagnante, inutile, et dont l'accablant ennui ne se combat qu'à l'aide de plaisirs passagers et aigus, à l'aide aussi de liqueurs fortes. Jean-Paul Sartre ne nous voulait englués dans la nausée que pour nous montrer comment en sortir : il nous y a laissés. Quand on songe à l'espoir mis en lui par toute une jeunesse, il faut parler de fiasco.

Non, Françoise Sagan ne jure par aucun maître. Sa force lui vient de ce qu'elle n'écoute qu'elle-même et son petit génie maigre et têtu. Il n'est pas imité, son air de clavecin, au jeu merveilleusement sec et délié. On peut la rêver assez indépendante de ses admirateurs pour leur faire entendre, si elle les découvre en elle-même, des notes inattendues, un registre humain moins limité.

Peut-être se croit-elle arrivée au bout de l'expérience humaine? Il lui reste pourtant quelques petites choses à apprendre, assez élémentaires. Par exemple, que l'humanité s'étend au-delà du Quartier latin; que tout amour n'est pas un attrape-nigaudes; que le dégoût de soi résiste aux acides de l'analyse la plus lucide; qu'on n'est pas maître de la souffrance comme on l'est de sa joie; enfin, qu'il ne suffit pas — quel enfantillage! — de ne jamais nommer Dieu pour être assuré de ne plus l'entendre.

Déjà Françoise Sagan a découvert — n'est-ce rien? — que les autres existent; que notre plaisir devient « sordide » quand il cause la peine d'autrui; que, de certaines aventures, la jeune fille la plus libre sort « affreusement humiliée ». Ce sont mots dits en passant. Ce pourrait être la chanson de demain. Françoise Sagan, jeune fille française, ne ricane pas, elle sourit. Tristement. Qu'elle ne croie pas plus banal, à notre époque triste, un sourire plus lumineux. Elle a droit à ce sourire. Elle nous le doit.

Le troisième roman de Françoise Sagan. *Dans un mois, dans un an*, n'a pas le charme acide des deux premiers, mais il témoigne d'un sens plus rassis. Parbleu, on se fait vieille! (Elle a vingt-deux ans bien sonnés.) Quelle maturité dans ces récits! Maturité précoce : fruits verts d'un côté, blets de l'autre.

Le milieu n'a guère changé, et c'est dommage, car il est fort étroit : des déracinés, eût dit Barrès, de jeunes provinciaux attirés par les lumières de Paris et impatients de s'y brûler les ailes. Ces fascinés, ces dormeurs éveillés ne commencent à vivre qu'au petit matin quand, fourbus, réduits à quelques réflexes, ils ne résistent plus à l'appel des bars violemment éclairés, se mettent à tournoyer comme des mouches, et s'accouplent comme elles, au hasard. On ne fait rien : à quoi bon? On survole la vie réelle. On s'agite par saccades, dans l'instantané. Des mouches, vous dis-je. Des petites têtes. Qui sentent, toutefois, le vide d'une pareille vie. Mais qui croient que « c'est cela la vie ». « Quel gâchis! » (c'est leur refrain).

Plus que l'histoire elle-même (l'invention n'est guère foisonnante), plus même que ses personnages, ce qui intéresse notre romancière c'est le choc de ces atomes vivants, les lois qui régissent leur chassé-croisé : une physique. Françoise, naguère élève de seconde, n'a pas oublié *Andromaque* mise en équation. Et c'est peut-être ce qui rend, au départ du récit, la lecture assez laborieuse. Nous nous perdons dans tous ces Bernard, Jacques et Édouard qu'on retrouve indifféremment dans le lit de Josée, de Fanny ou de Béatrice. De simples signes, remplaçant les noms des garçons et des filles exprimeraient leurs rapports avec une brièveté encore plus élégante. Françoise Sagan me paraît dangereusement tentée par la psychologie algébrique.

Que mon lecteur ne sursaute pas : Françoise Sagan est un « moraliste », et bien de chez nous. Malgré son titre racinien, elle fait plutôt penser à un Chamfort, à quelque observateur désabusé mettant la passion des autres en formules. Que de sentences! Bien décantées, bien sèches, bien amères. C'est avec les yeux d'une femme de cinquante ans qu'elle scrute les jeunes gens. Ces insectes un peu trop sélectionnés (et c'est là qu'elle est naïve), elle les observe comme au travers d'une vitre, et sa façon de les présenter les perce, les pèse. C'est donc bien vrai, conclut-elle (et là est son erreur), la vie est un songe, un mensonge. Seule la passion nous tient éveillés, et toute passion nous laisse seuls. L'un des personnages pourtant, Bernard, arraché un instant à la folle ronde, et souffrant dans la solitude, paraît s'ouvrir à une dimension nouvelle. Un moucheron encore, mais qui pourrait peut-être devenir un homme.

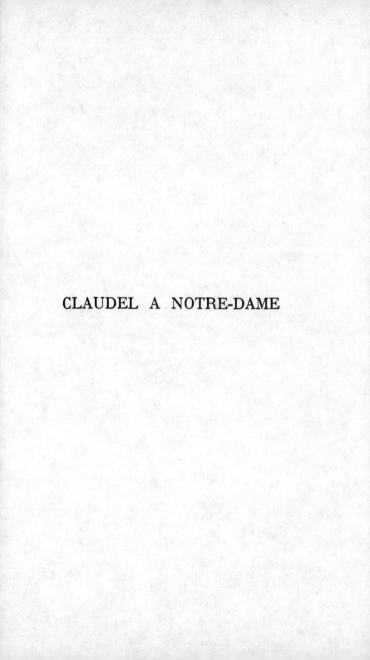

CLAUDEL A NOTRE-DAME

Lundi, 28 février 1955. Je rentre de Notre-Dame. Comment ne pas noter aussitôt la surprise qui nous y attendait?

La messe avait pris fin, construction de rites immuable, arche de prières, admirable certes, mais la même pour tous, par laquelle grands et petits pénètrent nus, sans privilège aucun, dans le sein de Dieu, — ainsi que le rappellent sévèrement, dès l'entrée, les tympans bientôt millénaires. Soucieuse seulement de l'introduire dans son éternité, l'Église ignorait la grandeur temporelle de Claudel. Disons mieux, elle l'accueillait comme elle accueille tous ses fils : avec un amour qui ne sait mettre entre eux aucune différence.

Mais quoi! Entre la vieille basilique et celui que la liturgie nomme presque anonymement « votre serviteur Paul », n'y a-t-il pas un lien spécial? Je me souviens alors d'une lettre écrite par lui à une époque où il tenait encore caché le grand secret de sa vie :

Vous ne doutez pas que mon église soit Notre-Dame, la vieille mère vénérable dans le sein de qui j'ai été conçu une seconde fois. C'est mélangé à ses ténèbres que j'ai reçu l'étincelle séminale et la respiration essentielle. Elle a été pour moi l'asile, la chaire, la maison, le docteur et la nourrice. Avec quel respect et quel amour je franchis chaque matin la porte ménagée dans son flanc, et me retrouve dans la maison de Dieu [1]!

N'est-ce pas ici en effet, au chant du *Magnificat*, que le dur garçon de dix-huit ans, plein de génie mais au cou

1. Paul Claudel, Francis Jammes, Gabriel Frizeau, *Correspondance*, p, 69.

rebelle, a plié comme « un jeune taureau » ? N'est-ce pas ici même, où le service d'ordre m'a placé, « près du second pilier », que ce cœur farouche, descellé par une main toute-puissante, a connu la douceur des larmes? Laissant les autres, autour de moi, se payer des têtes de ministres, d'ambassadeurs et d'académiciens, je me redis tout bas le récit de la conversion. Je le sais par cœur. Après avoir rappelé son incrédulité de ce temps-là,

Tel était le malheureux enfant, a écrit Claudel, qui, le 25 décembre 1886, se rendit à Notre-Dame de Paris... Coudoyé et bousculé par la foule j'assistai avec un plaisir médiocre à la grand-messe. Puis, n'ayant rien de mieux à faire, je revins aux vêpres. Les enfants de la maîtrise en robes blanches et les élèves du petit séminaire de Saint-Nicolas-du-Chardonnet qui les assistaient, étaient en train de chanter ce que je sus plus tard être le *Magnificat*. J'étais moi-même debout dans la foule, près du second pilier à l'entrée du chœur, à droite du côté de la sacristie. Et c'est alors que se produisit l'événement qui domine toute ma vie. En un instant mon cœur fut touché et *je crus*. Je crus, d'une telle force d'adhésion, d'un tel soulèvement de tout mon être, d'une conviction si puissante, d'une telle certitude ne laissant place à aucune espèce de doute, que, depuis, tous les livres, tous les raisonnements, tous les hasards d'une vie agitée n'ont pu ébranler ma foi, ni, à vrai dire, la toucher [2].

Je savourais ces mots, qui eurent, en Claudel d'abord, puis en nous, tant d'échos; et déjà, un peu déçu, je me disposais à sortir, quand soudain, inattendu dans ce décor funèbre, s'éleva le *Magnificat*, fleur musicale portée jusqu'aux voûtes par la voix, déchirante de pureté, des enfants de la maîtrise. La basilique entière tressaillait, comme remuée par un souvenir d'amour. C'était le merci de Claudel. C'était aussi la réponse de Notre-Dame.

Claudel ne nous a jamais dit tout ce qu'il doit à Notre-Dame. Entre elle et lui, comme entre un fils et sa mère, il y avait ce quelque chose de « secret et de sacré » que l'on dérobe aux curiosités profanes. Objectif et sobre comme

_____

2. Je ferai, sans y référer, de nombreux emprunts au récit intitulé : « Ma Conversion », que l'on trouvera, soit dans *Contacts et Circonstances*, soit dans *Pages de prose*.

un rapport de consul, le récit de la conversion évite avec soin tout lyrisme, comme si le témoin avait voulu décourager d'avance ces commentaires romantiques dont a si longtemps souffert le *Mémorial* de Pascal. Claudel a tout dit, si l'on veut, et pourtant nous voudrions savoir davantage : dans quelle mesure et sous quelle forme « l'éclair » de Noël 1886 a-t-il illuminé non seulement sa vie, mais son œuvre? Et puisque l'événement s'est produit à Notre-Dame de Paris, l'image de Notre-Dame a-t-elle été vite oblitérée par tant d'images enregistrées depuis sur tant de continents? Ou au contraire a-t-elle hanté son souvenir, au point de s'interposer entre ses yeux et tant d'impressions plus récentes? Je crois que Notre-Dame se retrouve en filigrane dans tout ce qu'a écrit Claudel. Lui-même s'en est-il parfaitement rendu compte? Il ne semble pas. Il allait toujours de l'avant, ne relisait pas ses ouvrages, ne s'analysait pas lui-même. A nous donc de découvrir ce qu'il n'a qu'entrevu. La grâce accordée à Claudel comme à Pascal est peut-être très commune. Beaucoup d'autres chrétiens peut-être en ont bénéficié. Mais, reçue par d'aussi puissants écrivains, comment ne retentirait-elle pas dans l'édifice verbal construit avec le meilleur de leur âme? J'ai tenté déjà de retrouver dans les *Pensées* l'émotion de la nuit du 23 novembre. Il ne sera pas moins légitime de nous demander si l'événement de Notre-Dame — « l'événement qui domine toute ma vie », a écrit Claudel — ne s'est pas répercuté dans son œuvre en échos sans fin. Je voudrais disposer de cette flûte magique dont il parle lui-même, pour rassembler un instant sous les voûtes de la vieille basilique tous ces poèmes de haut vol, ces oiseaux océaniques qui, de ce cœur de Paris vers toutes les plages du monde, prirent leur essor. Ils y reconnaîtront aisément leur patrie.

**

L'étonnant, c'est que Paul Claudel ait jamais mis les pieds à Notre-Dame de Paris. Il fallut sans doute le désœu-

vrement d'un jour de fête, le dégoût que lui inspiraient
les fêtes de la foule, la proximité de la cathédrale. Les
autres jours, il faisait, toujours à pied, inlassable, des
excursions forcenées d'un bout à l'autre de Paris, comme
autrefois dans la campagne de Villeneuve-sur-Fère. En
quête de quoi? Un jeune homme le sait-il? Il est travaillé
par le mal de l'adolescence, fait d'un désir illimité, d'une
impuissance passagère, de la confusion qu'on éprouve à
s'ignorer soi-même.

Ne faisons pas du jeune étudiant aux Sciences politiques
un philosophe à idées très personnelles. Il a beau dire :
« Les livres ne sont que du papier. » Comment ne croi-
rait-il pas ce que disent ses livres, et ses maîtres, et les
grands hommes de son temps, ce que lui répète sa sœur
Camille, impérieuse et géniale : à savoir que l'idée de
Dieu est dépassée par la science, et que le monde est une
mécanique sans âme régie par des lois sans mystère. Il
étouffe là-dedans. Il cherche à en sortir. Mais comment,
tout seul, viendrait-il à bout de ce Paris fin de siècle?
« La dalle est scellée sur vous, dit un de ses personnages;
elle est scellée et cimentée et attachée avec des ongles de
fer. » — « Je me lèverai, répond un autre, et j'enfoncerai
la porte. » Toutes les sympathies de Claudel vont alors
aux anarchistes. Il applaudit aux bombes de Ravachol [3].
Quel rire si l'on pouvait faire sauter à la mine les repaires
de l'égoïsme et de la satisfaction! Beaucoup plus tard, un
texte virulent rappellera son intolérance de ce temps-là.
On y sent fermenter, et bien près de s'aigrir, le vin de la
jeunesse.

Et moi aussi,... aux jours de ma 18e année,... j'ai été le captif
de cette Tyr et de cette Babylone, j'ai erré au plus profond de
ces entrailles ténébreuses, m'attendant à y lire sur les plaques
indicatrices, plutôt que *rue Saint-Jacques* et *rue du Faubourg-
Poissonnière : rue de l'Enfer* et *carrefour du Désespoir.* J'ai arpenté
avec horreur les épouvantables quartiers de Charonne, de Belle-
ville, des gazomètres et des abattoirs... La rue Mouffetard chaque
dimanche descendue et remontée mètre par mètre et ces quartiers

3. *Mémoires improvisés*, p. 73.

de la Bièvre qu'emplit l'odeur de la bière et des tanneries ont été pour moi une coupe d'amertume. J'ai aspiré l'atmosphère de congélation et de mépris qui se dégage des quartiers aristocratiques de l'Étoile et du parc Monceau, où l'on a tout fermé « pour ne pas voir quelqu'un d'aussi peu noble que vous ». Et ce n'est rien auprès de ce qui arrive le soir quand une affreuse musique se met à braire, quand on est roulé, bousculé et entraîné sur les trottoirs par le torrent d'une humanité impure qui débouche des théâtres et des cafés, quand l'orgie s'allume et que le ciel sulfureux au-dessus de nos têtes est embrasé d'une vapeur écarlate. A nous deux maintenant! s'écrie du haut du Père la Chaise le Rastignac de Balzac. Quant à moi, ville maudite, l'œil que j'ai fixé sur toi, de ce parapet du pont d'Austerlitz où le voisinage du Jardin des Plantes procure un peu de solitude et de silence, c'est un regard d'abomination et d'exécration, avec le sentiment jusqu'au fond de ma substance de cette séparation radicale,... le vœu de partir, de déchirer autour de moi cette affreuse prison madréporique! Ce désir de l'Océan! Quelque chose désespérément enfin à la mesure de mes poumons [4]!

Car Claudel va préparer le concours des Affaires étrangères, seul moyen d'échapper à Paris, de satisfaire sa « passion de l'Univers », de courir à la poursuite du soleil, de « trouver du nouveau ». Une autre solution peut-être? La poésie. Un matin de mai de cette fameuse année 86, Claudel a découvert *les Illuminations* de Rimbaud, et il s'émerveille de rencontrer, chez un autre poète, même incroyance et même révolte, mais aussi certains accents d'une pureté édénique qui semblent promettre une autre vie [5]. Claudel n'est donc plus tout à fait seul : il a maintenant un frère dans ce jeune aventurier qui, en quête d'un nouveau baptême, a quitté « l'Europe aux anciens parapets », s'est confié à l'on ne sait quel « bateau ivre », pour se perdre corps et âme dans on ne savait alors quels océans.

N'allons pas croire que cette exigence de l'absolu soit exceptionnelle chez les jeunes gens. C'est seulement

---

4. *Paul Claudel interroge l'Apocalypse*, p. 127.
5. Un poème écrit le 30 août 1886 (c'est-à-dire entre la découverte de Rimbaud et les vêpres de Notre-Dame), et publié seulement en 1950 (*Œuvres complètes*, I, p. 14) prouve que l'influence de Rimbaud s'est exercée sur Claudel, dès cette date, dans un sens plus nettement chrétien qu'on ne le croyait jusqu'ici. Le titre est significatif : « Pour la Messe des hommes. » Cf. *Mémoires*, p. 28.

parce que Claudel a vécu et exprimé avec une puissance
inouïe ces aspirations communes que tous les jeunes gens
peuvent en lui se reconnaître. La tentation anarchiste n'a
sans doute été chez lui qu'une velléité, l'expression d'un
malaise, le besoin déjà d'une vraie communauté. Je ne
crois pas non plus qu'il ait jamais espéré trouver dans les
voyages le remède à un mal métaphysique. Enfin, si
Rimbaud avait ouvert « une fissure dans son bagne matérialiste », ce n'était là qu'une lueur sous la porte, non pas
la libération. Claudel était un esprit trop exigeant pour
se contenter de ce que lui offrait l'école symboliste : un
chatoiement de symboles chargés de masquer le néant.
Il exigeait la solidité de l'Être, la Vérité substantielle. Et
c'est pourquoi, nous dit-il, « mon état habituel d'asphyxie
et de désespoir restait le même ».

25 décembre. Évitant la foule, qui, ce jour-là, occupe la
rue, le jeune sauvage se réfugie dans une église. Pourquoi dans une église? « Je commençais alors à écrire,
a-t-il raconté, et il me semblait que dans les cérémonies
catholiques, considérées avec un dilettantisme supérieur,
je trouverais un excitant approprié et la matière de
quelques exercices décadents. » On n'est pas plus méprisant. Il ne cherche pas plus la vie à Notre-Dame qu'un
archéologue ne la cherche dans des ruines ou un amateur
dans un bazar d'antiquaire. Disons plus : il dut entrer
à Notre-Dame animé d'une hostilité sourde. Pour lui,
qu'attire voracement l'avenir, ces vieilles pierres sont
l'image même du passé, de ce passé qu'il faudrait faire
sauter si l'on veut construire un monde neuf. Il aspire
aux espaces vierges, et ces murs énormes l'écrasent
comme ceux d'une prison; aux soleils exotiques, et les
ténèbres l'engloutissent; à l'expansion libre, voire anar-
chique, de la joie totale, et le voici mêlé à ce maigre troupeau de fidèles et de prêtres que, à la manière de Rimbaud,
il déteste moins qu'il ne les méprise, parce qu'ils lui
paraissent les plus asservis et résignés, les plus laids de

tous les hommes. Ajoutez qu'il pleuvait ce jour-là [6]. Les vitraux étaient muets. L'impression première dut être accablante. Et dans les descriptions que le converti donnera plus tard de Notre-Dame, avant que triomphe la note radieuse, domineront longtemps encore les tons chagrins et sombres.

O les longues rues amères autrefois et le temps où j'étais seul et un!
La marche dans Paris, cette longue rue qui descend vers Notre-Dame!

Il est entré. Et soudain c'est le coup au cœur. Quelqu'un est ici.

Dieu existe, Il est là. C'est quelqu'un, c'est un être aussi personnel que moi!

Et voici que vous êtes quelqu'un tout à coup!

Comment faire la sourde oreille? L'appel est personnel.

Il m'aime, Il m'appelle. C'est à moi Paul, entre tous, qu'Il s'adressait...

Vous m'avez appelé par mon nom.
Comme quelqu'un qui le connaît, vous m'avez choisi entre tous ceux de mon âge!

Arrêté, comme l'autre Paul, en pleine marche impie, l'interpellé répond comme lui :

Ne me croyez pas votre ennemi! Je ne comprends point, et je ne vois point, et je ne sais point où vous êtes. Mais je tourne vers vous ce visage couvert de pleurs [7].

Il n'y a plus à courir le monde : ici, sous ces voûtes, est le centre du monde. Il n'y a plus à briser les portes : il faut ouvrir la porte de soi-même. Il faut accueillir quelqu'un, « qui ne nous permettra plus d'être confortable-

---

6. « C'était le plus sombre jour d'hiver, et la plus noire après-midi de pluie sur Paris. » (« Le 25 décembre 1886 », dans *Œuvres complètes*, II, p. 303.)
7. *Cinq Grandes Odes*, p. 79-81.

ment chez nous [8] ». Il faut renoncer à l'indépendance. Il
faut capituler.

> *Il faut céder enfin! O porte, il faut admettre*
> *L'hôte; cœur frémissant, il faut subir le maître,*
> *Quelqu'un qui soit en moi plus moi-même que moi* [9].

« La violence qui m'était faite me causait, dira-t-il,
une véritable indignation. Mais je sentais sur moi une
main ferme. »

> *O mon Dieu, un jeune homme et le fils de la femme vous est plus*
> *agréable qu'un jeune taureau!*
> *Et je fus devant vous comme un lutteur qui plie,*
> *Non qu'il se croie faible, mais parce que l'autre est plus fort* [10].

On lui demande en somme de remettre à la discrétion
d'un suzerain les clés de cette personnalité qui lui est si
chère. Mais c'est précisément de ce sacrifice que jaillit la
joie claudélienne, dont même des chrétiens parlent parfois avec légèreté, comme si, pour la goûter, il suffisait
de céder aux conseils de la vie, alors qu'elle surgit de la
mort : mort de l'autonomie et de la suffisance. La joie,
c'est le feu du ciel ravageant l'holocauste. Ainsi, plus tard,
Violaine consumée et jubilante; Prouhèze heureuse de
voir brûler cette « idole » qu'elle s'est faite d'elle-même;
l'orgueilleux Rodrigue enfin, livré comme esclave et trouvant dans la totale dépendance la totale liberté.

A Claudel, tout a donc été donné dans « un seul éclair » :
l'existence de Dieu, sa personnalité, sa présence, l'appel
au total renoncement. Rappelons-nous : c'est exactement
l'expérience pascalienne, à laquelle ne manquent pas
même les « pleurs de joie ».

Il y a plus. Si étrange que la chose nous paraisse aujour-
d'hui, il faut pourtant l'admettre : il va exister, pendant
bien des mois, un Claudel dont la religion sera de type

8. *Positions...*, II, p. 186.
9. *Vers d'exil*, dans *Théâtre*, IV, p. 238.
10. *Odes*, p. 80.

pascalien, et qui n'admettra que le « seul à seul » avec Dieu. Il repoussera à la fois l'Église et le monde.

L'Église n'est pas nommée dans le *Mémorial*, non pas que son rôle médiateur soit nié par le jansénisme, mais il est minimisé. Quant au monde, Pascal en rejetait joyeusement par-dessus bords toutes les valeurs : « Oubli du monde et de *tout*, hormis Dieu. »

Touchant l'Église, Claudel n'avait certes aucune position doctrinale, lui qui, nous dit-il, était à son égard « d'une ignorance de sauvage ». Mais contre elle toutes ses préventions subsistaient. « La religion catholique me semblait toujours le même trésor d'anecdotes absurdes, ses prêtres et ses fidèles m'inspiraient la même aversion qui allait jusqu'à la haine et jusqu'au dégoût. » Quant au monde et à ses valeurs, même les plus hautes, comme l'art et la beauté, le futur « rassembleur de la terre » ne voyait pas encore comment les concilier avec l'attraction vers Dieu qu'il subissait et avec le détachement total qu'elle semblait commander.

Il vaut la peine de veiller un instant avec ce Claudel inconnu et presque invraisemblable, mais qui marquera si fortement le Claudel définitif : comment expliquer, autrement que par la vocation à la solitude, l'essai de noviciat à Ligué et tant d'allusions éparses dans les *Grandes Odes*, les *Vers d'exil* et *Partage de Midi*? Nous connaissons ses lectures d'alors, bien propres à le précipiter en Dieu seul : Pascal précisément (qu'il rejettera bientôt), les *Élévations* et les *Méditations* de Bossuet, la *Métaphysique* d'Aristote, l'*Imitation*.

Nous connaissons sa prière, à laquelle ce poète donne un décor : la neige; un climat : le froid. Froid et neige sont associés pour toujours à la conversion et au don total (rappelons-nous le troisième acte de l'*Annonce* [11]). Avant Noël, il était comme une forêt chantante (tout ce « peuple de voix murmurantes », les personnages qui voulaient

11. *Mémoires...*, p. 236.

sortir de lui). Depuis Noël, le voici comme un arbre dépouillé et recouvert du silence de la neige [12]. Et c'est avec Dieu un colloque où reviennent les mots : silence, désert, nudité :

> *N'essaie point de me donner le monde à ta place.*
> *Car c'est toi-même que je demande* [13],

entendait-il. Et il répondait :

> *Vous êtes là et c'est assez. Taisez-vous seulement,*
> *Mon Dieu, afin que votre créature entende. Qui a goûté à votre silence,*
> *Il n'a pas besoin d'explication* [14].

> *Voici la rigueur de l'hiver, adieu, ô bel été...*
> *Je préfère l'absolu. Ne me rendez pas à moi-même.*
> *Voici le froid inexorable, voici Dieu seul* [15]!

> *Les choses me quittent peu à peu et moi je les quitte à mon tour.*
> *On ne peut entrer que nu dans les conseils de l'Amour* [16].

> *Mon Dieu, dérobez-moi à la vue de tous les hommes, que je ne sois plus connu d'aucun d'eux* [17].

> *Tout est désert devant ta lumière qui monte* [18]!

La lumière sur le désert. Car le Soleil divin est un feu meurtrier, insatiable et qui ravage tout. Et Claudel entend bien ne pas se dérober à Dieu :

> Que d'autres fuient sous la terre, obstruent avec soin la fissure de leur demeure; mais un cœur sublime, serré de la dure pointe de l'amour, embrasse le feu et la torture. Soleil, redouble tes flammes, ce n'est point encore assez que de brûler, consume; ma douleur serait de ne point souffrir assez. Que rien d'impur ne soit soustrait à la fournaise, et d'aveugle au supplice de la lumière [19]!

12. *Odes*, p. 96-99.
13. *Ibid.*, p. 145.
14. *Partage de Midi*, dans *Théâtre* (Bibliothèque de la Pléiade), I, p. 978.
15. *Odes*, p. 96.
16. *La Messe là-bas*, p. 20.
17. *Ibid.*, p. 72.
18. *Vers d'exil*, p. 236.
19. *Connaissance de l'Est*, p. 119.

Bien qu'il l'ait assez vécu lui-même pour pouvoir en doter Violaine, ce détachement mystique n'entrait pas dans la vocation de Claudel. Il forçait alors sa nature. Et c'est probablement ce qui explique en partie ce ton agressif qui chez lui persista longtemps, et qu'on a souvent dénoncé. On a vu du fanatisme dans la virulente apostrophe à ses maîtres d'hier, « savants, épicuriens, maîtres du noviciat de l'Enfer, praticiens de l'Introduction au Néant ». Claudel, remarque Mauriac, part en guerre « armé du casque empanaché de l'espérance, du tomahawk de la foi et de la hache à double tranchant de la charité ». Il est très vrai que le monde est d'abord apparu à Claudel, comme à Pascal, sous la forme d'un panthéon de faux dieux :

> *Soyez béni, mon Dieu, qui m'avez délivré des idoles,*
> *Et qui faites que je n'adore que Vous seul, et non point Isis et Osiris,*
> *Ou la Justice, ou le Progrès, ou la Vérité, ou la Divinité, ou les Lois de la Nature, ou l'Art, ou la Beauté* [20]...

Tenté par l'art et la beauté, comme Pascal par la philosophie, Claudel piétine l'art et la beauté, comme Pascal déclarait sèchement que « la philosophie ne vaut pas une heure de peine ». Certaines imprécations doivent être remises à leur date : celle de la conversion. « Restez avec moi, Seigneur... Ne me perdez point avec les Voltaire, et les Renan, et les Michelet, et les Hugo, et tous les autres infâmes [21]! » « A coups d'ostensoir, il dévaste notre littérature », écrivait Gide, qui certes ne fut jamais tenté de sacrifier à Dieu toute littérature.

Cette traversée du désert ne fut pas inutile à Claudel. L'appel au détachement total fut pour lui cette pointe au

20. *Odes*, p. 92 et 85.
21. *Ibid.*, p. 109.
Il faut noter que ces imprécations se trouvent dans le *Magnificat*, lequel évoque le souvenir de la conversion. A la fin de sa vie, Claudel admettait la légitimité d'attitudes différentes et il citait l'abbé Bremond et l'abbé Mugnier « qui, au contraire, sympathisaient avec toutes les erreurs et n'y voyaient que la partie de vérité ». (*Mémoires...*, p. 223.)

cœur qui ne permet ici-bas aucun repos. Claudel regrettera toujours de ne s'être pas élevé vers Dieu « d'un seul trait », comme l'alouette de France, sa petite Violaine. Mais enfin, redisons-le, rien de plus contraire à sa nature que la solitude et la nudité. Ne va-t-il pas fausser sa vie? Il le craint. Et chaque fois que l'appel se fait entendre, il lui trouve un son à la fois fascinant et horrible :

> Saisi d'horreur, voici que de nouveau j'entends
> L'inexorable appel de la voix merveilleuse [22].

Peut-on le dire converti? Tout son passé lui fait alors détester l'Église, et la grâce récente exécrer ce qui l'entoure. Il n'a pas encore sa place dans la communauté chrétienne; il ne voit plus de place pour lui dans le monde. Solitude intolérable! Après l'éclair de Notre-Dame, tout est fait et tout reste à faire.

**

Ici commence une histoire merveilleuse, simple comme un récit biblique, secrète comme la Grâce, intraduisible comme la poésie. Elle n'a jamais été contée par Claudel lui-même.

C'est la collaboration de la Bible et de Notre-Dame qui a fait de Claudel ce qu'il est enfin devenu. Dans le récit de sa conversion, il avait noté simplement :

Dès le soir de ce mémorable jour à Notre-Dame, après que je fus rentré chez moi par les rues pluvieuses qui me semblaient maintenant si étranges, j'avais pris une Bible protestante qu'une amie allemande avait donnée autrefois à ma sœur Camille, et pour la première fois j'avais entendu l'accent de cette voix si douce et si inflexible qui n'a cessé de retentir dans mon cœur [23].

Le choc reçu de l'Écriture devait marquer Claudel

22. *Vers d'exil*, p. 226.
23. C'était en effet la première fois qu'il ouvrait une Bible. Mais avec un si puissant imaginatif, et si précoce, il ne faut pas oublier qu'il avait pris contact avec l'Histoire sainte par de « grands cartons », sortes d'images d'Épinal, qu'à Bar-le-Duc « la chère sœur Brigitte » lui présentait en lui apprenant à lire. Cf. *Les Aventures de Sophie*, p. 54 et *J'aime la Bible*, p. 8.

autant que l'éclair de Notre-Dame. Parlons plutôt d'un seul éclair, car c'est le cœur bouleversé par la grâce du *Magnificat*, les yeux encore pleins de larmes, qu'il ouvrit la Bible. Lui-même, d'ailleurs, bloquait en un seul tout « ces quelques heures ». Il est donc d'un intérêt capital de savoir quels passages de l'Écriture il rencontra ce soir-là. Il voulut bien me donner cette précision dans un entretien de novembre 1946 [24].

Le premier passage était celui d'Emmaüs (Luc, xxiv, 13-35) où le Christ explique les Écritures à deux de ses disciples et leur montre que l'Ancien Testament, soit en propres termes, soit en figures, parle de lui. Nous tenons de Claudel lui-même que tous ses travaux sur la Bible (l'un d'eux s'intitulera d'ailleurs *Emmaüs*) devaient sortir de ce texte. S'il s'est toujours montré tellement catégorique dans la défense du « sens spirituel », c'est que cette « découverte », à l'insu de nous tous, était liée pour lui à un souvenir sacré.

Mais le second passage de la Bible rencontré ce soir-là doit nous retenir bien davantage :

Le second point où je l'avais ouverte est ce magnifique chapitre viii des *Proverbes* où la Sagesse de Dieu est symbolisée sous la forme d'une femme... « C'était moi, dit la Sagesse, qui me trouvais en présence de Dieu quand Il équilibrait le cours des eaux, quand Il traçait avec un compas un cercle sur l'abîme... » Toute cette magnifique prosopopée des *Proverbes* m'avait énormément frappé, et toutes les figures de femmes dans l'œuvre ultérieure se rapportent plus ou moins à cette découverte [25].

Quand, trois ans plus tôt, j'avais demandé à Claudel un poème qui résumât toute sa vie, certaine allusion était restée pour moi lettre close. Elle s'éclairait enfin.

O Sagesse jadis rencontrée...
C'était toi, *à l'heure de mon salut*, ce visage, je dis toi, haute vierge, *la première que j'ai rencontrée dans la Bible* [26]!

24. Précision qu'il donnera ensuite dans *Discours et Remerciements*, p. 52; *Mémoires...*, p. 51; *J'aime la Bible*, p. 8; et lettre citée par Joseph Samson, *Paul Claudel poète-musicien*, p. 80.
25. *Mémoires...*, p. 51.
26. « Le Fleuve », dans *Pages de prose*, p. 10.

La « Sagesse » de la Bible reste, pour tout chrétien, mystérieuse. Mais combien n'était-elle pas déconcertante pour ce garçon de dix-huit ans aussi ignorant du christianisme « qu'on peut l'être du bouddhisme »! L'œuvre de Claudel est criblée d'allusions à ce chapitre des *Proverbes*. Et l'on peut affirmer que le halo glorieux mais confus dans lequel la Bible tient enveloppée la Sagesse a merveilleusement servi l'inspiration claudélienne. De cette nébuleuse se détacheront peu à peu astres et planètes : la femme nimbée qui se joue sur les eaux primitives, ce sera *la Grâce*, ou *la Vierge*, ou *l'Église*, ou *Anima*, ou *la Femme*, ou même *la Muse*. Mais quelle que soit la forme qu'elle revêt, elle sera toujours cette apparition inopinée qui bouleverse une vie, parce qu'elle « annonce » la Béatitude et fait tout quitter pour la suivre. Comme dans les *Proverbes*, elle parle, mais en mots traduits du silence : « O ami. je ne suis point un homme, ni une femme, je suis l'amour qui est au-dessus de toute parole [27]! » Mais à peine a-t-elle éveillé le désir que déjà elle est loin. Il faut la poursuivre. « Je suis la promesse qui ne peut être tenue... Qui m'entend est guéri du repos pour toujours... Qui voit mes yeux ne chérira plus un autre visage... Qui a commencé de me suivre ne saurait plus s'arrêter [28]. » Elle élude toute prise : « O ami, ne me touchez point! ne cherche pas à prendre ma main [29]. » Qui veut — tel Pierre de Craon — jouir d'elle dès ici-bas se voit durement frappé, comme s'il avait effleuré l'arche d'alliance.

La Sagesse tendra donc à revêtir le charme, la faiblesse, la fantaisie imprévisible de la femme. La femme, de son côté, gardera comme un reflet de la Sagesse éternelle : le mystère qui l'enrobe et la garde lancera vers l'homme une promesse qu'elle-même ne pourra tenir, et que Dieu seul pourra combler. Pour le dire en passant, c'est donc bien cette page de la Bible qui aida Claudel à résoudre le plus

27 *Odes*, p. 74.
28. *La Ville*, édition du Mercure, p. 307.
29. *Odes*, p. 74.

poignant problème de sa vie : celui de l'amour humain. Et l'on ne comprend rien ni à *Partage de Midi* ni au *Soulier de Satin*, si l'on oublie l'irruption dans l'imagination du jeune Claudel, au soir de Noël 1886, d'une forme on ne peut plus ambiguë puisqu'il s'agissait bel et bien d'une femme, mais d'une femme inaccessible, au front couronné d'étoiles, et qui projetait le désir au-delà des étoiles [30].

Mais ce même chapitre des *Proverbes* devait l'aider à résoudre d'abord les deux problèmes plus urgents dont nous avons parlé : l'accession à l'Église, et la réconciliation avec la beauté du monde.

L'Église d'abord. Trois ans, quatre ans passèrent avant que rien fût changé. L'Église représentait toujours, nous dit-il, « ce qui était le plus répugnant à mes opinions et à mes goûts ». Comment l'attrait vers un Dieu jaloux comme le feu, vers ce Soleil qui consumait tout l'humain, eût-il pu l'orienter vers l'Église? Il fallait que son idée de l'Église se modifiât au point de pouvoir se superposer à l'image de cette éblouissante Sagesse qui lui avait paru à la fois si proche de Dieu et si proche des hommes, et dont le rôle semblait être celui de médiatrice entre Dieu et les hommes [31].

Je supplie les esprits logiciens de se refuser ici la facilité d'une moue dédaigneuse et de ne pas réduire un poète à leurs catégories. On peut, comme faisait alors Claudel, se repaître de la *Métaphysique* d'Aristote, et trouver dans certains symboles une *vérité* plus opulente encore, plus riche d'harmoniques et, sinon plus vitale, du moins plus vivante. La Bible est remplie de ces belles images, histoires et allégories, dans lesquelles, comme dans une source intarissable, l'Église elle-même puise sa Vérité, dans lesquelles aussi elle la replonge sans cesse pour qu'elle ne perde rien de sa fraîcheur. C'est la liturgie, et non pas le

30. Cf., par exemple, *Conversation sur Jean Racine*, p. 49.
31. Est-il besoin de préciser que Claudel n'a jamais identifié la Vierge ou l'Église à la Sagesse incréée? Lui-même s'en est défendu dans *La Rose et le Rosaire*, p. 125.

caprice d'un poète du XXe siècle, qui, à l'image de la
Sagesse, « surimpose » à la fois celle de la Vierge et celle
de l'Église.

On conçoit l'étonnement ravi du jeune Claudel quand il
retrouva, dans le missel, sa belle dame du soir de Noël.
L'Épître de l'Immaculée Conception est en effet emprun-
tée au chapitre VIII des *Proverbes*[32]. La Vierge, ce n'était
donc pas la bonne femme des dévotes, c'était ce grand
être flamboyant, conçu par Dieu à l'Aurore *(in initio,
a principio, ab aeterno)*, et qui avait présidé, d'une certaine façon, à la naissance du monde. A nouveau la
Sagesse lui parlait, mais en prenant cette fois le visage de
la Vierge, de cette Notre-Dame dont le *Magnificat*, dans
une église qui portait son nom, l'avait naguère foudroyé[33].

Et c'est Notre-Dame, je crois (à la fois la Vierge et
Notre-Dame de Paris), qui le conduisit à l'Église. Mais ici
la résistance fut longue. « Ce fut la grande crise de mon
existence, a-t-il dit, cette agonie de la pensée dont Arthur
Rimbaud a écrit : « Le combat spirituel est aussi brutal
que la bataille d'hommes. » Lui, cet autre « Fils du Soleil »,
va-t-il donc confiner sa vie dans l'horizon étroit des dévots
qu'il voit se glisser comme des cloportes dans l'obscurité
des églises? La religion catholique lui paraît trop étroite
pour contenir l'humanité, trop décrépite pour présider
aux temps modernes, trop privée de sève pour animer la
vie universelle.

Sur ces luttes intimes, nous disposons de deux docu-

---

32. *Discours et Remerciements*, p. 52; *J'aime la Bible*, p. 8; *Accompa-
gnements*, p. 137.
33. Pour le dire en passant, si Claudel, parlant de la Vierge, a toujours uni à la tendresse un immense respect, c'est qu'elle lui avait été
révélée par ce texte des *Proverbes*. Il a toujours vu Marie « en majesté ».
« O grande Maman effrayante », dit Prouhèze, quand elle confie à la
Vierge son petit soulier de satin. Me lisant, en 1946, son poème à la
Vierge de Moissac, dont l'encre était à peine sèche, il me dit : « Pour
moi, Marie est une Dame. Ce n'est pas la rempailleuse de chaises de
Péguy! Et il prétendait aimer la Sainte Vierge! » Boutade, à la fois amusante et touchante. A quoi bon discuter? J'aurais attenté à un souvenir sacré.

ments : *Tête d'Or* et *la Ville.* Leur témoignage est d'autant plus irrécusable que Claudel a écrit ces drames pour
lui seul, en 89 et 90, c'est-à-dire au plus fort de l'attraction
vers Dieu et de la répugnance pour l'Église. Ils sont
obscurs, certes, car le jeune auteur — il avait vingt et un
ans — avait trop à dire et ne maîtrisait pas encore son
génie. Mais à un lecteur attentif, ils dévoilent tant de
secrets que Claudel, les relisant depuis, a pu s'étonner de
s'être livré avec une si parfaite inconscience [34].

Tête d'Or est ce « Fils du Soleil », cet être indompté,
vierge de toutes compromissions, qui veut tout voir et
tout avoir, tout conquérir, et pour cela, et d'abord, faire
place nette, abattre les vieilleries du vieux monde. Mais,
chose étrange, ce païen a lu le chapitre VIII des *Proverbes!* Qu'est-ce en effet que cette Princesse intouchable,
cette Vierge qui projette le désir du conquérant au-delà
de toutes ses conquêtes? Si Tête d'Or résiste d'abord à sa
séduction, c'est qu'elle lui apparaît dans une salle téné-
breuse qui évoque irrésistiblement une église gothique :
d'autant plus que sur les dalles, à la lueur d'un unique
lumignon (la lampe du sanctuaire?), on aperçoit des
hommes veules et ridicules, réfugiés là pour « veiller et
prier », comme le leur conseillent « les niaiseries des petits
livres ». (On aimerait savoir sur quels affreux manuels de
piété Claudel a pu d'abord tomber.) Tête d'Or tue le
Roi (qui pourrait bien représenter le Dieu des dévots), et
quand il meurt à son tour, c'est en adorant le Soleil.
« Tête d'Or est-il donc mort en païen et dans la révolte? »,
demandai-je un jour à Claudel. « Allons donc, me répon-
dit-il en riant, ce ne serait pas claudélien! » Ce Soleil,
c'est Dieu, évidemment, mais un Dieu qui permet au
« désir inextinguible » un déploiement illimité. Mais qu'est
devenue la Princesse, cette « Sagesse » qui fit battre son
cœur comme une fiancée éternelle? Tête d'Or l'a quittée.
Il ne lui a pas pardonné, semble-t-il, de se trouver mêlée

34. Nous n'utiliserons, il va de soi, que les premières versions, seules
antérieures à la conversion définitive.

à la troupe grotesque des dévots. Mais elle l'a suivi humblement jusqu'au bout du monde. Et si leurs noces mystiques se concluent enfin, c'est dans la gloire du Soleil
divin, mais au milieu d'une forêt, et *hors de l'Église* [35].
L'identification de la Sagesse et de l'Église n'est pas
encore tout à fait acceptée, me semble-t-il. Il est extrê-
mement curieux de retrouver dans cette matière en fusion
qu'est le premier grand drame de Claudel le conflit qui le
déchirait alors.

Écrite peu après *Tête d'Or*, et sans doute dans les mois
qui précédèrent immédiatement la « capitulation définitive entre les mains de l'Église », *la Ville* témoigne du
progrès accompli. « Je faisais à ce moment-là, a dit Claudel, d'immenses promenades dans Paris..., et la ville était
pour moi un ennemi dont j'essayais de me débarrasser [36]. »
L'anarchiste qui prend un si furibond plaisir à incendier
Paris, c'est donc Claudel. Mais, tout à coup, cassure
brusque. L'Église surgit, barrant la route. Dans la ville
en ruines, près de cette Ile Saint-Louis où Claudel avait
alors sa chambre d'étudiant, qu'est-ce que ces cloches?

— C'est à Notre-Dame qu'on sonne... Aujourd'hui, c'est
Pâques!
— Est-ce que cette vieille religion subsiste encore?
— Ils subsistent au-dessous.
— L'avoine pousse dans les bénitiers et l'ortie déborde des
tabernacles... Notre-Dame est fort gâtée. Mais les tours sont res-
tées avec les cloches [37]...

Et voici que s'avancent des « consacrés ». Ils catéchisent
les pétroleurs ahuris : catéchisme un peu étrange, mais

35. Toutefois l'imagination du dramaturge, décidément obsédée par
Notre-Dame de Paris, voit la forêt comme une cathédrale avec ses piliers
et ses vitraux :
« Et toi, église colossale du flamboiement, tu vois ces colonnes qui
se dressent devant toi, pousser vers toi une adoration séculaire. » *(Tête
d'Or*, p. 220.)
Plus tard, au contraire, c'est la cathédrale qui apparaîtra comme une
« forêt païenne » consacrée. *(Développement de l'Église* et *L'Esprit et
l'Eau.)*
36. *Mémoires...*, p. 69.
37. *La Ville*, p. 130,

qui nous fait connaître ce que cet autodidacte de la religion qu'était alors Claudel, savait du catholicisme en cette année 1890. Curieusement fantaisiste aussi est la liturgie, mais c'est tout ce que, de sa place, dans l'immense nef, le catéchumène avait pu ou cru voir[38]. Mais il faut en finir. Claudel n'aperçoit plus à l'horizon de sa vie que l'Église catholique.

Dans *Tête d'Or*, c'est la Princesse qui attirait tout à elle; dans *la Ville*, c'est l'Église. La substitution est parfaite. A cette différence près que la Princesse commandait par son charme, et que l'Église s'impose par sa seule vérité. Dans cette Église dépouillée de tout attrait et désertée par la foule, comment ne pas reconnaître la Princesse qui, à la fin du premier drame, était insultée par des goujats et crucifiée à un arbre? Elle n'en reste pas moins la Fille du Roi et l'héritière des promesses. Claudel, contre tous, va prendre parti pour elle.

---

38. On trouve dans *La Ville* certains détails que remarque surtout l'observateur non initié : les chanoines qui se saluent, le baiser de paix, l'agenouillement du diacre avant l'Évangile. Claudel a assisté à une ordination. Il a entendu l'*Adsum*. Il a cru voir l'imposition des mains sur la tête... et sur la poitrine; des cendres... mises sur la bouche; enfin, la tonsure conférée en brûlant les cheveux de l'ordinand avec la flamme d'un cierge!

Dans la seconde version de *La Ville* tous les détails naïvement autobiographiques, et même l'allusion à Notre-Dame de Paris, seront supprimés avec pudeur.

Claudel est encore sensible à certaines objections : la religion « ridicule », les églises fréquentées par de « vieilles femmes », les prêtres « vêtus de robes ». Le malheureux se débat surtout contre le respect humain. Il racontera plus tard : « La pensée d'annoncer à tous ma conversion, de dire à mes parents que je voulais faire maigre le vendredi, de me proclamer moi-même un de ces catholiques tant raillés, me donnait des sueurs froides... » Et dans *La Ville* : « J'ai honte! j'ai honte! je ne dois pas compte de ce que je pense... Tu ne me forceras point de parler... Prêtre, tu ne me le demandes point! — Je le commande. » (*La Ville*, p. 150.) C'est que le prêtre auquel il se confessa, fin 1889, « m'ordonna avant toute absolution, a raconté Claudel, de déclarer ma conversion à ma famille... Je sortis de la boîte humilié et courroucé, et n'y revins que l'année suivante, lorsque je fus décidément forcé, réduit et poussé à bout ». La première version de *La Ville* a donc été écrite entre les deux confessions, entre Noël 89 et Noël 90. Et c'est sans doute ce qui explique le ton didactique et contraint, disons même la sécheresse du 3e acte : Claudel était alors surtout sensible à la dureté des exigences de l'Église.

Si l'Église a été finalement agréée, c'est donc bien parce que son image s'est superposée peu à peu à celle de cette Femme qui a plusieurs visages mais un seul cœur profond : la Sagesse éternelle. Dès lors l'Église n'apparaît plus comme un rameau flétri. Elle est entée sur Dieu. Elle participe à cette éternelle jeunesse de Dieu dont Claudel a eu, dans l'éclair de Noël, « une révélation ineffable ». Les dévots sont ridicules? La littérature pieuse est « niaise » ? Qu'importe! L'Église, dans sa réalité profonde, échappe à ces misères. Dominant tous les siècles, débordant tous les espaces, elle peut bénir toutes les générations. Parlant un jour de son admission dans l'Église, Claudel dira magnifiquement : « Pour aimer mon Dieu, il me fallait trouver le moyen d'avoir existé avant l'Aurore [39]! »

C'est donc bien la Bible qui a permis à Claudel de surmonter la tentation dont on peut dire qu'elle est spécifique de notre temps, et qui porte la jeunesse à rejeter une Église qui paraît inadéquate, non seulement à Dieu, mais à cette humanité à laquelle elle prétend apporter Dieu.

Que nous ne nous soyons pas trompé dans l'interprétation de *Tête d'Or* et de *la Ville*, des confidences beaucoup plus claires nous en assurent. C'est bien la Vierge-Princesse qui a guidé les pas du jeune homme dans ce monde inconnu qu'était pour lui le dogme catholique. Dépourvu de tout conseiller (« Je ne connaissais pas un prêtre, a-t-il dit. Je n'avais pas un ami catholique »), le malheureux hantait alors la Bibliothèque nationale, où il dévorait la collection désespérante de la Patrologie de Migne. Qui lui « expliquera » tant de choses? Il entrait alors à Notre-Dame :

... C'est comme quelqu'un que je connais, quand, tout seul, au fond du noir abîme de Notre-Dame, six ans, sept ans! Il faisait son cours de théologie. Et ce n'était pas saint Thomas ou le grand Albert qui occupaient la chaire, mais la Sainte Vierge elle-même

39. *Emmaüs*, p. 140.

en grande patience et majesté. La face collée aux grilles du chœur, les deux mains accrochées aux grilles du chœur, je regardais vivre l'Église et je comprenais tout. Marie au-dessus de moi paisiblement sur son trône, et quelqu'un, tout en bas, misérablement dans l'ignorance et le péché, coudoyé par des êtres sans visage! Ce que me disait Paul, ce que me montrait Augustin, le pain que me rompait Grégoire avec l'antienne et le répons, les yeux de Marie au-dessus de moi étaient là pour l'expliquer... C'est Elle paisiblement qui régnait et rayonnait sur cette terre saturée et sur ce cœur plein d'orages. Elle qui confère tout silencieusement dans son cœur et qui réunit en un seul foyer toutes les lignes de la contradiction.

C'est vraiment par la liturgie — comme *la Ville* semblait l'indiquer — que Claudel s'est acclimaté à l'Église. « L'engin essentiel » de ma conversion, a-t-il dit, fut « Notre-Dame de Paris, cette caverne qui, au cours du déroulement, jour à jour..., de son mystère annuel, m'incorporait à son fonctionnement éclatant et ténébreux [40]. »

Le grand livre qui me fut ouvert et où je fis mes classes, c'était l'Église. Louée soit à jamais cette grande Mère majestueuse aux genoux de qui j'ai tout appris! Je passais tous mes dimanches à Notre-Dame et j'y allais le plus souvent possible en semaine. J'étais alors aussi ignorant de ma religion qu'on peut l'être du bouddhisme et voilà que le drame sacré se déployait devant moi avec une magnificence qui dépassait toutes mes imaginations. Ah, ce n'était pas le pauvre langage des livres de dévotion! C'était la plus profonde et la plus grandiose poésie, les gestes les plus augustes qui aient jamais été confiés à des êtres humains. Je ne pouvais me rassasier du spectacle de la messe et chaque mouvement du prêtre s'inscrivait profondément dans mon esprit et dans mon cœur. La lecture de l'office des Morts, de celui de Noël, le spectacle des jours de la Semaine Sainte, le sublime chant de l'*Exultet* auprès duquel les accents les plus enivrés de Sophocle et de Pindare me paraissaient fades, tout cela m'écrasait de respect et de joie, de reconnaissance, de repentir et d'adoration!

« Ma conversion n'a pas été un coup d'état individuel, me disait-il un jour. J'ai été converti à Notre-Dame, et par elle. » A la différence de Pascal, qui avait trouvé Dieu dans la solitude d'un appartement profane, Claudel a découvert le catholicisme dans un lieu sacré, entouré d'une foule priante et comme immergé dans les splen-

40. *Emmaüs*, p. 139.

deurs liturgiques. Claudel sera donc un passionné de la grande Église, de la communauté chrétienne, de la liturgie. Le 25 décembre 1890, quatre ans, jour pour jour, après les pleurs de joie du *Magnificat*, Claudel communiait à Notre-Dame.

*
* *

Entre Dieu et l'Église, il ne voyait plus d'opposition. La première difficulté était donc surmontée. Restait la seconde : *comment concilier Dieu et le monde?* Comme Pascal, il s'est senti appelé à une vie consacrée : comme Pascal, il se refuse à redescendre au profane. Tout partage entre le Christ et Bélial lui fait horreur. C'est l'époque, nous l'avons vu, où il exècre toute l'expression littéraire de son temps, comme pour mieux se défendre d'y jamais participer. Il croit qu'il lui faudra renoncer à son art. En attendant le face à face éternel, il vivra dans l'Église, hors de laquelle il n'est pas de salut. Il se représente alors Notre-Dame de Paris comme un sein maternel, un alvéole où mûrit la chrysalide élue, cette « cellule » où le moine bénédictin ne connaît que son Dieu et ne chante que lui.

Mais quelle solution négative a jamais satisfait ce tempérament puissamment unificateur? Ne nous y trompons pas : il consent, mais il souffre. Car il veut tout. Refusant le dilemme : « L'Église *ou* le monde », il n'aura de cesse qu'il puisse dire : « Dieu *et* le monde ». Parlant un jour de la « prodigieuse découverte » qu'il fit aux vêpres de Noël 1886, celle du « monde surnaturel », il a précisé lui-même :

> L'entreprise d'arranger ensemble les deux mondes, de faire coïncider ce monde-ci avec l'autre, a été celle de toute ma vie; et c'est au moment où je suis sorti de Notre-Dame que l'immensité de cette entreprise m'a sauté aux yeux [41].

Pourquoi immense? Il y faudra une révolution! Depuis le XVIe siècle, l'Occident s'est habitué à penser le monde

41. *Mémoires...*, p. 51.

de la nature *indépendamment du monde surnaturel*. En
sorte que les artistes chrétiens, à commencer par les classiques, ont été chrétiens dans leur vie, profanes dans leur
art. On comprend le refus janséniste : réaction chrétienne
devant une conception du monde qui ne l'était plus. Si
ce monde n'est pas chrétien, le chrétien « n'y trouve plus
sa place ». Il s'y sent « égaré ». Il le fuit. Il ferme les yeux
à la beauté, où il voit un piège. Il « tend les bras vers
son Libérateur ». Le dogme de la Rédemption a fait
oublier celui de la Création. C'est la limite de Pascal lui-
même — dont Claudel va maintenant se détacher —
d'avoir subi, alors qu'il fallait la mettre en question, une
conception séparatiste de l'Univers, conception qui n'est
pas celle de la Bible, qui n'est donc pas chrétienne, et
qui signait, au surplus, la condamnation de tout art chrétien. A un problème posé en termes non chrétiens, comment Pascal eût-il pu donner une solution chrétienne
parfaitement satisfaisante? Ceux qui s'en satisfont, et
qui prétendent nous l'imposer comme la seule logique, ce
sont aujourd'hui — remarquons-le — les athées, c'est-
à-dire ceux qui ont poussé à la dernière limite le présup-
posé d'un monde conçu comme étranger à Dieu. Depuis
Sainte-Beuve jusqu'à Montherlant, tous nous somment
de choisir entre nos sens et notre âme. A eux les jouissances artistiques, à nous la joie de l'au-delà. A eux la terre,
à nous le ciel. Ils ont raison. Nous devrions vivre farouche-
ment séparés d'un monde séparé de Dieu. Mais Claudel va
nous rappeler que nous devons vivre unis à un monde en
réalité uni à Dieu, puisqu'il a été créé par lui et pour lui.

Claudel ne parlera donc jamais de la *Nature*, déifiée
par les positivistes et redoutée des jansénistes, — mais
de la *Création*, de cette « sainte réalité », qui n'est pas
« muette », qui n'observe pas un « silence éternel » —
comme le veulent Pascal et Vigny —, mais qui, habitée
par Dieu, chante avec nous la gloire de Dieu. « Il n'y a
pas un Univers religieux et un Univers profane », dit
Claudel : tout est sacré.

Mais il ne suffit pas de rappeler cette révolution opérée par Claudel. Il faut l'expliquer. Souvenons-nous : « C'est au moment où je suis sorti de Notre-Dame, a-t-il dit, que l'immensité de cette entreprise m'a sauté aux yeux. » C'est à ce moment-là aussi, je crois, que le principe de la solution lui fut donné comme en germe. Quand, soixante-cinq ans plus tard, il rappelait la fameuse lecture de Noël 86, quels versets du chapitre VIII des *Proverbes* lui revenaient d'abord à la mémoire? *C'est moi, dit la Sagesse, qui me trouvais en présence de Dieu quand il équilibrait le cours des eaux, quand il traçait avec un compas un cercle sur l'abîme.* « Symbole multiple [42] », comme il l'a dit lui-même, la Sagesse n'était donc pas seulement pour lui la Femme, la Princesse, la Vierge, l'Église. Elle était associée à la création! Elle n'était plus celle qui nous attire au-delà du monde, mais tournée vers le monde pour le façonner, elle était attachée à lui comme les doigts du sculpteur à la glaise. L'allusion aux eaux de l'abîme renvoyait Claudel à la Genèse, où il entendait Dieu proclamer que sa création est « bonne ». Un tel texte, on l'avouera, était assez peu janséniste! L'illumination qu'il en reçut devait être d'une inépuisable richesse. Toutefois pour qu'il osât en tirer parti, il lui fallut, ici encore, la médiation de Notre-Dame de Paris. C'est, nous dit-il, en suivant ses offices, c'est aussi en se laissant investir par la splendeur grave de la cathédrale parisienne, qu'il se réconcilia avec la beauté. « Peu à peu, lentement et péniblement, se faisait jour dans mon cœur cette idée que l'art et la poésie aussi sont des choses divines. » Divines : non pas au sens des esthètes, mais au sens le plus fort, puisque la Sagesse elle-même nous est présentée par les *Proverbes* comme une artiste. C'est elle qui nous met la flûte à la bouche pour que nous chantions « en mesure » avec elle [43].

Les critiques ont aisément pardonné à Claudel son peu

---

42. *Mémoires...*, p. 90.
43. *Odes*, p. 73.

de goût pour un romantisme qui, faute de prendre appui sur la solidité de l'Être, se nourrit de fables et se paie de mots. Ils ont moins bien compris qu'il ait osé faire éclater les règles de la tradition classique. On a parlé de désinvolture. On a cru à une manifestation incongrue d'individualisme. Comment n'a-t-on pas vu qu'au-delà de toute notre littérature, Claudel est allé jeter l'ancre dans la Genèse? Par là s'expliquent la fraîcheur et l'ampleur déroutantes de son inspiration.

La fraîcheur d'abord. Car Claudel s'installe, non pas dans une nature achevée et durcie, mais dans une création *in fieri*. Il voit Dieu au travail, un Dieu « toujours vivant, toujours à l'état d'explosion et de source [44] ». Tout est dit, gémissait La Bruyère, et Renan prétendait : Tout sera bientôt su.

Tout est su, raille Claudel, tout peut s'apprendre. La publication de l'ouvrage va être terminée; nous annonçons à nos souscripteurs les derniers tomes de notre encyclopédie... Insensé, qui pense que rien peut s'épuiser comme sujet de connaissance, jamais! Je vous le dis : vous n'avez point tari le génie de sa liberté et de sa joie! La mer conserve ses trésors; Apollon entre encore aux forges du Tonnerre! Ouvrez les yeux! Le monde est encore intact; il est vierge *comme au premier jour*, frais comme le lait!...
... A chaque trait de notre haleine, le monde est aussi nouveau qu'à cette première gorgée d'air dont *le premier homme* fit son premier souffle [45].

Claudel s'installe « sur le pouls même de l'Être », au point où l'éternité jaillit dans le temps. Sans cesse, il reviendra sur cette Sagesse qui « joue » avec les eaux de l'abîme, qui en joue avec une totale liberté inventive [46]. Tout ce qui est fusée vitale, fantaisie irrépressible, bourgeonnement inattendu, trouvaille déconcertante et même cocasse, tout cela, que nous découvrons dans la Création, est en accord avec le Créateur et un effet de sa présence [47].

44. *Positions...*, I, p. 184.
45. *Art poétique*, p. 25 et 45.
46. La Sagesse-Muse s'aperçoit en filigrane au début de *L'Esprit et l'Eau*, et plus clairement dans *Les Muses* et *La Muse qui et la Grâce*.
47. Cf. « Prakriti », dans *Figures et Paraboles*, et aussi ce que Claudel

On conçoit l'enthousiasme du jeune poète qui voit, non
seulement tolérées, mais encouragées par le texte biblique,
les audaces novatrices dont l'impatience grondait en lui.
Quelles écluses poétiques la lecture du soir de Noël
n'allait-elle pas ouvrir sur notre littérature!

Mais la même lecture explique aussi l'ampleur totali-
taire de la prise claudélienne. Puisque la Sagesse a précédé le monde, elle domine tous les temps, elle embrasse
d'un regard tous les espaces. Une poésie qui ne s'égalerait
pas à cette amplitude, qui ne « jouerait » pas avec tous
les éléments de la création, depuis le séraphin jusqu'au
ver, une telle poésie ne serait pas « divine ». Ah! qu'il
ne manque aucune corde à la harpe, aucun instrument à
l'orchestre! Mais voici que tonnent les grandes orgues
claudéliennes :

> *Salut donc, ô monde nouveau à mes yeux, ô monde maintenant*
> *total!*
> *O credo des choses visibles et invisibles, je vous accepte avec un*
> *cœur catholique!*
> *Où que je tourne la tête,*
> *J'envisage l'immense octave de la création!*
> *Le monde s'ouvre et, si large qu'en soit l'empan, mon regard le*
> *traverse d'un bout à l'autre* [48].

Fasciné par la Femme mystérieuse, Claudel se situe
toujours au moment de l'acte créateur, *in principio* (cette
expression du chapitre VIII des *Proverbes* est aussi le
premier mot de la Genèse), quand Dieu « disposait avec
beauté le Jeu, quand il déclenchait l'énorme cérémonie ».
Et c'est bien pourquoi le poète ne quitte pas le « paradis » :
il en est le « témoin »; comme Adam, il répète les « noms
éternels » épelés par Dieu. Et c'est pourquoi encore Claudel se rit de l'angoisse janséniste ou athée devant l'Univers. Si prodigieusement que s'étendent les espaces stel-

écrivait à Gide le 7 novembre 1905 : « Ne voyez-vous pas le principe
d'un art éclatant et généreux dans ce chapitre des *Proverbes* où l'on voit
la Sagesse « jouant » sur l'abîme avec une liberté sublime? » (*Correspondance*, p. 52.)
    48. *Odes*, p. 57.

laires, le chrétien s'y trouve chez lui, puisqu'il est chez
Dieu : il s'y promène comme Adam au Jardin à la brise
du soir :

> *Je ne vous crains point, ô grandes créatures célestes!...*
> *Et je vous ris aux yeux comme Adam aux bêtes familières.*
> *Toi, ma douce petite étoile entre les doigts de ma main comme une*
> *pomme cannelle* [49]*!...*

Mais je dois faire taire ces citations qui, sous mes doigts,
partent toutes à la fois comme les fusées d'un feu d'artifice. On peut l'affirmer : toutes les idées-mères de Claudel,
celles en particulier qui donnent une telle densité à son
Art poétique, résultent de la déflagration en lui du texte
des *Proverbes*.

Mais pour prouver l'intensité du choc reçu le jour de
Noël 1886, voici qui paraîtra plus étonnant encore : c'est
que, dans cette vision cosmique, l'image de Notre-Dame
de Paris ne cesse pas un instant de se superposer à celle
de la Sagesse. Ou plutôt la Sagesse est considérée aussi
comme un « architecte » qui tient son « compas » sur le
monde. L'Univers est toujours vu comme une cathédrale
aux proportions rigoureusement calculées, une « maison
fermée », qui a sa clé de voûte, ses lampes, son centre :
la présence divine. Il s'y déroule une « cérémonie ». Les
astres chantent comme un chœur. Et l'imagination
grandiose du poète élargit à l'échelle des nébuleuses les
magnificences liturgiques dont il se repaissait à Notre-
Dame :

> *Et l'observateur cherche et trouve les pivots et les rubis, Hercule et*
> *Alcyone, et les constellations*
> *Pareilles à l'agrafe sur l'épaule d'un pontife et à de grands orne-*
> *ments chargés de pierres de diverses couleurs* [50].

Ou encore, le ciel astronomique lui paraît une « forêt
de flambeaux »; et au milieu de cet essaim d'étoiles, il

49. *Odes*, p. 30, 62, 163, et *Art poétique, passim.*
50. *Odes*, p. 88.

voit officier « l'immense clergé de la Nuit avec ses Évêques
et ses Patriarches [51] ».

Ainsi donc Claudel a réussi. Il avait juré, après sa
conversion, de ne jamais poser le pied en terre profane,
et désormais pour lui tout est sacré. Ayant rêvé de passer
ses jours dans le cloître (« Point de Dieu pour toi sans
une église, et toute vie commence par la cellule »), il voit
son désir exaucé d'une façon inattendue.

Voici de nouveau pour nous un temple pour faire notre prière...
Pour la clôture de Solesmes et de Ligugé voici une autre clôture!
Je vois devant moi l'Église catholique qui est de tout l'univers [52]!

La liturgie, telle que je l'entends aujourd'hui, n'est pas un asile
hermétique, un refuge... L'idée s'imposa à moi peu à peu qu'il n'y a
pas un monde laïque où la rédemption s'introduit comme un
épisode étranger... Cette chance m'était offerte, que j'avais
convoitée au jour de ma conversion, d'être catholique, j'entends
catholique au sens universel. Quelqu'un qui a vraiment surmonté
le monde et qui n'y voit plus rien qui soit étranger au Christ [53].

Comme le peuple élu, Claudel a d'abord fui l'Égypte et
ses dieux, mais désormais, pour lui « toute la terre est la
Terre Promise [54] ». Et si, comme l'Église, il a commencé
par l'exécration, comme elle il termine par la consécra-
tion. Car il faut purifier son cœur pour retrouver l'entrée
du Jardin : « Il n'y a qu'une âme purifiée qui compren-
dra l'odeur de la rose [55]. »

51. Cantique de Mesa, dans *Partage de Midi*.
Et je n'ai pas parlé de l'eau! de cet élément paradisiaque qui assure
la « continuité » d'un bout à l'autre de la Création, délie les âmes et les
fait communier en une goutte unique. Ce thème alterne avec celui du
temple, puisque la Sagesse, qui domine les sources du chaos, médite
aussi un monde ordonné. Remarquez que Pierre de Craon est conçu
d'abord comme un « trouveur de sources » (dans *La Jeune fille Violaine*), puis comme un « père d'églises » (dans *L'Annonce*).
52. *Odes*, p. 166 et 178.
53. *J'aime la Bible*, p. 114.
54. *Conversations...*, p. 239.
55. *L'Oiseau noir...*, p. 127.
Je n'ai pu présenter — et d'une façon très incomplète — que les
thèmes développés à partir du germe de la conversion et qui ont permis
à un poète d' « évangéliser » peu à peu toutes ses facultés. Mais il serait

*
* *

Avant d'abandonner la dépouille mortelle de Paul Claudel à Notre-Dame de Paris, il nous plaît d'imaginer les
sentiments du grand poète, quand il revenait, comme il
faisait si souvent dans ses dernières années, sous ces
voûtes où il n'est pas exagéré de dire qu'il avait tout
trouvé. Ce n'était plus pour lui la « caverne » où Dieu
le guettait pour une lutte brutale. Pas davantage cet
amas de ténèbres où Tête d'Or terrassé faisait son noviciat chrétien.

A Notre-Dame, écrivait-il encore en 1900..., tu goûteras bien le
goût de la *mort;* il est rassurant, si tu relèves la tête, de ne plus
voir, au lieu de soleil, que durer ces grandes roses bigarrées qui
semblent... *exclure* toute la lumière qui pourrait entrer [56].

aussi imprudent de juger la religion de Claudel d'après cet aspect lyrique,
que le catholicisme d'après la seule liturgie. On sait l'attachement de
Claudel à tous les dogmes.
     La conception qu'il se fait de la vie chrétienne ne me paraît contes-
table qu'en ce qui concerne l'amour humain. Pourquoi la femme doit-elle
demeurer « séparée » de celui qui l'aime? Retrouverions-nous ici la
vieille tradition de l'amour courtois, relancée par les romantiques?
Mais un Claudel influencé par le romantisme, quoi de plus invraisemblable? En réalité, il confie à la femme le rôle de la Sagesse. C'est Violaine, par exemple (mais tous les drames sont construits sur le même
schéma), se présentant à Jacques Hury comme une apparition céleste
(pourquoi cette robe de lin, cette dalmatique?), éveillant en lui un
désir à la fois charnel et spirituel, se dérobant, reparaissant crucifiée
(comme la Princesse et la Vierge Marie), répandant enfin une paix
paradisiaque. Même morte, Jacques n'a pu la toucher. « Douce » Violaine, mais « trompeuse » Violaine, qui a fait croire au pauvre Jacques
qu'il s'agissait avec elle de fiançailles communes! Pour que l'attrait
qu'exerce la femme cesse d'être ambigu, il faut que son corps soit
détruit, ou pour le moins « séparé ». « Ce n'est point avec de la boue
qu'on épouse l'étoile du matin. » (*Tobie*, p. 68.) Conception d'une indi-
cible beauté. Seulement, la femme n'est pas une étoile, et son corps,
pour un chrétien, n'est pas de la boue. Il s'ensuit une mésestime certaine du mariage. — En outre l'utilisation par la Grâce d'un désir
charnel non spiritualisé par le sacrement devient choquante dans *Partage de Midi*. C'est l'unique cas, me semble-t-il, où Claudel n'ait pas su
adapter sa conception monastique. Je doute d'ailleurs que sa solution
l'ait laissé sans inquiétude. Quand, en 1946, je lui rappellerai le mot
de Lacordaire qu'il a cité lui-même : « Il n'y a pas deux amours »,
il répondra : « Je n'y crois plus autant. Eros et Agapè ne vont pas
ensemble! »
     56. *Art poétique*, p. 217.

En 1932 encore, l'obscurité domine, mais on sent une note plus douce, et comme mûrie.

> Quand on entre à Notre-Dame par une après-midi d'hiver, c'est comme si on plongeait soudain dans un bain de ténèbres bienfaisantes. Quelle satisfaction de reprendre contact avec notre néant originel! L'obscurité où nous disparaissons nous rend moins loin de l'Invisible [57].

Mais de plus en plus les yeux du vieillard s'élèvent vers cette « clé de voûte » qui unifie l'édifice en l'aspirant vers le ciel. C'est l'image de sa vie. Créatrice, la Sagesse l'a solidement implanté dans ce monde. Mais il n'oublie pas qu'elle a d'abord été pour lui « conductrice » : la Princesse-Vierge l'a toujours précédé, s'est dérobée sans cesse, lui demandant de tout sacrifier, de s'arracher à tout, de s'avancer toujours plus loin vers Dieu. Cette tension entre les deux directions, horizontale et verticale, c'est la croix.

Mais vient une heure où la mort n'a plus rien à nous prendre; où la vie ne pèse pas plus que des ailes; où « la Croix elle-même n'est plus qu'une paire d'ailes flamboyantes à nos épaules [58] ». Il se souvient alors de la Femme mystérieuse entr'aperçue un soir de Noël. La « promesse » qu'elle lui a faite, aucune femme, aucune beauté, l'Univers lui-même n'a pu la « tenir ». Le vieil homme a compris maintenant : seule, la Jérusalem d'en-haut, la cité aux mille feux, est à la mesure d'un tel appel. Il ne voit plus dans Notre-Dame que l' « enthousiasme vertical », et « l'ascension vers la lumière ». Il lève les yeux vers « ces torrents de joyaux multicolores que déversent sur nous les verrières dans un éclaboussement de pourpre et de miracle ». Cet « hymne simultané », cette « explosion permanente », n'est-ce pas l'image de « cette Jérusalem céleste dont l'Apocalypse nous dit qu'elle est descendue sur la terre comme une fiancée revêtue du soleil [59] » ?

57. *Positions...*, II, p. 212.
58. *L'Épée et le Miroir*, p. 173.
59. « Vitraux », dans *l'Œil écoute*.

Quelle unité a enfin réalisée le vieux poète! Il se souvient alors des jours de son combat.

O mon Dieu, je me rappelle ces ténèbres où nous étions face à face tous les deux, ces sombres après-midi d'hiver à Notre-Dame,
Moi tout seul, tout en bas, éclairant la face du grand Christ de bronze avec un cierge de 25 centimes.
Tous les hommes alors étaient contre nous, la science, la raison.
La foi seule était en moi. Et je vous regardais en silence comme un homme qui préfère son ami.

Les ténèbres chassées, la solitude rompue, l'Univers agrandi et redevenu habitable aux chrétiens, des milliers d'âmes allumées à la sienne : comment ne chanterait-il pas son *Magnificat?*

Je n'ai point bougé et les limites de votre tombeau sont redevenues celles de l'Univers.
Comme un homme qui avec son cierge qu'il penche allume toute une procession,
Voici qu'avec cette mèche de quatre sous j'ai allumé autour de moi toutes les étoiles qui font à votre présence une garde inextinguible [60].

C'est ce *Magnificat* que nous venons de chanter avec lui.

60. *Odes*, p. 167.

TABLE DES MATIÈRES

ACHEVÉ D'IMPRIMER
SUR LES PRESSES DE
L'IMPRIMERIE OFFSET JEAN GROU-RADENEZ

NUMÉRO D'ÉDITION : 730
DÉPOT LÉGAL : 1er TRIMESTRE 1959